LA CRISE DE L'IDENTITÉ AMÉRICAINE

DENIS LACORNE

LA CRISE DE L'IDENTITÉ AMÉRICAINE

DU MELTING-POT AU MULTICULTURALISME

FAYARD

À Maria Ruth

Introduction

Le multiculturalisme est, en France comme aux États-Unis, au cœur de débats qui animent et divisent les milieux politiques, les intellectuels et les éducateurs. En France, les défenseurs de notre singularité républicaine s'inquiètent des effets pervers d'un multiculturalisme « d'origine américaine » qui transformerait la revendication légitime d'un certain « droit à la différence » en des droits spécifiques, contraires aux principes fondateurs de notre système politique : l'égalité civile et l'impartialité d'un État laïque et républicain. Le citoyen, bien sûr, n'est jamais un individu complètement abstrait : il est issu d'un enchevêtrement de communautés – familiale, politique, religieuse, ethnique – qui influent sur son comportement. Mais il se plie, théoriquement du moins, aux exigences d'un État de droit.

Le système politique américain n'est pas fondamentalement différent du nôtre. Il repose lui aussi sur un contrat politique, librement consenti par la communauté des citoyens. Le « peuple de ce pays », selon la formule d'Alexander Hamilton, avait réussi à démontrer qu'un « bon gouvernement » n'était pas seulement le fruit du hasard ou de la nécessité, mais le résultat d'un choix délibéré conduisant à la rédaction de l'une des premières Constitutions républicaines du monde, en 1787. Mais aux États-Unis, contrairement à la France, la revendication de l'égalité politique des êtres n'a jamais été tout à fait satisfaisante. D'abord, parce que les Amérindiens et les Noirs furent d'emblée exclus de la sphère de la citoyenneté ; ensuite, parce que ce pays d'accueil, en principe ouvert à tous les immigrants, n'a cessé d'être aussi le pays de l'exclusion, du racisme et de la xénophobie. D'où ce singulier paradoxe : les Allemands, les Irlandais, les Chinois, les « Slavo-Latins », les Juifs, les Hispaniques furent chacun à leur tour jugés inassimilables... avant d'être presque tous assimilés. Mais l'échec durable de l'intégration des Noirs au sein du melting-pot américain devait provoquer, à la fin des années 1960, une forte revendication identitaire : puisque le rêve américain leur était interdit, il fallait, prétendirent certains réformistes, leur accorder des droits spéciaux, et même des passe-droits ou des privilèges, pour leur permettre de rattraper leur « retard ». C'est ainsi que furent, petit à petit, valorisées les différences ethniques et que, par effet d'imitation, des groupes qui n'avaient pas souffert de discriminations comparables à celles des Africains-Américains, revendiquèrent la généralisation d'un « droit à la différence », concrétisé par la mise en place de politiques préférentielles (*affirmative action*), fort complexes et toujours controversées.

C'est donc un double paradoxe que veut interroger cet ouvrage : celui d'un pays à la fois fragmenté dans son tissu social et doué d'une étonnante capacité d'intégration, égalitaire en principe mais remarquablement tolérant à l'égard de droits préférentiels. D'où l'importance donnée aux débats qui n'ont cessé, depuis trois siècles, d'opposer les partisans de l'assimilation aux tenants du pluralisme culturel. L'accueil fait aux étrangers trouvait sa justification dans un « principe de tolérance » inventé au XVIIᵉ siècle et modernisé de façon décisive par les fondateurs de la République fédérale américaine. La tolérance américaine, d'abord religieuse, est ainsi devenue ethnoculturelle. Sous sa première forme, elle avait trouvé son expression la plus achevée dans les écrits du philosophe John Locke et du fondateur de l'État de Rhode Island, Roger Williams. Sous la seconde, elle évoquait la construction d'une nation plurielle enrichie par la rencontre des peuples et des religions, le mélange des races [1] et des ethnies, l'hybridité des cultures... Cette nation plurielle fut imaginée dès 1782 par les auteurs d'une devise bientôt étalée sur les billets de un dollar : *E pluribus unum* (« De plusieurs, un seul »). La formule, empruntée à Virgile, était noble, mais mystérieuse et sans précédent ; elle promettait mieux qu'une mosaïque ou qu'une juxtaposition de peuples : la construction sur le sol américain d'une nation multiculturelle.

Un siècle plus tard, le même projet fut mis au goût du jour par un écrivain anglais dans une pièce de théâtre à succès jouée pour la première fois en 1908 à Washington D.C. *The Melting-Pot*, car tel est le nom du drame, offrait un étonnant raccourci de ce que pourrait être la Nouvelle Jérusalem du XXᵉ siècle. L'Amérique rêvée par David Quixano, le héros de la pièce d'Israel Zangwill, était en effet le pays de la grande réconciliation des Slaves et des Teutons, des Celtes et des Latins, des Juifs et des Gentils, du « palmier et du pin », de la « croix et du croissant », tous brassés ensemble dans un métaphorique chaudron, symbole par excellence de l'assimilation réussie. En offrant une nouvelle lecture de la pièce de Zangwill, j'expliquerai pourquoi ce personnage haut en couleur, ami de Theodor Herzl et champion du sionisme, crut bon de choisir les États-Unis comme terre de prédilection de toutes les diasporas du monde, à commencer par la diaspora juive d'Europe centrale.

---

1. Les individus, aux États-Unis, sont toujours l'objet d'une classification raciale de la part des autorités publiques du pays mais aussi des sociologues, des politologues, des historiens et des journalistes. Le mot « race », tel qu'il est officiellement utilisé aujourd'hui, a perdu la signification « biologique » que lui donnaient les pseudo-savants du début du siècle. C'est un construit social, utilisé comme synonyme de « groupe ethnique ». Je me conformerai donc à l'usage américain. Mais j'utiliserai des guillemets dès qu'il y aura risque d'interprétation ou de connotation racistes.

Bien sûr, de nombreux intellectuels américains ne partageaient pas l'optimisme assimilateur d'Israel Zangwill. L'assimilation, affirmaient-ils, pouvait échouer ; elle pouvait provoquer une dangereuse perte d'identité. Elle fut sévèrement dénoncée par un penseur aujourd'hui oublié, Horace Kallen, le grand précurseur du multiculturalisme américain, l'inventeur d'un « droit à la différence » ethnique et culturelle qu'il qualifiait alors, et justement, de « pluralisme culturel ».

C'est à ces idées contraires – le melting-pot, le pluralisme culturel – qu'est consacré ce livre, aux discussions qu'elles ont suscitées, aux passions qu'elles n'ont pas manqué de déchaîner, aux œuvres et aux chefs-d'œuvre qu'elles ont inspirés. Je montrerai, chemin faisant, que l'intégration des immigrés ne se pense pas aux États-Unis comme en France. L'absence d'une tradition jacobine, la faible centralisation de l'État fédéral américain ont encouragé la floraison d'une multitude de communautés sans pour autant remettre en cause la promesse d'une assimilation réussie.

Terre d'accueil des immigrants de toutes provenances et de toutes conditions sociales, les États-Unis sont aussi, paradoxalement, le pays du rejet des immigrants. Les phénomènes d'exclusion y ont des origines multiples : la peur, exprimée dès le XVIIIe siècle, d'une « germanisation » de la Pennsylvanie ; la crainte, énoncée un siècle plus tard, d'un catholicisme irlandais réfractaire aux idées républicaines ; la hantise du mélange des races et de l'infériorité congénitale des Slaves et des Latins, préjugé popularisé par de curieux « savants » en quête d'eugénisme ; la volonté, affichée au cours de la Première Guerre mondiale, de faire disparaître une culture germano-américaine trop visible et trop entichée de sa langue ; la peur des « Rouges » et de l'anarchisme ; la violence et la misère des ghettos ethniques ; le choc des cultures et, pis encore, l'angoisse d'une possible « désoccidentalisation » de l'Amérique...

Je consacrerai la dernière partie du livre au débat multi-culturel des années 1990. Ce débat, en réalité, n'est pas nouveau. Il reproduit sur un mode mimétique les grandes controverses surgies dès le XVIIIᵉ siècle à propos de l'assimilation des Allemands de Pennsylvanie, jugée impossible par Benjamin Franklin. Mais le vocabulaire et les enjeux ont changé. Le modèle anglo-protestant des premiers colons n'est plus l'étalon culturel auquel doivent se conformer les nouveaux arrivants. L'anglo-conformisme et une certaine arrogance culturelle occidentale ne sont plus de mise. Désormais, l'accent est mis sur les identités particulières des minorités ethniques, des nouveaux immigrants et de tous les groupes qui peuvent prétendre à une spécificité culturelle. Le « droit à la différence » exprime aujourd'hui un triple refus : celui de l'assimilation, celui de l'universalisme républicain et celui de valeurs ou de normes d'origine anglo-saxonne. Ce refus, on le verra, a profondément marqué les éducateurs, au point de bouleverser leurs méthodes d'enseignement.

Voilà pourquoi j'accorderai une attention particulière à l'enseignement multiculturel, à cette ambition difficile de former les citoyens d'une nation « une », quoique éclatée en une multiplicité d'allégeances. Antiraciste par définition, la pédagogie pluraliste développée par les nouveaux éducateurs entend reconnaître toutes les cultures et toutes les civilisations incarnées par les minorités autochtones et immigrées. Cette méthode n'exclut pas, dans sa version modérée, le maintien d'une bonne dose de culture civique, nourrie des grands principes fondateurs de la République fédérale. Dans sa version la plus radicale, elle donne une place de choix aux contre-cultures et aux victimes des excès de l'anglo-conformisme. Or, toute la difficulté de ce type d'enseignement tient justement à la place donnée aux diverses « contributions » des communautés ethniques. Comment, en effet, magnifier l'apport de cultures « minoritaires » sans minimiser les normes culturelles de la majorité ? Comment « égaliser » les cultures sans relativiser les valeurs dont elles se réclament ? Comment faire l'inventaire des connaissances et des découvertes sans dresser une hiérarchie des auteurs, des artistes et des inventeurs ? Comment, en bref, glorifier les uns sans chagriner les autres ? Ou, plus généralement encore, comment marier l'universel et le particulier ? Le risque de dérapage est ici évident : il conduit à la « surenchère ethnique » que j'illustre à partir d'exemples tirés de la science, de l'histoire et de la littérature. À l'extrême, le différentialisme débridé des enseignements multiculturels conduit à censurer des manuels scolaires pourtant bien intentionnés, mais insuffisamment « ethniques » pour plaire tout à la fois aux Noirs, aux Asiatiques, aux Chicanos, etc.

Les conflits pédagogiques, je le montre dans cet ouvrage, sont une constante de l'histoire américaine : au XIXe siècle, ce fut la guerre des Bibles opposant catholiques et protestants à propos du contenu des cours de morale « laïque » ; aujourd'hui c'est la guerre des manuels scolaires dont les protagonistes, des plus conciliants aux plus extrémistes, défendent, chacun à leur façon, une même utopie : un multiculturalisme authentique qui serait capable de satisfaire à la fois toutes les communautés ethniques, toutes les religions, les femmes comme les hommes, les homosexuels comme les hétérosexuels..., et qui serait, par surcroît, un discours de vérité.

La crise de l'identité américaine est bien réelle, les derniers chapitres de l'ouvrage l'établissent assez, mais elle n'est pas fatale ; car le ressort de l'Amérique reste bien le principe de tolérance et son corollaire politique, le principe d'égalité. L'un et l'autre sont pourtant contestés par les partisans des politiques de traitement préférentiel (*affirmative action*), au nom d'un autre principe plus vague et diffus, celui d'équité. La diminution des inégalités raciales exigerait, d'après ce dernier principe, l'octroi de droits « compensateurs » en faveur de minorités dont les membres auraient été, dans le passé, les victimes de discriminations sévères et durables.

Dans cette perspective, l'unité de base de la nation ne serait plus l'individu mais la communauté ethnique, et la recherche d'une certaine égalité de résultats l'emporterait sur la simple égalité des chances...

Ce livre examine les difficultés théoriques et pratiques que soulève la mise en place des politiques de traitement préférentiel à l'université et dans les entreprises. Il met en évidence les tensions qui n'ont cessé d'opposer les partisans de l'égalitarisme républicain aux tenants du différentialisme ethnoracial, et il marque les limites d'un système de préférence menacé d'« implosion » par les phénomènes de surenchère ethnique.

◆

Loin d'être une nation civique « à la française », la nation américaine est plutôt une nation « ethno-civique » qui n'a cessé au cours de son histoire de mêler des considérations raciales à des valeurs authentiquement républicaines. Elle était civique par inclusion et ethnique par exclusion. Elle reste, aujourd'hui encore, ethno-civique avec les meilleures intentions du monde. Officiellement, le recensement et l'utilisation systématique des catégories raciales ne servent plus qu'à élargir le cercle du « nous » fondateur (« We *the People of the United States...* », premiers mots de la Constitution) en intégrant dans la nation citoyenne tous les exclus et toutes les victimes de discriminations passées. Mais le résultat est là : les « races » demeurent et sont légitimées par la prolifération des politiques de traitement préférentiel. Tel est le dilemme d'une Amérique qui croit toujours aux vertus rédemptrices du melting-pot, mais qui se complique singulièrement la tâche en comptabilisant et en pérennisant ainsi ce qu'elle n'a de cesse de faire disparaître : les « races », c'est-à-dire l'expression même de l'exclusion, de l'intolérance et de l'inassimilable.

Aujourd'hui, l'identité américaine connaît à l'évidence une crise profonde. Ce livre entend en donner toute la mesure, mais sans tomber dans les travers et les simplifications routinières des auteurs toujours prompts à blâmer l'Amérique faute de vouloir la connaître.

Chapitre premier

LE MULTICULTURALISME EN QUESTION

Aux États-Unis, comme en France, le multiculturalisme est l'objet de débats et d'enjeux passionnés. Le mot, d'origine anglaise, est d'usage récent et il renvoie à la diversité culturelle, politique, religieuse des immigrés qui ne cessent d'affluer aux États-Unis depuis le vote, en 1965, de la plus libérale des lois d'immigration américaines. Cette diversité n'est pas seulement la conséquence des politiques d'immigration ; elle est aussi liée au mouvement des droits civiques des années 1960, qui incita les Noirs à prendre conscience de la richesse de leur identité ethnique. Peu à peu, par effet d'imitation, d'autres « minorités » prirent l'habitude de célébrer leur identité, au point, parfois, d'en réécrire l'histoire et de s'inventer des mythes fondateurs, étrangers à l'histoire du pays.

En France, la question multiculturelle est d'une autre nature. Elle concerne principalement les immigrés originaires d'Afrique du Nord, leur « différence » culturelle et religieuse, et la question de leur intégration dans une société libérale, fortement marquée par une tradition jacobine, républicaine et laïque. Faut-il « assimiler » les immigrés ? Doit-on tolérer la constitution de communautés distinctes ou séparées ? Quelles sont les limites du « droit à la différence » proclamé par les partisans des formes modernes des renouveaux ethniques ou religieux ? Les questions sont les mêmes, des deux côtés de l'Atlantique, mais les réponses sont fort différentes, comme je le montrerai en comparant l'affaire du voile islamique en France et celle du port de la kippa aux États-Unis. Il y a, en France comme aux États-Unis, des partisans et des adversaires de la diversité ethnoculturelle, des pluralistes et des assimilationnistes. Mais les discours sont divergents, même si les inquiétudes se ressemblent : la peur, à terme, d'une fragmentation du corps social. Pour les Américains, le danger est autochtone ; pour les Français, le danger a une origine américaine : l'importation en France d'un objet mal défini, souvent qualifié de « multiculturalisme américain ». Le débat multiculturel fait donc écho à un autre débat franco-américain concernant l'identité nationale, la pérennité d'une culture civique d'inspiration républicaine et les ultimes limites de la tolérance religieuse.

Êtes-vous « multi-culti » ?

Il est fréquent aux États-Unis de revendiquer son ethnie, d'affirmer sa différence, de vanter les mérites du multiculturalisme, même si certains assimilationnistes déplorent ces tendances et dénoncent le double danger d'une tribalisation de la société et d'un éclatement de l'État. Pour Phoebe Eng, la directrice de *A. Magazine*, un nouveau périodique haut de gamme destiné aux Américains d'origine asiatique, l'Amérique des années 1990 est à l'évidence « moins blanche » que celle des années 1980 et l'image de « l'Américain typique » n'a plus rien à voir avec celle, désuète et mythique, du *white-anglo-saxon-protestant* (WASP). « Maintenant, explique Phoebe Eng, la mode est au *multi-culti*. Si vous n'avez pas de l'ethnique dans votre passé [...], quelque chose qui vous distingue des autres, eh bien vous ne comptez presque plus[1] ! »

---

1. Felicia R. Lee, « Conversations/Phoebe Eng », *New York Times*, 10 octobre 1993. (Sauf mention contraire, toutes les traductions des textes anglais figurant dans le présent ouvrage sont les miennes.)

On aurait pourtant tort de généraliser la portée du propos. Nombreux sont les Américains qui se sentent américains d'abord et refusent de particulariser ou d'« ethniciser » leur identité. Ceux-là sont – qu'on aime le mot ou non – assimilés. Reste que l'affirmation de Phoebe Eng est révélatrice d'un discours nouveau, très en vogue dans les médias et sur les campus. Il faut, selon ce discours, être sensible aux particularismes du groupe d'appartenance, quel qu'il soit, et surtout s'il n'est pas blanc, occidental ou européen. Un être généreux et moderne doit privilégier la « diversité » par-dessus tout. Il n'y a donc pas, ici, de « creuset » américain. Le *melting pot*, s'il traduit la fusion des races ou l'amalgame de tous les individus en un bloc national indifférencié, relève du mythe ou de l'imposture.

Donc, le discours *multi-culti* n'est pas unanime. Il est l'enjeu d'un débat vigoureux qui passionne et divise le monde universitaire, les médias, les entreprises, la classe politique, bref la société tout entière. La promesse d'une société égalitaire, fondée sur le mérite personnel et la défense de droits individuels, est aujourd'hui doublée d'une autre promesse qui la contredit : celle de promouvoir les groupes défavorisés. Or les groupes qui cherchent à bénéficier de traitements préférentiels sont d'une étonnante diversité. Ils incluent la race (synonyme d'ethnie dans le vocabulaire américain), l'ethnie, le sexe (*gender* en anglais), la préférence sexuelle, le handicap, le statut de réfugié politique... La mosaïque des groupes et des intérêts, leur dynamique particulière constituent ce mélange explosif et mal défini que les Américains des années 1990 appellent le multiculturalisme.

Premières définitions

Avant le nom, il y avait l'adjectif : le terme « multiculturel » est d'un emploi récent dans la langue anglaise, puisqu'il remonte à 1941. Le mot évoquait à l'époque un phénomène nouveau décrit par le romancier Edward Haskell : une société cosmopolite, pluriraciale, multilingue, composée d'individus transnationaux pour qui le vieux nationalisme d'antan n'avait plus la moindre signification. Est multiculturel, selon Haskell, celui qui n'a ni préjugés ni « attaches patriotiques[1] ». Le sens du mot va se préciser dans la presse anglo-canadienne des années 1960 et 1970. Objet de fiction en 1941, il décrit, à partir de 1959, la réalité sociale des grandes métropoles cosmopolites du Canada, comme Montréal et Toronto[2].

Aux États-Unis, l'apparition du mot « multiculturel » est d'abord liée au mouvement des droits civiques des années 1960. L'égalité politique, enfin acquise par les Noirs, allait produire de nouvelles exigences et de nouveaux slogans, comme celui d'un « pouvoir noir » autonome, réclamé par une génération de leaders issus des rangs des organisations noires les plus radicales (Stokely Carmichael, Malcolm X, Eldridge Cleaver...). *Black is beautiful* était la phrase à la mode. Par effet d'imitation, d'autres groupes ethniques (Chicanos, Amérindiens, Cubains...) et religieux (catholiques, juifs-orthodoxes, amish...), jusque-là marginalisés, allaient proclamer leur « différence » et célébrer la grandeur d'identités redécouvertes. Dans la même veine, le mouvement féministe mettait l'accent sur un irréductible « droit à la différence », avant d'être imité à son tour par le mouvement de la *Gay Pride*... La fragmentation sociale de l'Amérique des années 1960, aggravée par la révolte des

1. Voir l'analyse du roman d'Edward F. Haskell, *Lance*, par Iris Barry dans le *New York Herald Tribune Books* du 27 juillet 1941, p. 1, cité dans l'article « Multicultural », *Oxford English Dictionary*, Oxford, Clarendon Press, 2ᵉ éd., 1989, t. X. Le commentaire de Barry est la première référence au mot « multiculturel » mentionnée dans ce dictionnaire.
2. Le *Times* de Londres en 1959, l'*Economist* en 1966, le *Globe and Mail* de Toronto en 1975 font état du caractère « multiculturel » des grandes villes canadiennes (*ibid.*). Les mots « multiculturel » et « multiculturalisme », d'après la banque de données NEXIS, n'apparaissent que quarante fois dans les journaux américains en 1981. Ils sont utilisés plus de deux mille fois, onze ans plus tard, en 1992. Voir Richard Bernstein, *Dictatorship of Virtue. Multiculturalism and the Battle for America's Future*, New York, A. Knopf, 1994, p. 4.

étudiants contre la guerre du Viêt-nam et les émeutes urbaines des ghettos noirs, est à la source des passions multiculturelles des années 1980-1990 et des premiers emplois du mot.

La prise de conscience du « déclin des États-Unis » et de l'une de ses causes majeures – la crise de l'enseignement – a orienté le débat dans une direction nouvelle, centrée sur la réforme des écoles publiques[1]. Pour les novateurs les plus « politiquement corrects », la réponse est simple : il faut « intéresser » les élèves et rendre les cours plus « vivants » en incorporant des références précises et nombreuses à la vie sociale des « minorités », des nouveaux immigrés et des ethnies négligées par les programmes d'enseignement traditionnels. Les partisans de la réforme accusent les tenants du *statu quo* de conformisme, d'eurocentrisme et autres péchés indignes d'un éducateur moderne. Il faut à tout prix diversifier les matières et les méthodes d'enseignement, comme en témoignent ces titres d'ouvrages scolaires à la mode : *Making Choices for Multicultural Education* (1988), *Multicultural Education : A Source Book* (1989), *Empowerment through Multicultural Education* (1991), *Language and Literacy Learning in Multicultural Classrooms* (1992), *Multiculturalism in Mathematics, Science and Technology* (1993), *Teaching with a Multicultural Perspective* (1994), *Multicultural Law Enforcement* (1995)... Aucun sujet n'échappe à la passion des nouveaux pédagogues.

Entre les communautaristes et les assimilationnistes se trouve un groupe intermédiaire, celui des « neutres » qui se refusent à prendre parti, de peur de heurter telle ou telle sensibilité, et qui restent, au fond, incapables de définir l'identité américaine. Ils feraient sans doute leur cette remar-

---

1. Ce déclin est illustré par la parution, la même année, de deux ouvrages influents : Paul Kennedy, *The Rise and Fall of The Great Powers*, New York, Random House, 1987, et Allan Bloom, *The Closing of the American Mind. How Higher Education has Failed Democracy and Impoverished the Souls of Today's Students*, New York, Simon and Schuster, 1987.

que du philosophe Michael Walzer, selon laquelle il n'y a
pas aux États-Unis d'« État-nation », puisque telle n'est pas
la « destinée » du pays[1]. Un récent discours de fin d'année
du président de Harvard, Neil Rudenstein, illustre bien
cette attitude indécise ou équilibriste :

> Donc, la réalité de l'unité ou de la diversité américaine n'est pas
> quelque chose de simple. Tous nos efforts pour trouver une méta-
> phore ou une phrase courte pour décrire nos aspirations ou notre
> expérience nationale restent inadéquats, même s'ils saisissent une
> part de vérité. Nous sommes un *melting-pot*, mais aussi une nation
> d'individus libres, égaux et uniques ; une mosaïque de cultures et de
> groupes différents ; un assemblage de cinquante États ; une nation
> une et « indivisible » ; une « coalition arc-en-ciel » ; une Nouvelle
> Frontière ou une Nouvelle Société en expansion continue ; un site
> où s'opposent les factions [décrites] par Madison ; un pays d'oppor-
> tunité [*a land of opportunity*] pour ceux qui ont le désir et la volonté
> de réussir ; une foule solitaire ; un agrégat enfin de communautés
> ethniques ou raciales qui forment des clans. Manifestement, notre
> quête nationale d'une définition commune reste l'un des grands
> dilemmes non résolus de l'Amérique[2].

Il n'y aurait donc pas d'identité nationale clairement définie, ni véritablement d'« Américain ». Il y aurait, tout au
plus, un projet en cours : la tentative sans précédent dans
l'histoire de l'humanité d'intégrer des peuples d'origines
différentes au sein d'une nouvelle communauté humaine.
L'énumération d'un chapelet de paradoxes permet au président de Harvard de projeter une image consensuelle. Il
n'est ni séparatiste ni assimilationniste, mais les deux à fois,
tout en même temps. Il peut donc s'ériger en prophète de
la grande réconciliation multiculturelle : il est celui qui
mène une grande et nouvelle « expérience de la diversité[3] ».
Ce faisant, il protège admirablement sa fonction tout en

---

1. Michael Walzer, *What it Means to be an American*, New York, Marsilio, 1992,
p. 49. Walzer ajoute que « la politique américaine, étant donné son caractère pluraliste, *exige* une certaine sorte d'incohérence » (pp. 48-49, souligné par l'auteur).
2. Neil Rudenstein, « Commencement Day Address », *Harvard College News*,
juillet 1993, p. 3.
3. *Ibid.*, pp. 4 et 5.

laissant à d'autres la tâche, plus ingrate, d'accorder la caco-phonie des revendications qui divisent aujourd'hui son uni-versité, comme la plupart des universités américaines.

Quittons maintenant le terrain universitaire pour raison-ner à l'échelle de la société tout entière. Une grande ques-tion domine l'histoire des États-Unis, celle de la réconcilia-tion des particularismes (les fameuses « factions » décrites par Madison) avec un universalisme républicain incarné par les grands textes fondateurs de la nation américaine : la Déclaration d'indépendance, la Constitution fédérale, les amendements égalitaires de l'après-guerre de Sécession. Le système composite élaboré à Philadelphie en 1787 n'était pas, au départ, aussi centralisé que notre système républi-cain. Et pourtant, les Américains ont eu aussi leurs « jaco-bins », les avocats de la grande utopie homogénéisante du mélange des races et des ethnies au sein d'une métaphorique « chaudière à fusion » (*melting pot*). Les degrés de fusion ont varié suivant les auteurs et les époques, avec des dosages plus ou moins forts d'assimilation, de moralisme et de xéno-phobie. Une authentique culture américaine, décrite tantôt comme anglo-saxonne, tantôt comme laïque et libérale, tan-tôt enfin comme post-ethnique, s'est développée à travers les siècles.

Qu'en reste-t-il après vingt ans de fièvre multiculturelle ? Quel contenu accorder à l'*unum* de la devise du Grand Sceau des États-Unis, imprimée sur tous les billets de un dollar (*E pluribus unum*) ? Que dire du fameux « nous » liminaire de la Constitution des États-Unis – « We the *People of the United States, in order to form a more perfect Union...* » ? Ce « nous » renvoie-t-il à la perfection d'un peuple, d'une nation, d'une nouvelle forme de civisme ? Ou bien au chaos d'irréductibles conflits ethniques, au début de la grande « désunion », au choc des civilisations déjà envisagé par les plus pessimistes ? Quel sens donner au grand mouvement multiculturaliste des années 1990 ? Signifie-t-il autre chose que le rejet des croyances et des institutions qui ont cimenté l'Amérique ? Que laisse enfin présager l'avenir, quand on sait que la population américaine d'origine européenne ne cesse de diminuer en nombre depuis les années 1940 et que, selon les prévisions du Bureau of the Census, les minorités noires, hispaniques et asiatiques représenteront près de 47 % de la population totale des États-Unis en l'an 2050 (fig. 1 et 2) ?

Fig. 1 : Population par ethnie ou race, 1810-2050 [1].

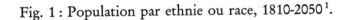

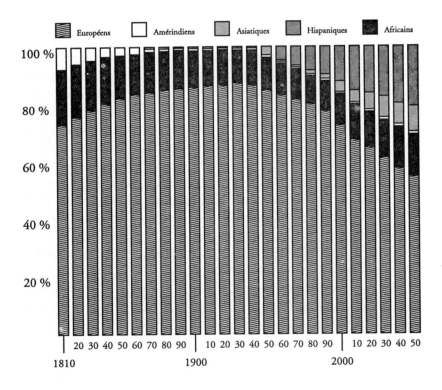

1. Source : Antonio McDaniel, « The Dynamic Racial Composition of the United States », *Daedalus*, t. CXXIV, n° 1, 1995, p. 184.

Fig. 2 : Population par ethnie ou race
(Européens exclus), 1810-2050[1].

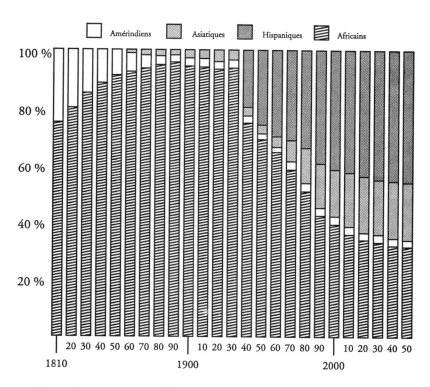

Les avis sont partagés. Certains s'attendent à l'éclatement de cette République péniblement unifiée en 1787 par les délégués de la Convention de Philadelphie, avant d'être réunifiée en 1865 (et à quel prix !) par les armées de l'Union. D'autres, au contraire, misent sur le succès d'un « patriotisme pluriel », capable de surmonter les plus vives passions ethniques, les combats culturalistes et les séparatismes de tous bords.

Pour l'historien Arthur Schlesinger, par exemple, la célébration des ethnies « noires, brunes, rouges, jaunes et blan-

---

1. Source : *ibid.*, p. 185.

ches » annonce la fin des beaux jours du melting-pot. Les accès de « rage ethnicisante » et la prolifération des falsifications de l'histoire ne peuvent que miner de l'intérieur les principes mêmes du libéralisme politique, à commencer par cette remarquable « synthèse républicaine » qui, selon Schlesinger, était seule capable de transcender « les lignes de partage ethniques, politiques et religieuses [1] ». L'avenir, tel que le conçoit cet historien, est plutôt sombre : « Si la république se détourne du vieil idéal washingtonien d'un "peuple unique", quel est son avenir ? – La désintégration de la communauté nationale, l'apartheid, la balkanisation, la tribalisation [2] ? »

Le même pessimisme prévaut chez Martin Peretz, directeur de la *New Republic*, qui affirme, au retour d'un séjour en Europe, que les États-Unis sont en train de basculer du camp des nations civiques vers celui des nations ethniques [3].

Pour Samuel Huntington, professeur d'études stratégiques à Harvard, le conflit n'est pas seulement ethnique, il est transnational. C'est un véritable « choc des civilisations » qui menace l'unité sociale et politique de l'Amérique. En effet, les nouveaux immigrants latins et asiatiques véhiculent des valeurs qui ne sont ni démocratiques ni humanistes. Elles sont sans doute respectables en soi, mais elles ne peuvent qu'affaiblir un consensus acquis après deux siècles d'expérimentation politique et sociale. La dénonciation estudiantine des enseignements « eurocentriques », la mode des traditions « afrocentristes » et orientales sont bien les signes de l'abandon du vieux credo américain et de son héritage européen. On assisterait donc, conclut Huntington, à la « désoccidentalisation » de l'Amérique. D'où cette

---

1. Arthur M. Schlesinger Jr., *The Disuniting of America. Reflections on a Multicultural Society*, Knoxville (Tennessee), Whittle Direct Books, 1991, pp. 58-80.
2. *Ibid.*, p. 67.
3. Martin Peretz, cité par Richard Neuhaus *in* « Immigration and the Aliens among Us », *First Things*, n° 35, 1993, p. 63.

lancinante question : les États-Unis peuvent-ils survivre comme démocratie libérale [1] ?

Nouveau prophète de malheur, un politologue de l'Utah, Bruce Porter, est plus pessimiste encore. Les innombrables lignes de partage ethniques, idéologiques, sexuelles... de l'Amérique moderne sont aussi détestables, affirme-t-il, que celles qui déchiraient ce pays à la veille de la guerre de Sécession. L'infranational l'emporte désormais sur le national et la république des Fondateurs ne serait plus qu'un amas de forces ou d'allégeances particularistes. Le multiculturalisme ambiant déchaîne des forces centrifuges qui, si elles ne sont pas enrayées, pourraient provoquer l'anarchie la plus complète, peut-être même la mise en place d'un régime autoritaire [2].

Peter Brimelow, un Anglais naturalisé américain et journaliste du mensuel *Forbes*, n'hésite pas à prévoir l'apocalypse si les États-Unis ne mettent pas fin à leur politique d'immigration ouverte et tous azimuts. La menace, pour lui, est d'abord démographique et vise la majorité anglo-saxonne à laquelle il est particulièrement fier d'appartenir. Que restera-t-il des *Anglos* si rien n'est fait pour contrecarrer le mythe d'une nation d'immigrants ? Le scénario est sombre : la majorité « blanche » se transformerait lentement en une espèce en voie de disparition, incapable de se reproduire, coincée entre les pinces d'une grande « tenaille » démographique composée d'un côté de Noirs et d'Asiatiques, de l'autre d'Hispaniques [3]. La tenaille imaginée par Brimelow se resserre un peu plus chaque jour, avec cet épouvantable résultat : une « transformation ethnique et raciale sans précédent dans l'histoire du monde », bref la mort de l'Amérique telle qu'on la connaît aujourd'hui, et,

1. Samuel Huntington, « If not Civilizations, What ? », *Foreign Affairs*, n° 5, 1993, p. 190.
2. Bruce D. Porter, « Can American Democracy Survive ? », *Commentary*, n° 5, 1993, p. 40.
3. Peter Brimelow, *Alien Nation. Common Sense about America's Immigration Disaster*, New York, Random House, 1995, pp. 58-73.

par implication, la subversion de l'idéal américain conçu par les premiers colons[1]...

L'analyse apocalyptique de Peter Brimelow est difficile à soutenir pour deux raisons. D'abord, parce qu'elle repose sur une définition ethnique de la nation américaine, contraire aux valeurs politiques du pays[2]. L'Amérique, en effet, est une « nation républicaine » produite par une volonté politique clairement exprimée dès la signature de la Déclaration d'indépendance (1776). La citoyenneté, depuis la ratification du 14ᵉ amendement (1868), est fondée sur le droit du sol (il suffit de naître aux États-Unis). Quant au résident étranger qui cherche à acquérir la citoyenneté, il doit faire acte d'allégeance politique, en passant un examen pour démontrer sa bonne connaissance du système politique américain, avant de prêter serment devant un juge fédéral[3]. Ensuite, parce que Brimelow postule une distinction arbitraire entre une catégorie statistique raciale (les Blancs) et une catégorie culturelle et linguistique (les Hispaniques). Il exagère donc les différences ethniques et culturelles entre Américains de souche et nouveaux immigrés latins, comme si ces derniers n'avaient pas de racines européennes !

En dénonçant l'invasion incontrôlée des nouveaux immigrants, Brimelow reproduit, à sa manière, le point de vue

---

1. *Ibid.*, pp. 9 et 265-275.
2. En définissant la nation américaine comme « un enchevêtrement d'ethnicité et de culture » (*ibid.*, pp. 10, 222 et 232), Brimelow ne fait que reproduire, sans en avoir pleinement conscience, le vieux stéréotype romantique de la « nation allemande », élaboré par Herder et Fichte. Voir Hans Kohn, *Nationalism : Its Meaning and History*, Malabar (Floride), Robert E. Krieger, 1982, pp. 16-37 ; Guy Hermet, *Histoire des nations et du nationalisme en Europe*, Paris, Éd. du Seuil, coll. « Points Histoire », 1996, pp. 115-133 ; et Raoul Girardet, *Nationalismes et nation*, Bruxelles, Éd. Complexe, 1996, pp. 9-35.
3. Pour plus de détails, voir Judith Shklar, *American Citizenship*, Cambridge, Harvard University Press, 1991 ; Peter H. Schuck et Rogers M. Smith, *Citizenship without Consent*, New Haven, Yale University Press, 1985. En français, on se reportera à Élise Marienstras, *Nous, le peuple. Les origines du nationalisme américain*, Paris, Gallimard, 1988 ; Gordon Wood, *La Création de la République américaine, 1776-1787* [1969], trad. fr. Paris, Belin, 1991 ; et Denis Lacorne, *L'Invention de la République. Le modèle américain*, Paris, Hachette, coll. « Pluriel », 1991.

des nativistes américains de l'entre-deux-guerres, qui s'inquiétaient alors de l'arrivée massive des nouveaux « barbares » slavo-judéo-latins. André Siegfried, dans son ouvrage de 1927, *Les États-Unis d'aujourd'hui*, traduisait bien l'inquiétude de l'époque en s'interrogeant (déjà) sur l'avenir physique et moral d'un pays dont l'« inspiration profonde » risquait de ne plus correspondre à l'idéal des Fondateurs :

> [...] avec dix millions de nègres dans son sein et des relations sexuelles entre les deux races, beaucoup plus intimes qu'on n'aime l'avouer, la race blanche est-elle, dans l'avenir, parfaitement sûre de son intégrité ? Et avec une inondation cinquantenaire, aujourd'hui colmatée mais non résorbée, de Slavo-Latins catholiques et de Juifs d'Orient, peut-on espérer maintenir dans leur intégrité l'esprit protestant et la civilisation d'essence britannique, qui, aux XVIIe et XVIIIe siècles, ont formé la personnalité morale et politique des États-Unis[1] ?

La solution, pour Peter Brimelow comme pour les « restrictionnistes » observés par Siegfried, est la même : restreindre l'immigration en ne favorisant que les immigrés d'Europe du Nord, interdire les clandestins, rendre plus difficile l'acquisition de la citoyenneté (en supprimant le droit du sol), faire de l'anglais la seule langue obligatoire et officielle... Les politiques d'immigration, d'après Brimelow, doivent être impérativement soumises à la « Question nationale ». Pour y parvenir, il est nécessaire de mettre en place un dispositif de défense draconien, seul capable de sauver la nation d'une mort annoncée par tous les propagandistes de l'Amérique multiculturelle. Ce dispositif suffira-t-il à régénérer la vieille nation ethnique imaginée par Peter Brimelow ? On peut en douter, comme Siegfried doutait déjà de l'efficacité des mesures de défense mises en place par les nativistes des années 1920 :

1. André Siegfried, *Les États-Unis d'aujourd'hui* [1927], Paris, Armand Colin, 1931, pp. 8-9.

[...] il est permis de se demander si les mesures de défense contre la pénétration étrangère ne sont pas venues trop tard, quand déjà des germes hétérogènes, qui continueront de croître, avaient été déposés dans l'organisme social de la nation. On aurait tort de passionner le débat, ce n'est pas une menace pour la « civilisation » : tous les étrangers, quels qu'ils soient, s'américaniseront. Mais, il ne faut pas s'y tromper, ce ne seront pas des Anglo-Saxons : l'Amérique protestante, de tradition britannique, ne les aura pas assimilés. Nul ne peut donc savoir ce que sera, dans l'avenir, l'individualité américaine, et l'on comprend que ce point d'interrogation, qui reste posé, trouble profondément tous ceux qui se rattachent à la tradition nationale du passé [1].

Comment ne pas « passionner le débat » sur l'immigration ? Les Français l'ont fait à la fin des années 1930, avec les conséquences que l'on sait : il y eut, après le passage des lois sur le statut des juifs d'octobre 1940 et de juin 1941, plus de quinze mille retraits de naturalisation, de multiples « déchéances » de la nationalité française et l'exclusion des juifs de la plupart des emplois publics et des professions libérales [2]. Après une parenthèse de trente ans, le débat sur l'immigration a repris en France, vers 1974, pour se centrer sur les nouveaux immigrés d'Afrique du Nord et poser, en des termes moins attentatoires aux droits de l'homme qu'à l'époque de Vichy, la question de leur intégration dans la nation [3]. Le débat devait persister et s'amplifier jusqu'au début des années 1990 – époque à laquelle est soulevée, pour la première fois, la question d'un « multiculturalisme à la française ».

Le multiculturalisme à la française

Premier constat : l'immigration « est au cœur du débat national », comme l'observe un journaliste du *Monde* en

---

1. *Ibid.*, p. 124.
2. Sur ces débats et cette période, voir Gérard Noiriel, *Le Creuset français. Histoire de l'immigration aux XIXe-XXe siècles*, Paris, Éd. du Seuil, 1988, et *Le Genre humain*, nos 30-31, 1996 (numéro spécial sur « Le droit antisémite de Vichy »).
3. Voir Patrick Weil, *La France et ses étrangers*, Paris, Gallimard, coll. « Folio-Actuel », 1995.

1991 [1]. C'est un sujet polymorphe qui renvoie à toute une série d'enjeux : le contrôle des flux migratoires, la présence des clandestins, la réforme du code de nationalité, la réaffirmation de l'identité nationale face à un Islam jugé menaçant, la violence des banlieues, les luttes antiracistes, la montée électorale du Front national, etc. Ces enjeux mobilisent la classe politique. À l'extrême droite, Jean-Marie Le Pen dénonce l'« invasion provisoirement pacifique » des immigrés nord-africains et prédit, à terme, « la submersion démographique de la population française, condamnée à devenir minoritaire dans son propre pays [2] ». À gauche, SOS-Racisme – une association antiraciste soutenue par l'Élysée sous la présidence de François Mitterrand – réclame une France « ouverte et dynamique », dénonce l'exclusion des jeunes issus de l'immigration et défend avec vigueur le droit à la différence des communautés immigrées [3], alors que le président de la République propose sans succès d'octroyer le droit de vote aux immigrés... La gauche rejetait donc toute idée d'un melting-pot à la française. Mais, face aux progrès électoraux du Front national, elle corrigea le tir et prétendit lancer une politique d'« arrêt de l'immigration » en renforçant la lutte contre les clandestins.

La droite à l'époque de la cohabitation, pour mieux concurrencer l'extrême droite, adopta un slogan – « immi-

1. Robert Solé, « Lancinante immigration », *Le Monde*, 5 novembre 1991.
2. Jean-Marie Le Pen, *Pour la France. Programme du Front national*, Paris, Albatros, 1985, pp. 112-113. Deux ans plus tard, Henry de Lesquen, président du Club de l'Horloge, reprendra ces propos catastrophistes en y ajoutant une touche personnelle d'histoire comparée : « Les Français [...] ne veulent pas devenir étrangers dans leur propre pays » ; ils ne veulent pas se « trouver dans une situation analogue à celle des indigènes d'Amérique qui furent en grande partie évincés du pays de leurs ancêtres par les immigrants venus d'Europe ». L'alternative est claire : ou bien l'« identité nationale », ou bien la « société multiculturelle ». H. de Lesquen, audition du 9 octobre 1987, *Être français aujourd'hui et demain. Rapport de la Commission de la nationalité présenté par M. Marceau Long au Premier ministre*, Paris, 10/18, 1988, t. I, pp. 427 et 430.
3. Harlem Désir, *SOS Désirs*, Paris, Calmann-Lévy, 1987, p. 181. La gauche, selon l'observation de Thomas Ferenczi, plaidait « pour une société pluriethnique qui n'obligerait pas les étrangers à se fondre dans le creuset commun de l'identité française » (*Le Monde*, 31 mars 1995).

gration zéro » – que n'aurait pas renié Le Pen. Elle ne pouvait pourtant pas ignorer qu'un tel objectif était irréalisable, étant donné les obligations européennes de la France[1].

En vérité, le débat sur l'immigration renvoyait à un autre, plus complexe et contradictoire, sur l'identité française. L'intérêt de celui-ci pour notre propos est qu'il était nourri de références aux États-Unis. Le multiculturalisme américain était sollicité à l'excès par tous les protagonistes qui l'utilisaient tantôt comme modèle de société, tantôt, et plus souvent encore, comme repoussoir – l'emblème de l'anti-France. SOS-Racisme, à en croire le sociologue Paul Yonnet, incarnait tous les travers d'une sensibilité antiraciste à l'américaine. En célébrant l'immigré (« tous des immigrés »), en dressant l'inventaire d'un imaginaire arc-en-ciel panethnique « black-blanc-beur », en prônant la « communautarisation » des rapports sociaux, les partisans d'Harlem Désir, soutient Yonnet, portaient atteinte à la nationalité française ; ils dévalorisaient son génie civilisateur, son caractère ancestral et sa spécificité historique. Comme les critiques américains du melting-pot, les « néo-antiracistes » français ne voyaient, dans l'identité française, qu'un autre creuset assimilateur, une « sorte de dieu Baal réclamant périodiquement sa ration d'immigrés pour en faire, à l'issue de l'épreuve d'un feu assimilateur, des immigrés en cendres, c'est-à-dire de bons Français[2] ». Les multiculturalistes français seraient donc des anti-jacobins

---

1. P. Weil, « Pour une nouvelle politique d'immigration », *Esprit*, n° 220, 1996, pp. 136-154. Depuis 1974, comme le constate P. Weil, une moyenne annuelle de 90 000 à 120 000 étrangers s'installent en France. Ils sont, très exactement, 94 152 en 1993, dont 24 388 « travailleurs » (originaires pour les deux tiers des pays de l'Union européenne), 32 435 individus acceptés au titre du regroupement familial et 9 914 bénéficiaires du droit d'asile. Pour un bilan complet de la question, voir P. Weil, *La France et ses étrangers, op. cit.*, et, pour une approche plus historique et méthodologique, G. Noiriel, *Le Creuset français, op. cit.*

2. Paul Yonnet, *Voyage au centre du malaise français*, Paris, Gallimard, 1993, p. 142. Cet ouvrage, très polémique, a suscité les commentaires de Lucien Karpik, Philippe Raynaud et Michel Wieviorka dans *Le Débat*, n° 75, 1993, pp. 117-144.

par excellence, les artisans d'un travail de sape destiné à « dévaluer la nationalité », à dissoudre les « soudures d'origine » de la nation en sacralisant « les appartenances ethniques et les origines raciales » pour précipiter l'avènement d'une France « multiethnique et multiculturelle [1] ». L'argument de Yonnet rappelle ici, fortement, les analyses consacrées quelques années plus tôt à l'antiracisme par Pierre-André Taguieff. D'après ce dernier, les mouvements de lutte antiracistes, comme SOS-Racisme, adoptent une « logique de la différenciation » qui paraît peu française, parce que contraire au modèle classique de l'intégration jacobine [2].

Or qu'est-ce que le jacobinisme, sinon l'uniformisation imposée par le centre, le refus des hiérarchies sociales et des particularismes locaux, la dissolution des groupes ethniques, religieux et linguistiques au sein de la collectivité civique ? La nation républicaine est un tout indivisible incorporant des citoyens égaux. La nation multiculturelle apparaît comme un oxymore, la manifestation chaotique d'une anti-France, diabolisée sous le nom de « girondisme ». Qu'est-ce que l'État girondin ? C'est, disait Robespierre, « un amas de Républiques fédératives qui seraient sans cesse la proie des guerres civiles ». C'est-à-dire, en fin de compte, « un gouvernement étranger à nos mœurs [3] ».

Dans la perspective centralisatrice attribuée aux Jacobins (mais qui leur est bien antérieure), l'étranger n'est assimilable que s'il abandonne ses vieilles allégeances, les lois, les coutumes et les mœurs de sa communauté d'origine, pour mieux se fondre dans sa nation d'adoption. Il lui faut donc

---

1. P. Yonnet, « Sur la crise du lien national », *Le Débat, ibid.*, p. 138.
2. Pierre-André Taguieff, *La Force du préjugé. Essai sur le racisme et ses doubles*, Paris, La Découverte, 1987, chap. X, pp. 355-392.
3. Robespierre, discours à la Convention du 24 septembre 1792, cité par Laurence Cornu, « Fédéralistes ! Et pourquoi ? », in François Furet et Mona Ozouf (éd.), *La Gironde et les Girondins*, Paris, Payot, 1991, p. 270. Le propos visait les Girondins, et particulièrement Brissot et Buzot, injustement accusés de « vouloir naturaliser en France le gouvernement de l'Amérique » (p. 284), selon l'expression de Buzot. Buzot est, en fait, l'un des rédacteurs du décret déclarant la République « une et indivisible » (p. 268).

rejeter toute forme d'« insociabilité [1] ». Dans son discours du 23 décembre 1789 à l'Assemblée nationale, Clermont-Tonnerre dénonce les discriminations auxquelles sont soumis les protestants et les juifs. Il donne, lui qui n'a rien d'un Jacobin, une admirable description de ce qu'il est convenu d'appeler depuis l'« intégration jacobine à la française » :

> Mais, me dira-t-on, les juifs ont des juges et des lois particulières ? Mais, répondrai-je, c'est votre faute, et vous ne devez pas le souffrir. *Il faut refuser tout aux juifs comme nation, et accorder tout aux juifs comme individus* ; il faut méconnaître leurs juges ; ils ne doivent avoir que les nôtres ; il faut refuser la protection légale au maintien des prétendues lois de leur corporation judaïque ; il faut qu'ils ne fassent dans l'État ni un corps politique, ni un ordre ; *il faut qu'ils soient individuellement citoyens*. Mais, me dira-t-on, ils ne veulent pas l'être. Eh bien ! s'ils veulent ne l'être pas, qu'ils le disent, et alors, qu'on les bannisse. Il répugne qu'il y ait dans l'État une société de non-citoyens, et une nation dans la nation [2].

Le paradigme jacobin n'a cessé, depuis, de structurer le discours politique français. L'adversaire est toujours un fédéraliste qui s'ignore, ou un partisan déclaré du fédéralisme, bref un Américain. C'est bien ce qu'indique Taguieff à propos des partisans d'un multiculturalisme à la française : leur « antiracisme différentialiste » s'oppose au « modèle "jacobin" d'intégration centralisatrice », il « s'élabore sur la base du *contre-modèle fédéraliste* des régionalismes ou des ethnismes [3] ».

La crise des banlieues françaises et les problèmes qui lui sont liés – l'insécurité, le chômage, les immigrés mal intégrés – suscitent un nouveau discours de comparaison entre

---

1. Clermont-Tonnerre, « Discours contre la discrimination à l'égard des bourreaux, des comédiens, des protestants et des juifs », *in* François Furet et Ran Halévi (éd.), *Orateurs de la Révolution française*, Paris, Gallimard, « Bibliothèque de la Pléiade », 1989, t. I, p. 247.
2. *Ibid.*, pp. 247-248 (souligné par moi). Pierre Birnbaum a bien montré les effets psychologiques désastreux d'une politique qui sépare brutalement les Juifs assimilés du reste de la communauté nationale dans *Les Fous de la République. Histoire politique des Juifs d'État, de Gambetta à Vichy*, Paris, Fayard, 1992, pp. 457-477.
3. P.-A. Taguieff, *La Force du préjugé, op. cit.*, p. 383 (souligné par moi).

la France et les États-Unis. D'un côté, il y aurait le
« mirage » du multiculturalisme américain : des populations
bigarrées, vivant côte à côte dans la bonne entente ; de
l'autre, le mauvais exemple français : des flux d'immigrés
inassimilables, sources des maux récents de la société française. L'Amérique multiculturelle, pour ceux qui souhaitaient inverser les flux migratoires, était l'« antimodèle » par
excellence, une machine à désintégrer les peuples, le
contraire même du républicanisme assimilateur à la française [1].

Peu d'intellectuels remettront en cause le discours assimilateur des apologistes de l'identité française et de l'intégration jacobine. Dix ans après les premières controverses
soulevées par la création de SOS-Racisme, Alain-Gérard
Slama, historien des idées, éditorialiste du *Figaro* et professeur à Sciences Po, maintient la tradition et pourfend avec
verve les multiculturalistes de tous bords. Il dénonce,
comme il se doit, l'« exaltation du fait communautaire », le
« chantage identitaire », et surtout les « prétentions corpo-
ratistes et multiculturalistes » exprimées par toute une lita-
nie de groupes féministes, homosexuels, islamistes, antiracistes, juifs pratiquants, sourds-muets, etc. Notre erreur,
conclut Slama, est que nous persistons à copier un modèle
de société qui n'est pas le nôtre : « le modèle du Nouveau
Monde [2] ».

Dans ce chœur presque unanime, Alain Touraine fait
figure d'exception lorsqu'il défend l'indicible dans un article
de *Libération* paru en 1990 et intitulé « Pour une société

---

1. Alain Peyrefitte, *Le Figaro*, 11 mai 1993. Les socialistes, explique Peyrefitte,
ont renoncé à l'« exigence d'assimilation » en adoptant les principes d'une philosophie étrangère à nos mœurs : le « multiculturalisme ». Un an plus tôt, Jean-Claude
Barreau dénonçait l'implantation en France de communautés religieuses islamistes.
Il précisait : « Retrouvons notre originalité laïque : le modèle communautariste et
multiculturel n'est pas le nôtre » (« Un entretien avec Jean-Claude Barreau », *Le
Monde*, 6 octobre 1992). Voir aussi, à ce propos, J.-Cl. Barreau, *De l'immigration
en général et de la nation française en particulier*, Paris, Le Pré aux Clercs, 1992.
2. Alain-Gérard Slama, *La Régression démocratique*, Paris, Fayard, 1995, pp. 51-
79.

multiculturelle[1] ». L'argument de Touraine est, en fait, un argument de bon sens, fondé sur le rejet des dichotomies simplistes. Il est, selon lui, absurde d'opposer un modèle français qui serait assimilationniste, à un modèle américain prétendument multiculturel. Une France moderne devrait être capable de préserver sa richesse : une authentique culture civique, républicaine et assimilationniste et, tout en même temps, de véritables particularismes régionaux, religieux et culturels. Mieux encore, elle devrait pouvoir intégrer l'essentiel de ce qu'elle avait jadis « exclu, ignoré, méprisé ». La modernité, telle que la conçoit Touraine, consiste donc à trouver une voie moyenne entre l'universel et le particulier, l'assimilationnisme et le multiculturalisme. Son argument est trop abstrait pour être tout à fait convaincant, mais il sort des sentiers battus : il ouvre la piste, originale, d'un multiculturalisme à la française[2]...

Nommer l'ennemi multiculturel, le situer à l'étranger, creuser l'écart entre la France et les États-Unis : tout cela est de bonne guerre. S'il y a un « contre-modèle américain », c'est qu'il y a, quelque part, un modèle français qu'il convient de préserver comme un trésor contre tous les fédéralismes politiques, sociaux ou culturels. Les condamnations répétées des ghettos ethniques, du communautarisme, du fanatisme religieux, du lobby de l'immigration et autres thèmes à la mode décrivent bien la crise du modèle d'intégration à la française. Mais ces condamnations ne nous donnent que peu d'information sur « l'antimodèle », qu'on ne connaît que par ouï-dire, au gré de reportages sensationnels ou de traductions privilégiant les ouvrages américains les plus pessimistes ou les plus caricaturaux. Le multiculturalisme américain dénoncé en France est tout aussi mythique

---

1. *Libération*, 8 octobre 1990.
2. Alain Touraine, *Critique de la modernité*, Paris, Fayard, 1992, pp. 369-373. Son argument est déjà ébauché dans ses interventions des 2 et 6 octobre 1987 devant la Commission de la nationalité. Voir *Être français aujourd'hui et demain, op. cit.*, t. I, pp. 350-351 et 407-409.

que la merveille jacobine et républicaine dont on ne cesse
de faire l'éloge. Il s'agit, dans un cas comme dans l'autre,
d'allégories, d'effets rhétoriques déployés pour mieux
conjurer une crise politique qui est aussi une crise d'identité
et de modernité [1].

Mais mon argument est d'une autre nature. Sans vouloir
nier l'existence d'un « différentialisme » américain privilégiant l'ethnie, les catégorisations raciales et les mesures compensatrices dites d'*affirmative action*, je montrerai que le
multiculturalisme américain recouvre une réalité autrement
complexe que celle décrite par ses contempteurs français et
américains. Ce multiculturalisme s'inscrit, d'abord, dans
une tradition politico-religieuse antérieure à l'indépendance
des États-Unis et marquée par les progrès spectaculaires
d'un système d'idées que j'appellerai « principe de tolérance » (voir le chapitre 2). Il s'oppose, ensuite, à un autre
principe d'intégration des populations immigrées, tardive-
ment nommé *melting pot* (en 1908), d'après la pièce de
théâtre de l'écrivain anglais Israel Zangwill (voir le chapitre 6). Nommer la chose, ce n'est pas pour autant créer sa
réalité : il existe bien un melting-pot d'avant l'ère du
melting-pot, comme il existe un multiculturalisme d'avant
l'âge des communautés ethniques. L'un peut coexister avec
l'autre, le précéder ou lui succéder, suivant les oscillations
de l'histoire de l'immigration américaine (voir les chapitres 3 à 5). Et c'est bien là que réside la difficulté : préciser
l'écart, mesurer les tensions, définir les complémentarités
qui séparent ou rapprochent les deux pôles de l'intégration
à l'américaine – l'assimilation et le pluralisme.

Le républicanisme américain n'est pas, comme on le croit

---

1. Voir le dossier sur « Le spectre du multiculturalisme américain », *Esprit*, n° 212,
1995, pp. 83-160 (avec des contributions d'Olivier Mongin, Tzvetan Todorov,
Michael Walzer, Michel Feher, Benjamin Barber et Joël Roman), à compléter avec
les articles de Marie-Christine Granjon, « Le regard en biais. Attitudes françaises et
multiculturalisme américain (1990-1993) », *Vingtième Siècle*, n° 43, 1994, pp. 18-29,
et de Pierre Hassner, « Vers un universalisme pluriel ? », *Esprit*, n° 187, 1992, pp. 102-
113.

souvent en France, mâtiné de religiosité ni corrompu par les excès d'un individualisme mercantile. Les Américains sont, comme nous, capables de penser le civisme et de le défendre contre les excès du communautarisme. J'en donnerai un exemple, pour montrer que l'Amérique des « communautés juxtaposées » est d'une certaine façon plus laïque et républicaine que la France dite laïque, universaliste et républicaine. Comparons, en effet, deux façons de résoudre des crises liées à la réaffirmation d'identités religieuses : l'affaire du foulard islamique, en France, et l'affaire de la kippa aux États-Unis (que les Américains désignent par le mot yiddish de *yarmulke*).

Foulard islamique et kippa : comparaisons franco-américaines

L'affaire du voile islamique est un bon exemple d'irruption du religieux dans la sphère politique. La France étant une « République laïque [1] », la religion, théoriquement, n'a pas sa place à l'école publique, et on peut comprendre que le principal d'un collège de Creil, en 1989, puis le principal d'un collège de Montfermeil, en 1990, aient décidé d'exclure des élèves musulmanes portant le voile dans l'enceinte de leurs établissements [2]. À Montfermeil, le règlement intérieur du collège Jean-Jaurès interdisait l'exhibition de « tout signe distinctif, vestimentaire ou autre, d'ordre religieux, politique ou philosophique [3] ». Les parents des élèves exclues de l'établissement intentèrent une action en justice contre le principal. Ils furent déboutés en première instance, mais obtinrent gain de cause devant le Conseil d'État qui,

---

1. Comme le précise l'article 2 de la Constitution du 4 octobre 1958 : « La France est une République indivisible, laïque, démocratique et sociale. Elle assure l'égalité devant la loi de tous les citoyens sans distinction d'origine, de race ou de religion. Elle respecte toutes les croyances. »
2. On trouvera la meilleure analyse de ces deux « affaires » dans Gilles Kepel, *À l'ouest d'Allah*, Paris, Éd. du Seuil, 1994, pp. 252-258 et 303-312.
3. Cité dans *ibid.*, p. 303.

dans l'arrêt *Kherouaa* du 2 novembre 1992, annula les décisions d'exclusion ainsi que le règlement intérieur du collège Jean-Jaurès de Montfermeil.

La décision du Conseil d'État est intéressante parce qu'elle assouplit la rigueur d'un jacobinisme réputé pur et dur, en faveur de l'expression d'une identité islamique. Le juge administratif, d'après les observations du commissaire du gouvernement David Kessler, doit établir une distinction nette entre « l'enseignant et l'enseigné[1] ». Le premier, précise Kessler, est un fonctionnaire : il est tenu de respecter une stricte neutralité et il ne peut imposer ses idées religieuses ou philosophiques à ses élèves. Le second, au contraire, n'est pas un agent du service public ; malgré son jeune âge, il est un « sujet porteur de droits » ; il a donc parfaitement le droit d'exprimer une croyance religieuse au sein de l'école. Il y va de ses droits fondamentaux reconnus et protégés par la Constitution – la liberté de conscience et la liberté d'expression. Ces droits peuvent se manifester par le port d'un voile, à condition que celui-ci n'implique ni prosélytisme, ni violence à l'égard des autres, ni refus d'assister à des cours obligatoires. Le tribunal n'a pas à interpréter le sens véritable de cette coutume, sa charge symbolique ou le fait qu'elle manifesterait, peut-être, une « marque d'abaissement de la femme » par rapport à l'homme. Il ne saurait être « le juge des pratiques religieuses[2] ».

La frontière entre l'Église et l'État, l'espace public et l'espace privé, l'individu et le groupe d'appartenance n'est donc pas une frontière absolue, mais relative, privilégiant

---

1. « Laïcité : du combat au droit », entretien avec David Kessler, *Le Débat*, n° 77, 1993, p. 98. On notera que le Conseil d'État a suivi les conclusions du commissaire du gouvernement, d'où l'intérêt de cet entretien. Conseil d'État, 2 novembre 1992, Kherouaa : *JCP 93, éd. G, II, 21998*.
2. *Ibid.*, pp. 99-100. Il en irait différemment dans le cas de l'excision, car il s'agit, précise Kessler, non pas d'une pratique symbolique, mais d'une « mutilation du corps ». Là le juge n'aurait pas à interpréter un signe religieux – il est en la matière incompétent – mais à juger d'une « pratique objective » portant atteinte à l'intégrité des personnes (p. 99).

par-dessus tout la liberté de conscience. « Il est certain, conclut David Kessler, que porter un foulard à l'école *c'est faire entrer le privé dans l'espace public*. Mais tant que cette manifestation n'est pas agressive ni prosélyte par nature, elle reste de l'ordre du privé et l'État n'a pas à s'opposer à cette coutume au nom d'une règle qu'il poserait en interprétant la coutume[1]. » Pour les critiques du différentialisme communautaire, une telle décision, loin de défendre les libertés individuelles, encourage le conformisme religieux, les revendications ethniques et les mouvements organisés de « réislamisation » des immigrés d'Afrique du Nord, peu enclins à composer avec une tradition jacobine qui déteste tous les particularismes[2].

Aux États-Unis, l'affaire du port de la kippa par un membre de l'US Air Force a soulevé des interrogations et des débats similaires. Mais la solution retenue par les juges de la Cour suprême fut apparemment opposée : le refus de tolérer la moindre transgression du code vestimentaire des armées. Quels sont les faits ? Un juif orthodoxe, le capitaine Simcha Goldman, exerce les fonctions de psychologue dans un hôpital de l'armée de l'air. Il porte la kippa à certaines heures de la journée, et ceci dans l'exercice de ses fonctions. Sanctionné par ses supérieurs hiérarchiques pour « indiscipline », le capitaine Goldman s'estime injustement brimé. Il fait appel de cette décision devant les tribunaux fédéraux et invoque son droit à la liberté de conscience (théoriquement protégé par le 1er amendement de la Constitution des États-Unis[3]). La Cour suprême, dans l'arrêt *Goldman v. Weinberger*, donne gain de cause à l'armée de l'air en arguant de la spécificité de la « mission de l'armée », de la rigueur de son « esprit de corps » et de la nécessité d'imposer

---

1. *Ibid.*, p. 99 (souligné par moi).
2. G. Kepel, *À l'ouest d'Allah, op. cit.*, p. 324.
3. « *Congress shall make no law respecting an establishment of religion, or prohibiting the free exercise thereof* [...] » (Le Congrès ne fera aucune loi qui touche l'établissement ou interdise le libre exercice d'une religion).

une règle « uniforme » dans les comportements. L'interdiction de la kippa, dans ce contexte, répond bien à une logique de subordination : il faut que les « préférences personnelles » et les « identités » des individus soient, littéralement, effacées pour satisfaire l'objectif principal, la « mission générale du groupe[1] ». Le juge américain se comporte donc en parfait laïc qui ne tolère pas la moindre intrusion de l'« espace privé » d'un homme attaché à sa religion, dans l'« espace public » d'une armée qui fait passer l'esprit d'obéissance devant les libertés de conscience et d'expression.

Les partisans d'une exception à la règle pouvaient prétendre que le port de la kippa ne constituait pas, en soi, un obstacle sérieux à l'exercice du métier de soldat, pour la simple raison qu'elle n'empêchait pas le port du casque ni, *a fortiori*, une activité de combat... Mais ce n'est pas ainsi que l'entendit la Cour suprême. L'exception était certes envisageable, mais elle risquait de provoquer un dangereux effet de surenchère ethnique et religieuse. Un Sikh pouvait réclamer à son tour le port du turban et un Rasta exiger le droit de tresser ses cheveux en *dreadlocks*... Ceci, d'après la Cour, aurait pu avoir des effets désastreux sur le moral des armées et la confiance du public[2]...

Pour les critiques de la décision, le port de la kippa constituait une exception valable au code vestimentaire des armées, pour deux raisons : d'une part, parce que l'armée n'avait pas démontré le caractère nocif d'un tel geste (il ne s'agissait pas d'un acte de prosélytisme) ; d'autre part, parce que ce juif orthodoxe, malgré sa différence religieuse, était, après tout, un bon patriote qui avait choisi de servir son pays en s'engageant volontairement dans l'armée de l'air. Lui interdire le port de la kippa ne pouvait que décourager son intégration dans la société dominante. Son exclusion risquait de produire l'effet inverse de celui recherché ; elle provoquait son

---

1. *Goldman v. Weinberger*, 475 U.S. 503 (1986), opinion majoritaire du juge Rehnquist.
2. *Ibid.*, opinion du juge Stevens.

« retour » au sein d'une enclave ethnico-religieuse, peuplée d'individus mal intégrés à la nation américaine[1].

Toutefois, il ne faudrait pas conclure, à partir de ces deux cas particuliers, à la stricte inversion des modèles d'intégration français et américain. D'abord, parce que les décisions ne sont pas strictement comparables (il n'y a jamais eu d'affaire du voile aux États-Unis). Ensuite, parce que les positions des juges sont moins divergentes qu'il n'y paraît au premier abord : il est admis, dans un cas comme dans l'autre, que le fonctionnaire (professeur ou soldat) ne dispose pas de la même liberté d'expression que la personne privée (l'élève ou le civil). Enfin, parce que les opinions juridiques sont sujettes à variation. Il y a bien une tradition jacobine française, comme l'ont démontré les juges du Conseil constitutionnel dans la décision sur le statut de la Corse, interdisant la reconnaissance d'un « peuple corse[2] ». À l'inverse, la tradition différentialiste est bien représentée aux États-Unis par de nombreuses décisions juridiques favo-

---

1. *Ibid.*, opinion dissidente des juges Marshall et Brennan. Voir à ce propos le travail stimulant de Will Kymlicka, *Multicultural Citizenship*, New York, Oxford University Press, 1995, pp. 114-115 et 176-179.
2. Conseil constitutionnel, décision 91-290 DC (Statut de la Corse, 9 mai 1991). Le Conseil précise que la République française est « indivisible » ; les citoyens sont égaux devant la loi « quelle que soit leur origine » ; il ne peut donc y avoir de « peuple corse », distinct du reste de la nation, car il n'y a qu'un seul « peuple français, composé de tous les citoyens français sans distinction d'origine, de race ou de religion » (pour plus de détails sur cette décision, voir le chapitre 8). Mais il est vrai que les dirigeants politiques français sont capables de tenir un autre langage lorsqu'ils font face aux communautés les plus éloignées du centre de la République. Le Premier ministre, Édouard Balladur, révéla une surprenante capacité à penser le multiculturalisme lors de sa rencontre avec le porte-parole de la Fédération des organisations amérindiennes de Guyane, dans la case commune du village d'Awala-Yalimapo, en 1994. Alors que son interlocuteur exprimait le vœu que « l'école de la République ne lamine pas les cultures » indiennes de la Guyane, M. Balladur tint à le rassurer avec ce discours neuf : « On a trop souvent eu de la notion d'égalité une conception trop juridique. Chacun aujourd'hui se rend bien compte que la notion d'égalité, ce n'est pas forcément l'identité, c'est d'abord et avant tout le respect de la dignité d'autrui, de la culture d'autrui, des traditions d'autrui. » Il n'y aurait donc pas « contradiction » entre « le respect de la culture de chacun » et « la solidarité au sein de la République [...] Il nous faut faire vivre ces deux traditions ». Cité dans Frédéric Bobin, « M. Balladur promet aux Amérindiens de Guyane le respect de leurs traditions », *Le Monde*, 24 mai 1994. Le Premier ministre, selon la remarque de l'envoyé spécial du *Monde*, « malmen[ait] quelque peu l'orthodoxie de l'assimilationnisme républicain ».

rables au traitement préférentiel des minorités ethniques (voir chapitre 8). Mais cette tradition est complexe et elle peut même tenter l'impossible : réconcilier une conception toute « jacobine » du civisme républicain avec la reconnaissance d'une spécificité ethno-religieuse, contraire au principe de l'égalité devant la loi et à l'idéal d'un enseignement public, laïque, ouvert à tous et imposant à chacun les mêmes obligations. C'est ce que démontre l'arrêt *Wisconsin v. Yoder* (1972), analysé ci-dessous.

Aux frontières du républicanisme américain : le peuple des Amish

L'arrêt *Yoder* est important parce qu'il ouvre la brèche multiculturelle ; il porte atteinte au principe de l'égalité civile au nom d'un principe supérieur : la survie d'une communauté religieuse qui serait menacée dans son existence par l'école de la République, c'est-à-dire, dans le contexte américain, l'école publique, laïque et obligatoire.

Une explication historique est ici nécessaire : la famille Yoder appartient à l'une des communautés mennonites établies aux États-Unis depuis le XVIIIe siècle, The Old Order Amish. Les Amish sont des « régénérés » qui refusent, depuis toujours, les valeurs de « ce monde-ci ». Ils abhorrent la technique moderne et refusent l'électricité, la radio et la télévision, le moteur à explosion, la bicyclette, les engrais chimiques, les vêtements modernes et les couleurs vives. Ils vivent dans des communautés agricoles fermées et communiquent entre eux en utilisant un dialecte allemand introduit au XVIIIe siècle par leurs ancêtres de Pennsylvanie [1]. Résolu-

---

1. The Old Order Amish est une secte religieuse issue d'une scission de la communauté anabaptiste mennonite fondée par Menno Simons au milieu du XVIe siècle, en réaction contre l'illuminisme de l'anabaptiste Thomas Müntzer. Cette scission eut lieu en Suisse en 1693, à l'initiative du fondateur de la secte, Jacob Ammann. Persécutés et dispersés dans les provinces allemandes du Palatin, d'Alsace, de Suisse et de Lorraine, les Amish émigrèrent aux États-Unis en deux vagues successives, en

ment antimodernes, ils n'acceptent pas les notions de « progrès intellectuel et scientifique, de distinction, de compétition et de succès social[1] ». La famille Yoder fait cependant certaines concessions : elle envoie ses enfants à l'école publique, mais refuse de les y laisser au-delà de l'âge de quatorze ans, bien que la loi du Wisconsin rende l'école obligatoire jusqu'à l'âge de seize ans révolus. Pour les Amish, l'enseignement n'a qu'une fonction : faciliter la lecture de la Bible et permettre aux élèves de devenir « de bons agriculteurs et de bons citoyens[2] ». Inutile donc de laisser les enfants au contact d'un monde corrupteur, dont ils ne partagent ni les valeurs ni la technique. Les Yoder, en conséquence, retirent leurs aînés de l'école publique (l'un a quatorze ans, l'autre quinze ans). Ils sont condamnés par l'État du Wisconsin et font appel devant les tribunaux fédéraux.

Ce conflit est exemplaire, car il soulève toute une série de questions fondamentales sur la séparation de l'Église et de l'État, la liberté de conscience, la séparation des sphères de la vie publique et de la vie privée, la place du différentialisme communautaire dans un État de droit et la contribution des enseignants à la diffusion des « valeurs de la République », pour utiliser une formulation française. De quelles valeurs s'agit-il ? De culture civique, à l'évidence : les élèves sont des adultes et des citoyens en herbe que l'école doit préparer à de futures responsabilités. De tolérance et de civilité : l'élève devra apprendre à respecter les lois de son pays, le règlement de son école et les idées de

---

1727-1790 et 1815-1865. Ils s'installèrent d'abord en Pennsylvanie, puis dans les États de l'Ohio et de l'Indiana. Ils sont en général trilingues : leur langue habituelle est un dialecte allemand du XVIIIᵉ siècle, ils parlent anglais lorsqu'ils communiquent avec le monde extérieur et ils lisent la Bible dans la langue de Luther, le haut-allemand. Leur population totale aux États-Unis est estimée à environ 150 000. Voir John A. Hostetler, article « Amish », *in* Stephan Thernstrom, Ann Orlov et Oscar Handlin (éd.), *Harvard Encyclopedia of American Ethnic Groups*, Cambridge (Mass.), Harvard University Press, 1980, pp. 122-125. Sur les origines de l'anabaptisme, on lira Joseph Lecler, *Histoire de la tolérance au siècle de la Réforme* [1955], Paris, Albin Michel, 1994, pp. 200-227.

1. *Wisconsin v. Yoder*, 406 U.S. 205 (1972).
2. *Ibid.*

ses pairs, même s'il ne les partage pas. Les comportements racistes, les dénonciations religieuses, les violences physiques ne sont pas admis au sein de l'espace (théoriquement) neutre et pacifié de l'école publique.

Il n'est pas inhabituel que l'enseignement public entre en conflit avec les valeurs que les parents souhaitent transmettre à leurs enfants [1]. Où commence et où s'arrête le conflit ? Comment tracer la ligne de démarcation entre ce qui relève du travail scolaire et ce qui demeure du ressort des familles ? Les autorités scolaires peuvent-elles faire preuve de compréhension et de générosité en acceptant les tendances séparatistes d'une communauté de croyants « régénérés » ? Le modernisme des « instituteurs de la République » est-il compatible avec le traditionalisme des Amish ? À la surprise de nombreux observateurs, la Cour suprême, dans l'arrêt *Wisconsin v. Yoder* (1972), donna raison à la famille Yoder en lui permettant de retirer ses enfants de l'école avant l'âge de seize ans afin qu'ils puissent se consacrer aux travaux des champs. Le raisonnement des juges présente un double intérêt : il trace les ultimes limites du système de tolérance inscrit dans la tradition politique américaine ; il ouvre la voie à la reconnaissance de fait d'une légitimité multiculturelle.

Les juges constatent, d'abord, que le traditionalisme défendu par les Amish n'est pas une fantaisie passagère, mais la manifestation d'une religion ancienne, pratiquée depuis plusieurs siècles sur le sol américain. Ils observent, ensuite, qu'un État libéral ne peut jamais prétendre agir de façon complètement neutre face à des exigences de nature religieuse. L'exercice de la citoyenneté repose sur une pédagogie contraignante qui présuppose un « minimum d'éducation » sans lequel l'individu ne pourrait espérer devenir un « membre actif et autonome de la société ». Quel est ce

---

1. Sur la fréquence de ce conflit et ses conséquences sur le civisme américain, voir William A. Galston, *Liberal Purposes. Goods, Virtues, and Diversity in the Liberal State*, New York, Cambridge University Press, 1992, pp. 251-256.

minimum ? C'est là toute la question, et la Cour suprême prend le risque de trancher en affirmant qu'un enfant de quatorze ans, sachant lire et écrire, a autant de chances de devenir un bon citoyen qu'un enfant qui reste en classe deux ans de plus. L'exception est d'autant plus justifiable que la communauté Amish a prouvé ses capacités de réussite sociale, malgré son refus des conventions de « l'Amérique moyenne [1] ». Les Amish, après tout, font preuve de toutes les qualités requises dans un régime de démocratie libérale : ils sont d'authentiques entrepreneurs, réputés pour leur ardeur au travail, et ils ont toujours respecté les lois essentielles du pays. On peut donc, dans leur cas, faire preuve de générosité en leur accordant une préférence minime : une exemption de deux ans au principe de la scolarité obligatoire. L'argument est compliqué – équilibriste, diront ses critiques – mais il reflète bien la vieille tradition politique américaine des freins et contrepoids : un intérêt public (l'école universelle et obligatoire) est confronté à un intérêt privé (la liberté de conscience). La solution trouvée est un « équilibre raisonné » entre les impératifs d'un État laïque et la nécessité de garantir la « survie » d'une minorité exemplaire.

Les juges de la Cour suprême innovaient. À la défense traditionnelle des droits individuels, ils ajoutaient une autre catégorie de droits : le « droit à la différence », ou encore le « droit de survie culturelle » d'un groupe particulier. Le cas Yoder signale donc un tournant dans l'histoire du multiculturalisme américain : le passage d'un système de tolérance centré presque exclusivement sur la liberté de conscience des individus, à un système de préférence privilégiant le groupe ou la communauté d'appartenance. Or, tel est précisément l'objet du présent ouvrage : expliquer l'importance de la tolérance religieuse dans l'histoire des États-Unis ; mesurer les effets du « principe de tolérance »,

---

1. *Ibid.*

ses limites et les résistances qu'il a suscitées ; montrer en quoi les pratiques religieuses sont souvent indissociables des phénomènes d'identification ethnique ; décrire l'évolution des politiques d'intégration des communautés ethniques ; analyser, enfin, l'émergence d'un régime de « préférence multiculturelle ». Ce dernier système est fondé sur la mise en œuvre de politiques de traitement préférentiel (*affirmative action*) dont le but affiché paraît difficilement soutenable, puisqu'il s'agit de « dépasser le racisme », tout en légitimant des préférences ou des hiérarchies raciales manifestement contraires à une tradition républicaine fondée sur l'abolition des privilèges et l'égalité de tous devant la loi. D'où la question fondamentale soulevée dans le dernier chapitre : le principe de tolérance est-il compatible avec le traitement préférentiel de certaines minorités ethniques ?

Chapitre 2

LE PRINCIPE DE TOLÉRANCE

Considérons, pour illustrer la complexité du multiculturalisme américain, l'expérience biographique d'un certain Bill Ong Hing, juriste de profession. Né dans une famille de dix enfants à Superior dans l'Arizona, Bill Hing est devenu, par la force des choses, plurilingue. Enfant, il parlait cantonais avec ses parents immigrés, anglais avec ses neuf frères et sœurs, espagnol avec ses voisins chicanos, et un mélange d'anglais et d'espagnol avec les clients de l'épicerie de ses parents. Ses amis d'alors étaient des Indiens navajos et des Mexicains-Américains dont il partageait les goûts musicaux. Les repas servis à la maison étaient pluri-ethniques : tantôt chinois, tantôt américains, tantôt mexicains. Les fêtes célébrées en famille étaient américaines, mexicaines, chinoises et, parfois, aborigènes. Bill Hing a été élevé dans l'Église presbytérienne avec ses frères et sœurs. Mais sa mère, restée attachée au bouddhisme de ses ancêtres, n'a jamais fréquenté cette Église. Deux de ses sœurs se sont converties au catholicisme ; un frère a épousé une mormone... Son expérience familiale est donc celle de la plus grande tolérance religieuse. Étudiant à Berkeley, Bill Hing établit de nouveaux liens d'amitié avec des Asiatiques originaires de Corée, de Chine, des Philippines... qu'il rencontre au sein de sa *Fraternity*. Avocat, puis professeur de droit, il se spécialise dans le droit de l'immigration. Il demeure, d'une certaine façon, fidèle à la religion de sa mère en consacrant des heures de bénévolat à la défense des intérêts juridiques de l'Église bouddhiste de San Francisco[1]...

La vision politique de Bill Hing est résolument multiculturelle. Son idéal est un pluralisme moderne et éclairé, fondé sur le respect de la diversité des groupes qui peuplent l'Amérique. Sa définition de la diversité englobe des valeurs qu'on qualifierait en France de différentialistes ou de communautaristes. Le respect de la diversité implique, en effet, que l'on reconnaisse l'existence d'un « séparatisme fondé sur l'autodétermination, l'entraide et la prospérité ». La vieille métaphore du *melting pot* et celle plus récente du *salad bowl* (« saladier ») ont perdu leur fonction explicative. La société américaine d'aujourd'hui est une société complexe, multi-ethnique et multiculturelle qui, paradoxalement, écrit Bill Hing, « reconnaît la nécessité du séparatisme dans certains secteurs mais qui exige, tout en même temps, une identité politique commune et proprement américaine ». À l'injonction du président Clinton, exprimée lors de son discours inaugural du 20 janvier 1993, « chaque génération d'Américains se doit de dire ce qu'est un Américain », Bill Hing répond : il faut élargir le concept, le diversifier et lui ôter tout caractère « eurocentrique[2] ».

L'Américain d'aujourd'hui est multiculturel ou il n'est pas. Toute tentative d'homogénéiser ce concept, tout refus de son intrinsèque diversité n'aboutirait qu'à frapper d'ostracisme ceux qui ne sont pas des *Anglos*. Un tel point de vue est aujourd'hui partagé par de nombreux enseignants qui rejettent, par principe, les vieilles métaphores assimilationnistes. L'Amérique pour eux, comme je le montrerai dans le chapitre 7, n'est plus un melting-pot. C'est un *salad*

---

1. Bill Ong Hing, « Beyond the Rhetoric of Assimilation and Cultural Pluralism : Addressing the Tension of Separatism and Conflict in an Immigration Driven Multiracial Society », *California Law Review*, 81, n° 4, juillet 1993, pp. 866-868.
2. *Ibid.*, pp. 905-909.

bowl (qui évoque à la fois le saladier et la salade mixte), une mosaïque, un kaléidoscope, un arc-en-ciel, une symphonie, un ragoût, des entrelacs ou encore un enchevêtrement de communautés juxtaposées.

Les origines religieuses du multiculturalisme

La diversité proclamée par Bill Hing et les partisans d'une vision nouvelle de l'Amérique est-elle aussi novatrice qu'il y paraît ? Les Américains qui colonisèrent l'Amérique septentrionale n'étaient-ils que des Anglais ? Non, bien sûr. J'affirmerai même que l'Amérique, à l'époque de la guerre d'Indépendance, était déjà profondément multiculturelle. Le mot n'existait pas au XVIIIᵉ siècle, mais la chose était bien réelle, pour peu que l'on réfléchisse aux origines du peuplement de l'Amérique et à l'extraordinaire fragmentation ethnique, nationale et religieuse qui marqua les premiers siècles de la colonisation. Ainsi, dans les colonies britanniques de New Jersey, de New York et de Pennsylvanie, les Anglais côtoyaient des Hollandais, des huguenots, des Allemands, des Flamands, des Suédois, des Écossais, des Irlandais calvinistes et, déjà, mais moins nombreux que dans le Sud, des Noirs libres ou esclaves... Chaque groupe possédait sa propre religion qui le distinguait de celle du voisin, et c'est la prolifération des sectes, plus que les différences ethniques ou culturelles, qui frappait d'abord les observateurs de l'époque. La raison en est simple : l'Église ou la secte encadrait une culture particulière, une langue (celle dans laquelle il fallait lire la Bible), une région d'origine et donc un peuple particulier. La religion, au XVIIIᵉ siècle, était indissociable de l'ethnicité. Il n'y avait pas de population laïque : les moins religieux étaient déistes, et les « indifférents » étaient en réalité des individus appartenant à plusieurs sectes, qui partageaient, pour des raisons pratiques, une Église ou une prédication[1].

En 1687, Thomas Dongan, le gouverneur catholique de la province de New York (nommée ainsi en l'honneur du duc d'York, frère de Charles II), s'étonnait de la multiplicité des sectes dans son État. À sa surprise, les anglicans et les catholiques étaient peu nombreux ; mais il y avait, constatait-il, « pléthore de quakers [...], de sabbatariens, d'anti-sabbatariens, d'anabaptistes, quelques juifs, en bref toutes les opinions [étaient] représentées[2]... » Un siècle plus tard, un autre New Yorker, propriétaire d'une exploitation agricole à Pine Hills dans le comté d'Orange et auteur des fameuses *Letters from an American Farmer*, posera la question fondamentale – « Qu'est-ce donc que cet Américain ? » Dans cet ouvrage, publié à Londres en 1782, J. Hector St. John de Crèvecœur trace le paysage hallucinant d'une Amérique pluri-ethnique, plurinationale et multireligieuse. Il invite le lecteur à l'accompagner sur une route de campagne pour observer « que sur la droite », dans une ferme, vit un catholique.

> [Celui-ci] se resouvient encore de tout son catéchisme ; il croit comme de raison à la transsubstantiation [...]. Plus loin, à un mille de distance, demeure un bon Allemand luthérien, qui adresse ses prières au même Dieu, le Dieu de tous les hommes, suivant les principes de son éducation. Il croit à la consubstantiation : son culte, quoique différent du premier, ne scandalise cependant pas le catholique, qui est un homme très charitable [...]. Un peu plus loin, sur la droite, est la maison d'un *Sécider* [dissident écossais], le plus enthousiaste des sectaires : son zèle est intérieurement chaud et amer ; mais séparé de son ancienne congrégation, depuis qu'il a quitté l'Écosse, il n'a plus d'églises où il pourrait cabaler, proposer des opinions nouvelles, mêler l'entêtement humain à la violence religieuse [...]. Cet établissement que vous voyez sur ce joli coteau, environné d'acacias, appartient à un Hollandais qui croit sincère-

1. Patricia Bonomi, *Under the Cope of Heaven. Religion, Society and Politics in Colonial America*, New York, Oxford University Press, 1986, p. 7.
2. Cité dans Bernard Bailyn, *The Peopling of British North America*, New York, Random House, 1986, p. 96.

ment aux ordonnances du concile de *Dordrecht*. L'idée qu'il a d'un ministre est celle d'un homme à gages. S'il remplit les fonctions qui lui sont prescrites, il lui paie son salaire, sinon il le renvoie ; il se passe de ses exhortations ainsi que de ses prières, et ferme la porte de son église pendant des années entières [...]. Plus loin est le moulin d'un quaker : c'est le pacificateur du canton ; ses bons avis et ses lumières ont été infiniment utiles à ses voisins [1]...

Mais l'extrême fragmentation religieuse dépeinte par Crèvecœur n'a rien d'un tribalisme. La bonne entente règne entre voisins, leur acharnement au travail fait d'eux des citoyens vertueux, l'entraide est la norme et le prosélytisme n'y fait pas de ravage comme en Europe. L'Américain est un homme nouveau parce qu'il a abandonné ses « préjugés européens ». La religion, en Europe, le poussait au fanatisme, il est ici tolérant ; la politique faisait de lui « l'esclave d'un prince despotique », il est ici libre et responsable [2]...

Deux siècles plus tard, Bill Hing ne dit pas autre chose lorsqu'il décrit avec une nostalgie évidente sa ville natale de Superior. La fragmentation économique, ethnique et religieuse de la petite ville n'était qu'apparente. Ce qui comptait, c'étaient la tolérance, la bonne entente entre voisins, le respect de l'autre :

[Les] Chinois, les Navajos, les Mexicains-Américains [...] étaient biculturels : ils reconnaissaient tous la nécessité d'appartenir à une communauté plus large. Les langues, les aliments et les valeurs étaient partagés. Des peuples de toutes couleurs étaient représentés : des Mexicains, des Navajos, des Chinois, des Syriens, et des Blancs ; des banquiers, des avocats, des ouvriers-mineurs, des patrons, des *ranchers* et des ouvriers agricoles, des coiffeurs, des épiciers [...], des catholiques, des mormons, des baptistes, des protestants, des témoins de Jehovah, des épiscopaliens, des juifs, des bouddhistes. Bien sûr, il

---

1. J. Hector St. John de Crèvecœur [Michel Guillaume Jean de Crèvecœur], *Letters from an American Farmer* [1782], Harmondsworth, Penguin Books, 1981, pp. 74-75. J'adopte ici la traduction de Crèvecœur par lui-même, proposée dans « L'esquisse » de ses *Lettres d'un cultivateur américain écrites à W.S. Ecuyer, depuis l'année 1770, jusqu'à 1781*, [sans mention de lieu ou d'éditeur], 1785, t. II, pp. 292-293, souligné dans le texte. (Reproduit en fac-similé par Slatkine Reprints, Genève, 1979, avec une présentation de G. Bertier de Sauvigny.)
2. Crèvecœur, *Letters from an American Farmer*, op. cit., p. 83.

y avait des tensions entre races, classes, genres et générations, mais rien d'insurmontable [1].

Comment expliquer la survie d'une nation aussi fragmentée dans son tissu social, ethnique et religieux ? Certains ont cru trouver dans les rites de la République américaine – le serment d'allégeance au drapeau, le culte de la Constitution, la glorification des Pères fondateurs – le ciment de l'Amérique. D'autres ont mis l'accent sur l'assimilation réussie des *hyphenated Americans* [2]. Mais aucune de ces expériences politiques et sociales n'explique véritablement l'unité d'une nation plurielle. Cette unité, comme l'a suggéré Michael Walzer, repose sur un paradigme culturel dominant, la tolérance. Généralisée à la fin du XVIIIᵉ siècle, l'« éthique de la tolérance » est cette forme particulière de civilité qui rend possible la coexistence de groupes distincts et concurrents [3]. D'abord appliqué à des groupes religieux, le principe de tolérance va peu à peu s'étendre aux « minorités » immigrées et aux cultures dont elles sont les porteurs. Mais il est vrai que ce principe ne sera pas d'emblée universel. Certains groupes seront mieux tolérés que d'autres – les huguenots, par exemple, plus facilement que les Irlandais catholiques, et ces derniers plus aisément que les Chinois ou les Japonais. Quant aux Noirs, ils resteront les victimes de l'intolérance des Blancs jusqu'aux années 1960, à l'époque où se produiront enfin les effets positifs du Mouvement des droits civiques.

◆

1. B. O. Hing, « Beyond the Rhetoric of Assimilation and Cultural Pluralism », art. cité, p. 914.

2. Il s'agit ici des « groupes à trait d'union » : franco-, italo-, germano-, irlando-, américains...

3. Michael Walzer, *What it Means to Be an American*, New York, Marsilio, 1992, pp. 44 et 91.

Plus fondamental encore que le pluralisme politique élaboré par les rédacteurs de la Constitution fédérale, le principe de tolérance est sans doute le seul qui permette à une
société d'immigrés de se construire et de perdurer sans sombrer dans le chaos et la violence. Inventé en Europe au
lendemain des guerres de Religion, conceptualisé par des
philosophes comme John Locke, le principe de tolérance
fut adopté et appliqué à la fin du XVIIᵉ siècle par les grands
États protestants : les Provinces-Unies et la Grande-
Bretagne, alors que la France de Louis XIV avait choisi,
avec la révocation de l'édit de Nantes, la voie de l'intolérance la plus absolue. Il faudra attendre un siècle pour que
Louis XVI consente, en 1787, à reconnaître aux huguenots
des droits civiques.

L'application du principe de tolérance aux colonies
anglaises d'Amérique suivit l'impulsion de la mère-patrie,
mais avec des variations et des écarts liés aux traditions
locales, religieuses et politiques. En Nouvelle-Angleterre,
les progrès de la tolérance furent particulièrement lents. À
la fin du XVIIᵉ siècle, toutefois, il n'était plus question de
brûler des sorcières ou de pourchasser les baptistes et les
quakers comme au début du siècle, et ce pour trois raisons
simples : l'enthousiasme des *visible Saints* et de leurs descendants s'était émoussé, la réussite économique l'emportait
sur le salut des âmes et, surtout, la nature des liens entre
cette province et la métropole était modifiée par l'imposition de mesures mercantilistes. Les *Navigation Acts* des
années 1660 obligèrent les colonies de l'Empire britannique
à exporter leurs principales productions vers un seul pays,
l'Angleterre, tout en réservant à la mère-patrie le monopole
de la vente des produits manufacturés qui leur étaient destinés. L'Angleterre de Charles II révoqua, en 1684, la charte
du Massachusetts – ce qui enlevait à la colonie toute possibilité « légale » de résister aux *Navigation Acts* et mettait fin
à son orthodoxie puritaine. Désormais, toutes les sectes
protestantes avaient droit à l'existence, et le rêve d'établir

une nouvelle Jérusalem n'était plus qu'un pieux souvenir, remémoré par des prédicateurs nostalgiques d'un âge d'or théocratique. Le véritable puritanisme n'avait pas duré plus d'une génération [1].

Les initiatives du dernier des Stuarts, Jacques II, puis de Guillaume d'Orange (*Toleration Act* de 1689) et de George Ier (*Toleration Act* de 1718), allaient affaiblir un peu plus l'Église congrégationaliste, concurrencée sur le terrain, en toute légalité, par d'autres Églises protestantes. C'est à cette dernière époque que les plus dynamiques des presbytériens, les Écossais d'Irlande, encouragés par le pouvoir politique, émigrèrent en Nouvelle-Angleterre. Se déplaçant en groupes compacts avec leurs pasteurs, ils ne manquèrent pas, dès leur arrivée, de contester les fondements théologiques du congrégationalisme. Mal reçus et mal aimés par les descendants des puritains, ils préféreront, après quelques années de colonisation, s'installer dans d'autres lieux plus tolérants. Le New York, le New Hampshire, la Pennsylvanie, les Carolines seront leurs destinations privilégiées [2].

Signe révélateur des progrès de la tolérance en Nouvelle-Angleterre, les étudiants de Yale, en 1743, prirent l'initiative de publier pour la première fois en Amérique du Nord, la *Lettre sur la tolérance* de John Locke, pour protester contre l'expulsion de deux camarades accusés par le président (congrégationaliste) du *college* d'avoir rejoint une secte dissidente. Il y avait donc débat, même si le congrégationalisme, à Yale et dans le Connecticut, fonctionnait encore trop comme une Église officielle [3].

1. Jack P. Greene, *Pursuits of Happiness. The Social Development of Early Modern British Colonies and the Formation of American Culture*, Chapel Hill, University of North Carolina Press, 1988, p. 60. On lira aussi, sur le déclin du puritanisme, B. Bailyn, *The Peopling of British North America, op. cit.*, p. 91.

2. Maldwyn A. Jones, « The Scotch-Irish in America », *in* Bernard Bailyn et Philip D. Morgan (éd.), *Strangers within the Realm. Cultural Margins of the First British Empire*, Chapel Hill, University of North Carolina Press, 1991, pp. 291-294.

3. J. C. D. Clark, *The Language of Liberty, 1660-1832. Political Discourse and Social Dynamics in the Anglo-American World*, Cambridge, Cambridge University Press, 1994, p. 26.

Les grands précurseurs : Roger Williams et William Penn

La tolérance intégrale triompha dans la plus petite des colonies de Nouvelle-Angleterre, le Rhode Island, où s'étaient réfugiés Roger Williams et ses disciples. Ancien prêtre anglican, devenu séparatiste, puis converti au baptisme, Roger Williams avait été chassé en 1636 de sa paroisse de Salem par les autorités du Massachusetts qui dénonçaient ses prédications subversives. Réfugié dans la baie du Narragansett, où il fonda la ville au nom révélateur de Providence, il obtint de la métropole le droit, en 1644, de doter la colonie du Rhode Island d'une existence légale. Une charte royale accordée en 1663 offrait la garantie formelle de la « liberté dans les affaires religieuses ».

Les idées de Williams sur la liberté de conscience étaient donc pleinement légitimées par la monarchie britannique. Dans ses écrits, Williams dénonce l'autorité du magistrat civil en matière religieuse ainsi que toute brimade et toute persécution pour des raisons de « conscience ». Pour lui, l'Église, quelle qu'elle soit, n'est qu'une association volontaire, une « société d'adorateurs » comparable à une société commerciale ou à un collège de médecins. En « privatisant » le spirituel, Williams interdit à l'État toute réglementation des activités religieuses, y compris celles des catholiques en qui il voit pourtant « les plus grands ennemis et persécuteurs en Europe des saints et des fidèles de Jésus[1] ». La volonté de Dieu est claire : il a permis à tous les hommes de toutes les nations de pratiquer les cultes « les plus païens, juifs, turcs ou anti-chrétiens », car le seul moyen de combattre ces croyances est le « Glaive de l'Esprit de Dieu », qui, en

---

1. Préface à *The Bloody Tenent yet More Bloody by the Cottons Endevour to Wash it White in the Blood of the Lamb* (1652), cité par Joseph Lecler, *Histoire de la tolérance au siècle de la Réforme* [1955], Paris, Albin Michel, 1994, p. 801.

matière spirituelle, ne peut être que « le Verbe divin[1] ». Dès 1652, Williams utilise la métaphore des deux navires pour illustrer sa façon nouvelle de penser les rapports entre l'Église et l'État. Dans le navire de l'Église, les dignitaires ecclésiastiques sont les seuls maîtres à bord. Ce sont eux qui orientent le vaisseau vers son cap ultime, le salut éternel. Le prince n'est qu'un passager parmi d'autres, qui ne dispose d'aucun pouvoir particulier. Il ne saurait ordonner un changement de cap. Et s'il tentait une diversion, les dignitaires de l'Église seraient tenus de lui résister. Sur le navire de l'État, le prince est seul commandant à bord. Tous les passagers, qu'ils soient clercs ou laïcs, lui doivent obéissance. C'est lui qui sait orienter l'État vers ces grands objectifs civils que sont la paix et la prospérité. Peu importe la religion du prince, car « un pilote païen ou anti-chrétien, écrit Williams, peut être aussi habile à mener le navire vers ce havre tant désiré qu'un autre qui serait chrétien[2] ». Mais le prince ne peut interdire à son équipage ou à ses passagers la pratique du culte de leur choix, car il doit respecter leur liberté de conscience. Cette liberté, cependant, n'est pas sans limites. Si d'aventure des voyageurs contestaient les ordres du commandant et de ses officiers au nom de principes chrétiens du type « nous sommes tous égaux devant le Christ, il ne doit y avoir ni maîtres ni officiers, ni lois ni ordres », alors le prince devrait les punir sévèrement comme mutins, selon la loi du bord : la liberté religieuse n'est pas la licence[3]. Roger Williams est donc ce grand précurseur dont les réflexions et la pratique de la tolérance anticipent, avec près d'un demi-siècle d'avance, sur celles de John Locke. Sa conception de

1. Roger Williams, *The Bloudy Tenent of Persecution for Cause of Conscience Discussed in a Conference between Truth and Peace* (1644), cité dans Philip B. Kurland et Ralph Lerner (éd.), *The Founders' Constitution*, Chicago, University of Chicago Press, 1987, t. V, p. 48.

2. *The Bloudy Tenent of Persecution*, cité par Jean-Fabien Spitz dans son introduction à John Locke, *Lettre sur la tolérance* [1686], trad. fr. de Jean Le Clerc, Paris, Flammarion, 1992, p. 41.

3. « Letter to the Town of Providence » [janvier 1655], cité dans Ph. Kurland et R. Lerner, *The Founders' Constitution, op. cit.*, t. V, pp. 50-51.

la tolérance marquera profondément le laïcisme des fondateurs de la République américaine.

La tolérance était aussi la règle dans les grandes colonies centrales de l'Amérique septentrionale, à commencer par la Pennsylvanie, le New York et le New Jersey. En Pennsylvanie, c'est le fondateur (et propriétaire) de l'État, le quaker William Penn, qui a introduit le principe de tolérance. Bien qu'appartenant à une religion « dissidente », dont les fidèles avaient été souvent persécutés en Angleterre, Penn bénéficia de l'influence considérable de son père, l'amiral Penn, et de la protection du roi Charles II et de son frère le duc d'York (le futur Jacques II). Les monarques anglais laissèrent faire, mais exigèrent en retour, comme le stipule la charte octroyée à William Penn en 1681, une présence anglicane pour toute communauté de vingt habitants ou plus, qui en ferait la demande. Pour rentabiliser son immense propriété et y attirer le plus grand nombre de colons, William Penn fit publier en plusieurs langues des prospectus exposant les conditions d'installation, les possibilités d'achat de terres (100 livres sterling pour environ 2 000 hectares) et les avantages de la liberté religieuse :

> On n'établira aucune Église cathédrale ou principale, au lieu d'Assemblée, à laquelle ou à ses Ministres, aucun soit contraint de contribuer quoy que ce soit. Et afin que chascun puisse jouir de la Liberté de conscience qui est un droit naturel qui appartient à tous les hommes et qui est si conforme au génie et au caractère de gens paisibles et amis du repos, on establit fermement, non seulement qu'aucun ne soit forcé à assister à aucun exercice publicq de Religion, mais aussi ordonne un plein pouvoir à chacun de faire librement l'exercice public de la sienne, sans que l'on puisse recevoir sur cela aucun trouble ni empeschement en quelque manière que ce soit ; pourveu que l'on fasse profession de croire en un seul Dieu Éternel, Tout-Puissant, qui est le Créateur, Conservateur et Gouverneur du monde, et que l'on remplisse tous les devoirs de la Société civile [1]...

---

1. « Recueil de diverses pièces concernant la Pennsylvanie » (1684), cité dans Désiré Pasquet, *Histoire politique et sociale du peuple américain*, Paris, Picard, 1924, t. I, p. 126.

Pour une fois, la propagande des agents d'émigration n'était pas mensongère et les sectes les plus radicales d'Europe allaient trouver dans la « forêt de Penn » le plus tolérant des refuges. Les destructions et l'anarchie sociale provoquées par la guerre de Trente Ans (1618-1648), la guerre de Succession du Palatinat (1688-1697), puis la guerre de Succession d'Espagne (1702-1713) allaient inciter plus d'un demi-million d'Allemands à quitter le Palatinat et le sud-ouest de la région rhénane pour s'établir en Hongrie, en Russie, en Espagne, dans les Antilles françaises et dans les colonies anglaises d'Amérique. On estime à 125 000 le nombre des émigrés allemands qui choisirent l'Amérique, principalement la Pennsylvanie, mais aussi, et en moins grand nombre, les régions frontalières situées à l'ouest des colonies de New York, de New Jersey, de Virginie et de Caroline du Nord. À ces colons allemands s'ajoutèrent des milliers de Suisses allemands de la région de Berne et d'Emmental, qui avaient refusé, pour des raisons religieuses, de prêter serment aux autorités politiques de la Confédération helvétique. Une véritable mosaïque d'Églises fit son apparition : les Allemands luthériens et réformés côtoyaient une multitude de sectes piétistes – Frères moraves, sectateurs de Schwenkfeld, mennonites, Amish, Dunkards, Frères (ermites) de Wissahickon... Des quakers allemands réunis autour de Francis Daniel Pastorius, l'agent d'une compagnie d'investissement située à Francfort, achetèrent des terres à la famille Penn et fondèrent la petite ville de Germantown en 1683. Cinquante ans plus tard, le rosicrucien Conrad Beissel – le continuateur d'une tradition gnostique selon laquelle Dieu est à la fois homme et femme – fonda une communauté religieuse à Ephrata en Pennsylvanie. Il fut bientôt rejoint par des mystiques comme le « prophète » piétiste Johann Peter Müller. Les Frères moraves, disciples du comte Nikolaus Ludwig von Zinzendorf, réunis au sein de l'*Unitas Fratrum*, lancèrent à la même époque des expériences nouvelles de vie communautaire et fondèrent les villes de Nazareth et de Bethlehem...

La majorité des immigrés allemands étaient néanmoins des protestants « orthodoxes », réformés ou luthériens. Mais les sectes dissidentes proliférèrent rapidement : dès 1750, on comptait en Pennsylvanie près de soixante communautés religieuses amish ou mennonites et une dizaine d'établissements dunkards[1]. La complexité religieuse était telle qu'un certain Daniel Falckner, prédicateur luthérien et auteur d'un prospectus destiné aux candidats à l'émigration, le *Curieuse Nachtricht von Pennsylvania* (1702), crut utile de traiter en détail de la « façon de se conduire avec circonspection et sans offenser les [membres des] diverses sectes[2] ».

La Pennsylvanie était ainsi devenue un immense laboratoire d'expérimentation religieuse qui passionnait l'Europe des Lumières. Voltaire, dans les *Lettres philosophiques* (1734), rend un vibrant hommage à la grande découverte de Penn – le « gouvernement sans prêtres » – et va jusqu'à affirmer que « l'âge d'or dont on parle tant [...] n'a vraisemblablement existé qu'en Pennsylvanie[3] ». Il fait l'éloge de la plus ésotérique des sectes allemandes, celle des Dunkards, dans un article dithyrambique paru en 1771 :

> Elle rejette le péché originel comme une impiété, et l'éternité des peines comme une barbarie. Leur vie pure ne leur laisse pas imaginer que Dieu puisse tourmenter ses créatures cruellement et éternellement. Égarés dans un coin du nouveau monde, loin du troupeau de l'Église catholique, ils sont jusqu'à présent, malgré cette malheureuse erreur, les plus justes et les plus inimitables des hommes[4].

1. A. G. Roeber, « The Origin of Whatever Is Not English among Us », *in* B. Bailyn et Ph. D. Morgan, *Strangers within the Realm, op. cit.*, pp. 237-383.

2. Stephanie Grauman Wolf, *Urban Village. Population, Community and Family Structure in Germantown, Pennsylvania, 1683-1800*, Princeton, Princeton University Press, 1976, p. 129.

3. Voltaire, Quatrième lettre « Sur les Quakers », *Lettres philosophiques* [1734], Paris, Garnier-Flammarion, 1964, p. 38.

4. Voltaire, article sur l'Église d'Ephrata, publié en 1771 et cité en français dans B. Bailyn, *The Peopling of British North America, op. cit.*, p. 166.

Les piétistes allemands émigrèrent aussi dans des États voisins de la Pennsylvanie, et ceci dès le début du XVIIe siècle. Ainsi, la ville de Newburgh, dans la province de New York, fut créée par des colons du Palatinat. En Caroline du Nord, des Suisses conduits par Christoph von Graffenried posèrent les fondations d'une ville nouvelle : New Bern. En Caroline du Sud, d'autres colons suisses calvinistes fondèrent Purrysburg et Orangeburg. Des piétistes de la région de Salzbourg, chassés par l'archevêque Leopold Anton Eleutherius von Firmian en 1731, fondèrent une communauté à Ebenezer en Géorgie. Des Allemands luthériens et des Suisses réformés émigrèrent à Charleston en Caroline du Sud au milieu du siècle et firent de cette ville un important centre commercial de langue et de culture allemandes. Des luthériens et des réformés allemands fondèrent la communauté de Germanna en Virginie [1]...

Encouragée par le succès des premiers colons et le dynamisme des agents d'émigration, une nouvelle vague d'*Auswanderung* se développa à partir de 1763. L'origine géographique des nouveaux colons était remarquablement diversifiée : le Palatinat, le Wurtemberg, la région d'Hanovre, la Saxe, la Prusse, la Silésie... Le résultat, à la veille de la révolution américaine, fut une véritable « germanisation » des colonies anglaises d'Amérique. A. G. Roeber estime ainsi que 33 % des habitants de Pennsylvanie étaient germanophones. Ces derniers représentaient 14 % des habitants à New York et dans le New Jersey, 17 % en Virginie et dans le Maryland, 9 % en Caroline du Sud et en Géorgie [2]. Benjamin Franklin, le plus célèbre des Anglo-Américains de Philadelphie, ne cache pas son inquiétude face à la « horde » des Allemands de Pennsylvanie, en des termes qui

---

1. Kathleen Neils Conzen, article « Germans », *in* Stephan Thernstrom (éd.), *Harvard Encyclopedia of American Ethnic Groups*, Cambridge, Harvard University Press, 1980, pp. 405-425.

2. A. G. Roeber, « The Origin of Whatever Is Not English among Us », art. cité, p. 244.

posent déjà la question difficile de l'assimilation de l'étranger et dont la virulence annonce les courants xénophobes des année 1840 :

> Pourquoi faudrait-il tolérer que les grossiers Palatins envahissent nos terres et s'agglutinent ensemble pour imposer leur langue et leurs manières au détriment des nôtres ? Faut-il que la Pennsylvanie, fondée par les Anglais, devienne une colonie d'étrangers, bientôt assez nombreux pour nous germaniser, au lieu d'être anglicisés par nous, aussi incapables d'adopter notre langue et nos mœurs que de changer de couleur de peau [1] ?

La tolérance en « Nouvelle-Néerlande »

Dans le futur État de New York, d'abord colonisé par des Hollandais et appelé « Nouvelle-Néerlande », la religion dominante était l'Église réformée de Hollande, soumise au contrôle hiérarchique des *Classis* d'Amsterdam. Mais d'autres Églises coexistaient, même si elles n'étaient pas toujours reconnues par les autorités de tutelle nommées par le propriétaire de la colonie, la Compagnie des Indes occidentales [2]. La présence de luthériens, de catholiques, de quakers et de juifs dans La Nouvelle-Amsterdam, sur l'île de Manhattan, était le signe d'un véritable pluralisme religieux, comparable à celui qui caractérisait alors le vieil Amsterdam.

Mais cette tolérance avait ses limites, particulièrement

---

1. Benjamin Franklin, *Observations Concerning the Increase of Mankind* [Boston, 1755], *in* Leonard W. Labaree et Whitfield J. Bell (éd.), *The Papers of Benjamin Franklin*, New Haven, Yale University Press, 1961, t. IV, p. 234. Franklin estimait que les Allemands – exception faite des Saxons et contrairement aux vrais Anglais – ne faisaient pas partie des « peuples purement blancs » : ils avaient un teint « basané » et ressemblaient ainsi aux Français, aux Italiens, aux Russes et aux Espagnols.

2. La Compagnie des Indes occidentales fut fondée en Hollande en 1621 pour exploiter les richesses des Amériques. C'était une société privée, disposant de droits et de pouvoirs particuliers, énoncés dans une charte, et d'un monopole commercial accordé par les autorités politiques des Provinces-Unies. Une autre société, la Compagnie des Indes orientales, avait déjà été créée en 1602 pour faciliter le commerce et l'implantation de colons hollandais dans les pays d'Asie et d'Afrique. L'Angleterre et la France créeront des sociétés similaires.

sous l'administration de Petrus Stuyvesant (1647-1664) qui gouverna la colonie jusqu'à la conquête anglaise. Stuyvesant, en effet, réglementa la pratique du culte luthérien en interdisant d'abord ses formes publiques, puis en prohibant ses manifestations privées. Il chercha, par ailleurs, à expulser les vingt-trois premiers juifs d'Amérique du Nord, arrivés à La Nouvelle-Amsterdam en septembre 1654 à bord d'un navire français, le *Sainte Catherine*. Sépharades pour la plupart, originaires de Hollande et d'Italie, ces juifs avaient été contraints de quitter Recife, l'un des avant-postes de la Compagnie des Indes occidentales, au moment de la reconquête portugaise du Brésil (janvier 1654)[1]. Stuyvesant s'adressa donc aux directeurs de la Compagnie des Indes et exigea leur rapatriement en Hollande, sous prétexte que leurs pratiques commerciales auraient été fondées sur « l'usure et le mensonge[2] ». Stuyvesant bénéficia, en fait, de l'appui de la plus haute autorité religieuse de La Nouvelle-Amsterdam, le *Dominie* Johannes Megapolensis, qui cherchait à mettre un terme à la dangereuse expansion du pluralisme religieux : « Puisqu'il y a ici, au sein de la [communauté] hollandaise, des papistes, des mennonites et des luthériens, et, parmi les Anglais, de nombreux puritains ou indépendants, des athées et d'autres serviteurs de Baal [...] qui se cachent sous le nom de chrétien, cela créerait une confusion plus effroyable encore s'il fallait permettre aux juifs obstinés et indécrottables de s'installer ici[3]. » Mais l'« obstination » des juifs fut en fin de compte payante,

---

1. On notera qu'il ne s'agit pas véritablement des premiers juifs d'Amérique du Nord. Quelques commerçants juifs avaient déjà séjourné à La Nouvelle-Amsterdam avant l'arrivée des 23 réfugiés de Recife. Pour plus de détails, voir Eli Faber, *A Time for Planting. The First Migration, 1654-1820*, t. I de *The Jewish People in America* (Henry L. Feingold, *general editor*), Baltimore, Johns Hopkins University Press, 1992, pp. 4-51, et Jacob R. Marcus, *The Colonial American Jew, 1492-1776*, Detroit, Wayne State University Press, 1970, 3 vol.

2. Howard M. Sachar, *A History of the Jews in America*, New York, Knopf, 1992, p. 14. Voir aussi A. James Reichley, *Religion in American Public Life*, Washington D.C., Brookings Institution, 1985, pp. 74-76.

3. Cité dans H. M. Sachar, *A History of the Jews in America, op. cit.*, p. 14.

puisque le conseil d'administration de la Compagnie des Indes, sensible à l'argument selon lequel les réfugiés avaient risqué leur vie pour la défense d'un poste avancé de l'empire hollandais, ordonna leur maintien à une seule condition : « que les pauvres, parmi eux, ne soient pas une charge pour le Diaconat [de l'Église réformée de Hollande] ou la Compagnie [des Indes occidentales], mais soient pris en charge par leur propre nation[1] ».

Les juifs n'étaient donc tolérés qu'en tant que « nation » disposant de ses propres réseaux d'entraide et de secours. Pourtant, leurs droits, comme ceux d'autres minorités religieuses, allaient peu à peu être étendus. L'objectif principal de la Compagnie des Indes occidentales était d'accroître le peuplement de ses possessions d'outre-mer. Le pluralisme religieux était l'instrument d'une politique de conquête qui s'imposait d'autant plus facilement que certains des actionnaires influents de la Compagnie étaient eux-mêmes des juifs émancipés de Hollande. Les juifs de La Nouvelle-Amsterdam, malgré les objections répétées de Petrus Stuyvesant, furent donc autorisés à commercer avec les Indiens, à acheter des propriétés, à exercer leur droit de vote, à servir dans la milice... et surtout à pratiquer leur religion dans des lieux de culte privés[2].

La conquête par les Anglais de La Nouvelle-Amsterdam en 1664, puis de l'ensemble de la Nouvelle-Néerlande la même année, se solda par de nouveaux progrès de la tolérance religieuse. Désormais, la tolérance était anglaise et les étrangers bénéficiaient d'une nouvelle émancipation : la loi de naturalisation de 1740. Destinée aux résidents des colonies américaines, cette loi permettait aux minorités religieuses et aux juifs en particulier d'accéder à la citoyenneté britannique, de devenir des *natural born subjects of Great Britain,* sans avoir à inclure dans leur serment d'allégeance

---

1. *Ibid.*
2. J. R. Marcus, *The Colonial American Jew, op. cit.,* t. I, pp. 215-243.

au roi la formule classique d'engagement et de fidélité en la
« vraie foi du Chrétien[1] ». L'émigration étrangère était vivement encouragée par les autorités britanniques qui, sous le
règne de Jacques II, incitèrent des catholiques anglais, des
quakers, des juifs et, au lendemain de la révocation de l'édit
de Nantes, des huguenots français à venir peupler la colonie.
Chaque « nation » disposait de son lieu de culte. Les Hollandais maintinrent leurs églises réformées ; les luthériens
d'origine allemande et scandinave construisirent leur première église en 1671 ; les quakers anglais organisèrent leur
première réunion publique en 1681 ; les juifs de la congrégation *Sheérith Israel* ouvrirent une synagogue dès 1682 ; les
huguenots fondèrent l'« Église Françoise de la Nouvelle
York » en 1688 ; enfin, la première église anglicane, Trinity
Church, fut construite en 1697[2]. Les péripéties de la monarchie anglaise, la chute des Stuarts, la Glorieuse Révolution
de 1688 ne devaient pas faire obstacle aux progrès de la
tolérance dans la province de New York, bien au contraire.
Avec toutefois une exception, celle des catholiques, d'abord
privilégiés par Jacques II, puis sanctionnés par Guillaume
et Marie. Ces derniers interdirent l'émigration des « jésuites
et des prêtres papistes », tout en tolérant le maintien du
culte de la petite communauté anglo-catholique de New
York[3].

Dans les colonies du Sud, la Virginie, les Carolines et la
Géorgie, l'Église anglicane était théoriquement « Église établie », c'est-à-dire Église d'État. Mais la réalité était tout
autre. Les non-conformistes étaient nombreux et les piétistes allemands côtoyaient des huguenots français, des Scotch-
Irish presbytériens, des baptistes ou des quakers anglais, etc.
La confusion religieuse était grande et l'Église anglicane,

---

1. Voir E. Faber, *A Time for Planting, op. cit.*, pp. 12-18 ; J. C. D. Clark, *The
Language of Liberty, op. cit.*, p. 53. À noter que les étrangers résidant en Angleterre
ne bénéficieront des mêmes privilèges qu'en 1844, date du vote de l'*Aliens Act*.
2. Joyce Goodfriend, *Before the Melting Pot. Society and Culture in Colonial New
York City, 1664-1730*, Princeton, Princeton University Press, 1992, pp. 81-87.
3. A. J. Reichley, *Religion in American Public Life, op. cit.*, p. 77.

souvent dénoncée pour son impérialisme, avait les plus grandes difficultés à faire respecter ses privilèges et à servir les communautés qui se réclamaient d'elle. Son élément le plus dynamique, la SPG (Society for the Propagation of the Gospel in Foreign Parts), originellement destinée à convertir les Indiens, consacrait l'essentiel de son activité à renforcer l'implantation de l'Église en multipliant les bonnes œuvres et en créant des paroisses nouvelles, des écoles, des institutions d'entraide pour les pauvres et les orphelins[1]...

La grande vague de ferveur religieuse du *Great Awakening* (le « Grand Réveil », 1739-1745), l'influence croissante des prédicateurs itinérants échappant à toute hiérarchie formelle, les sermons enflammés de Jonathan Edwards, de George Whitefield, de William et Gilbert Tennent, de James Davenport, de Samuel Davies, etc. contribuèrent à affaiblir les Églises les mieux « établies » et renforcèrent par là même les effets de la tolérance. En faisant de la foi une expérience purement individuelle, détachée de tout support institutionnel, les prédicateurs du Grand Réveil justifiaient une pratique nouvelle et subversive : la dissidence des minorités religieuses converties par leurs soins. La vieille tradition américaine de protection du droit des minorités était d'abord, comme l'a bien montré Patricia Bonomi, une tradition religieuse exprimant la volonté d'émancipation des nouveaux convertis. D'où ces « milliers de congrégationalistes des colonies du Nord [qui] rejoignent des milliers de presbytériens des provinces du centre pour entrer en rébellion ouverte contre la "tyrannie spirituelle" des Églises traditionnelles[2] ». Un même type de révolte atteignit et divisa l'Église anglicane à la fin de l'époque coloniale. En Virginie, par exemple, les autorités anglicanes furent dénoncées avec une intensité croissante par les prédicateurs presbytériens

---

1. Bernard Bailyn, Robert Dallek, David Brion Davis, David H. Donald, John L. Thomas et Gordon Wood, *The Great Republic. A History of the American People*, Lexington, D.C. Heath and Company, 1985, t. I, pp. 123-127.
2. P. Bonomi, *Under the Cope of Heaven, op. cit.*, p. 157.

et baptistes, qui réclamaient une liberté religieuse absolue, la protection réelle du *Toleration Act* et le *disestablishment* de l'Église anglicane. Des pétitions recueillant plus de dix mille signatures furent envoyées à cet effet au parlement de Virginie en 1776.

L'émancipation religieuse présuppose la tolérance, et celle-ci, légale ou tacite, est source de divisions nouvelles, souvent justifiées au nom d'un principe à portée révolutionnaire : le droit ou le devoir de révolte. En fait, libertés politiques et religieuses étaient souvent confondues en cette époque de Grand Réveil : « En matière d'adoration divine, écrit le pasteur dissident Solomon Paine, chaque homme dispose d'un *droit inaliénable* – celui de juger pour lui-même selon sa conscience... » Elisha Williams, un autre pasteur dissident de la Nouvelle-Angleterre, estime que toute minorité au sein d'une assemblée religieuse peut refuser le jugement de la majorité, car elle dispose du « *droit de se séparer* pour choisir elle-même son Pasteur ». La première des libertés, la « liberté chrétienne », ajoute Williams, est indissociable de la « liberté civile », et ces deux libertés font partie des droits naturels des Anglais, protégés par la *Magna Carta*[1].

En d'autres termes, la dissidence religieuse et sa conséquence la plus immédiate, l'éclatement des Églises dominantes, sont les meilleures écoles de la démocratie, comme le démontre brillamment Edmund Burke dans son adresse au Parlement britannique. La pratique religieuse des Américains est la « cause principale de leur esprit libre ». Cette liberté n'est pas une simple abstraction, elle repose sur une pratique originale, étrangère aux peuples catholiques – celle du protestantisme. Ou plutôt, sur une forme particulière de protestantisme : le protestantisme dissident, « le plus

---

1. Solomon Paine [sans titre ni date] ; Elisha Williams, *The Essential Rights and Liberties of Protestants. A Seasonable Plea for the Liberty of Conscience, and the Right of Private Judgment*, Boston, 1774, respectivement cités dans P. Bonomi, *Under the Cope of Heaven, op. cit.*, p. 156 (souligné par moi).

contraire à toutes les subordinations de l'esprit et de l'opinion », le plus opposé aussi « à ce qui ressemble à un pouvoir absolu ». D'où l'extraordinaire « esprit de liberté » manifesté dans tous les domaines par les moins conformistes des Américains, ceux qui n'appartiennent pas à l'Église anglicane. Ceux-là sont particulièrement déterminés à se battre pour leur indépendance parce qu'ils ont appris à résister doublement. Ils sont en effet des super-protestants, « les dissidents de la dissidence et les protestants du protestantisme ». Un seul commun dénominateur réunit entre elles les innombrables sectes du Nouveau Monde : « la communion dans l'esprit de liberté ». Pour des raisons historiques évidentes, les partisans de la liberté sont particulièrement nombreux en Nouvelle-Angleterre. C'est là qu'on trouve les descendants des premiers puritains anglais. À ceux-ci s'ajoute « un flot d'étrangers qui envahit constamment ces colonies ». Détail important : ces derniers sont aussi, pour la plupart, « les dissidents des Églises officielles de leurs pays d'origine ». Ils apportent donc avec eux, selon la démonstration de Burke, « un tempérament et un caractère qui les rapprochent du peuple avec qui ils se mélangent ». Et c'est bien pourquoi, conclut Burke, les Anglais auraient tout à perdre d'un conflit prolongé avec les insurgés[1].

L'étatisation de la tolérance : la séparation de l'Église et de l'État

Certains essayistes, mal informés des réalités américaines, aiment à exagérer les différences entre régimes politiques. La France, a prétendu récemment l'un d'entre eux, est le modèle même de la « république » où « l'État est libre de

---

1. Edmund Burke, « Speech of Conciliation with the Colonies », 22 mars 1775, reproduit dans Ph. Kurland et R. Lerner, *The Founders' Constitution*, op. cit., t. I, pp. 3-6. Sur l'importance de ce discours, voir Denis Lacorne, *L'Invention de la République. Le modèle américain*, Paris, Hachette, coll. « Pluriel », 1991, pp. 61-63.

toute emprise religieuse ». L'Amérique, au contraire, serait l'exemple type de la « démocratie » où l'État « doit s'effacer devant les Églises ». D'où ce nouveau syllogisme : la Constitution d'une république interdit toute référence au surnaturel ; aux États-Unis, Dieu est partout et le système politique repose sur un indéniable « credo puritain » dont la « devise intime » serait ni plus ni moins le fameux *In God we trust* gravé sur les billets de banque. Donc l'Amérique n'est pas une république[1]...

La réalité est pourtant tout autre. Le préambule de la première Constitution française proclame les droits de l'homme et du citoyen « en présence et sous les auspices de l'Être suprême » (3 septembre 1791) ; notre deuxième Constitution affirme, elle aussi, la « présence de l'Être suprême » (24 juin 1793). *In God we trust* est bien imprimé sur les billets de banque américains, mais cette devise n'est pas celle du Grand Sceau des États-Unis (l'aigle et la pyramide surmontée de l'œil de la Raison). C'est un ajout tardif, voté au lendemain de la guerre de Sécession, en 1864, par un Congrès momentanément saisi de ferveur religieuse, sur l'insistance d'un certain James Pollock, directeur de la Monnaie, connu (et souvent moqué) pour son extrême puritanisme presbytérien[2]. En revanche, et c'est là l'important,

1. Régis Debray, *Contretemps. Éloges des idéaux perdus*, Gallimard, coll. « Folio Actuel », 1992, pp. 23 et 25. Mieux informé, un autre Français, l'abbé Raynal, avait bien compris la nouveauté du système américain de séparation de l'Église et de l'État. Il écrivait, en 1781, à propos de la « Nature des gouvernemens établis dans l'Amérique Septentrionale » : « Par gouvernement, il ne faut pas entendre ces constitutions bizarres de l'Europe, qui sont un mélange insensé de loix sacrées et profanes. L'Amérique Angloise fut assez sage et assez heureuse, pour ne pas admettre une puissance ecclésiastique. Habitée dès l'origine par des Presbytériens, elle rejetta toujours avec horreur tout ce qui en pouvoit retracer l'image. Toutes les affaires qui, dans d'autres régions, ressortissent d'un tribunal sacerdotal, furent portées devant le magistrat ou les assemblées nationales. Les efforts que firent les Anglicans pour établir leur hiérarchie, échouèrent toujours, malgré l'appui que leur donnoit la faveur de la métropole. » Guillaume Thomas Raynal, *Histoire Philosophique et Politique des Etablissemens et du commerce des Européens dans les deux Indes* [1770], Genève, 1781, t. IX, p. 168 (3e éd. revue et corrigée).
2. Loi du 22 avril 1864 autorisant le directeur de la Monnaie à choisir les devises à reproduire sur les pièces et billets de banque. Cette devise fut proposée au milieu de la guerre de Sécession par le directeur de la Monnaie, James Pollock, un presby-

la Constitution fédérale de 1787 et le *Bill of Rights* qui la complète, sont des documents authentiquement laïques, qui ignorent tout de la Providence ou de l'Être suprême. Cette absence ne cessera de troubler les critiques du nouveau gouvernement fédéral, qui s'interrogeront en termes apocalyptiques sur l'avenir même d'un pays athée. Ainsi, le président du collège de Yale, le révérend Timothy Dwight, attribuera les difficultés de la nation américaine au moment de la guerre anglo-américaine de 1812 à cette lacune originaire : « La Nation a offensé la Providence. Nous avons forgé notre Constitution sans référence à Dieu ; sans reconnaître ses bienfaits, son autorité ou même son existence. La Convention qui donna naissance [à la Constitution] n'invoqua jamais, pas même une fois, Ses conseils, ou Sa bénédiction pour ses travaux. C'est ainsi que commença notre existence nationale [...] sans Dieu[1]. » Qu'en dira-t-on à l'étranger, s'interroge un autre prédicateur l'année suivante, quand « rien dans notre gouvernement ne permet de dire si nous croyons en un seul Dieu, ou en un Dieu quelconque, ou bien si nous sommes une nation de Chrétiens, ou – mais je m'abstiens. Le sujet est trop délicat pour en dire plus. J'en resterai à cette simple proposition : si Dieu n'est pas notre Flambeau, ne faut-il pas trembler pour [l'avenir] de l'arche[2] ? »

L'omission du référent suprême séparait radicalement la

---

térien fort dévôt d'origine irlando-écossaise, connu pour son horreur des jeux de hasard et des boissons alcoolisées et son dégoût des immigrants catholiques et autres « impies ». Élu à trois reprises au Congrès, Pollock était membre de l'Ordre nativiste des *Know-nothing*. La devise *In God we trust* orna d'abord les pièces de deux cents, à partir de 1864. Mais elle ne devint « devise nationale » des États-Unis qu'à partir de 1956 (résolution conjointe du Congrès du 30 juillet 1956, signée par le président Eisenhower). Voir les articles « Money » et « Motto of the United States » du dictionnaire de Joseph Nathan Kane, *Famous First Facts*, New York, H.W. Wilson Company, 1981, 4e éd., pp. 394 et 409, et Tyler Anbinder, *Nativism and Slavery*, New York, Oxford University Press, 1992, pp. 58-59.
  1. Timothy Dwight, prédication d'un jour de jeûne dans la chapelle du Yale College, juillet 1812, cité dans Harry Stout, « Rhetoric and Reality in the Early Republic : The Case of the Federalist Clergy », *in* Mark E. Noll (éd.), *Religion and American Politics*, New York, Oxford University Press, 1990, pp. 62-63.
  2. Chauncey Lee, cité dans *ibid.*, note 1, p. 74.

Constitution fédérale des autres Constitutions américaines, qui invoquent toutes une présence divine. Ainsi, la Constitution du Connecticut commence par ces mots : « Le Peuple de cet État libre et indépendant par la grâce de Dieu... » ; la Constitution du Massachusetts, plus solennelle, précise que « Nous, Peuple de Massachusetts, dont les cœurs sont pénétrés du sentiment de la plus vive gratitude, reconnaissons l'insigne bonté du Législateur suprême de l'Univers, qui, par une suite de décrets de sa Providence, nous donne l'occasion et la faculté de faire entre nous tous [...] un pacte, original, explicite et solemnel (sic)... » La Constitution de Pennsylvanie reconnaît « la bonté du Modérateur suprême de l'Univers – lui qui sait, seul, le degré de bonheur sur terre auquel pourra prétendre le genre humain, en perfectionnant l'art du Gouvernement [1]... », etc. Dieu est donc partout, sauf là où on avait le plus besoin de lui, au sommet du nouvel État fédéral. L'oubli de Dieu ne cessera de hanter les législateurs américains qui proposeront, jusqu'aux années 1960, de « christianiser » la Constitution en modifiant son préambule.

Et pourtant, la Constitution fédérale n'ignore pas la religion. Mais celle-ci est mentionnée brièvement à deux reprises, et de façon purement négative. Le premier article du *Bill of Rights* (1791) interdit en effet au Congrès de voter une loi qui imposerait une religion officielle ou qui porterait atteinte à la liberté de conscience. L'article 6 de la Constitution interdit tout serment religieux en des termes particulièrement éloquents : « Aucune profession de foi religieuse [*religious test*] ne sera exigée comme condition d'aptitude aux fonctions ou charges publiques sous l'autorité des États-Unis. » Cette clause sera vigoureusement dénoncée par les critiques de la Constitution, à commencer

---

1. *Constitutions des treize États-Unis de l'Amérique* [1783] (traduction de La Rochefoucauld d'Enville), cité dans Stéphane Rials, *La Déclaration des droits de l'homme et du citoyen*, Hachette, coll. « Pluriel », 1988, pp. 498 et 512-513.

par Luther Martin, le délégué du Maryland à la Convention de Philadelphie :

> Certains membres [de la Convention] étaient *suffisamment vieux jeu* pour penser que *la croyance en l'existence d'une divinité* [...] servirait de garantie pour la bonne conduite de nos dirigeants, et qu'il serait *à tout le moins décent*, dans un pays chrétien, d'établir une distinction entre ceux qui professent le christianisme et ceux [qui font preuve] d'infidélité caractérisée ou de paganisme[1].

Les antifédéralistes tenteront en vain de christianiser la Constitution en modifiant son préambule et en imposant l'obligation d'une profession de foi religieuse pour les plus hautes fonctions de l'État. Faut-il alors envisager le pire – un Président catholique, et pourquoi pas un pape devenu président des États-Unis ? Y aura-t-il bientôt des élus « païens, déistes ou mahométans » ? Jureront-ils sur la tête de « Jupiter, Junon, Minerve ou Proserpine[2] » ? À ces objections dénotant une imagination fertile, les fédéralistes répondent en invoquant le principe universel de la liberté religieuse, seul moyen à leurs yeux de mettre un terme à toutes les persécutions qui ont marqué l'histoire politique de l'Europe. Ce qui est en cause, d'après James Iredell de la Caroline du Nord, c'est l'honneur même de l'Amérique. D'où cette première lecture moderne de l'article 6 de la Constitution fédérale : « L'Amérique donnait à l'humanité l'exemple d'un mode de pensée modeste et raisonnable : un homme peut avoir d'autres sentiments religieux que les nôtres, sans être pour autant un mauvais citoyen[3]. » Le

---

1. Luther Martin, intervention à la législature de l'État du Maryland, 29 novembre 1787, *in* Max Farrand (éd.), *The Records of the Federal Convention of 1787*, New Haven, Yale University Press, 1966, t. III, p. 227, souligné dans le texte. Martin avait refusé de signer le texte de la Constitution.
2. Henry Abbot, intervention à la Convention de ratification de la Caroline du Nord, 30 juillet 1788, *in* Bernard Bailyn (éd.), *The Debate on the Constitution*, New York, Library of America, 1993, t. II, p. 902.
3. James Iredell, réponse à Henry Abbot dans *ibid.*, p. 903. Iredell sera nommé par Washington à la Cour suprême en 1790.

principe de tolérance, toujours selon Iredell, est un principe absolu interdisant « la moindre exception ».

S'impose donc une nouvelle réalité, difficile à concevoir pour un peuple protestant : des païens ou des mahométans pourraient accéder aux plus hautes charges de l'État. De toute manière, conclut Iredell, l'introduction d'un serment d'allégeance de nature religieuse n'offrirait aucune garantie de sérieux, de moralité ou de vertu républicaine. L'exemple anglais est là pour démontrer l'énorme hypocrisie des *religious tests*, ces obligations faites aux futurs élus et fonctionnaires de pratiquer les rites de l'Église anglicane et d'en recevoir les sacrements dès qu'ils font acte de candidature. L'anglicanisme professé dans de telles circonstances n'est qu'une religion de façade, destinée à promouvoir la carrière des *Dissenters* et des mécréants de tous bords, qui ne cachent même plus leurs véritables convictions [1].

L'influence de John Locke sur Jefferson et Madison

Derrière ce débat constitutionnel se profile l'expérience capitale d'un combat pour la tolérance religieuse auquel prend part l'un des principaux architectes de la Constitution fédérale et du *Bill of Rights*, James Madison. Ce combat n'est lui-même explicable qu'en fonction d'une logique lockienne, bien comprise et assimilée par les partisans américains d'un régime de tolérance. L'argument de Locke, magistralement exposé dans sa *Lettre sur la tolérance* de 1686, est souvent repris, cité ou plagié par ses admirateurs américains. Locke n'est pas un anglican orthodoxe ; il est un non-conformiste, souvent accusé de déisme ou d'arianisme. Ses écrits théologiques anticipent ceux des philosophes des Lumières en ce sens que Locke fonde son argu-

---

1. *Ibid.*, pp. 904-905.

mentation sur la raison[1]. Accepter le message de l'Écriture, croire en la Révélation n'est pour lui qu'affaire de jugement raisonné et de choix individuel. Autrement dit, il n'y a point de salut sans la conviction intime de la vérité du dogme auquel on se soumet volontairement. Atteindre une telle vérité présuppose une recherche difficile, un « examen sincère » qui peut ne pas aboutir. Mais peu importe... Ce qui compte, c'est la sincérité de la démarche. « Celui qui a cherché [la vérité] sans la trouver a rendu à certains égards une obéissance plus entière à la volonté de son Créateur que celui qui ne l'a pas du tout cherchée, mais qui professe l'avoir trouvée, alors qu'en réalité, il ne l'a ni cherchée ni trouvée[2]. » Aucune institution religieuse ou étatique ne peut forcer un individu à croire, même s'il est avéré que la religion de l'évêque ou du prince est la vraie religion. Une Église, de toute manière, n'est qu'« une société d'hommes [...] libre et volontaire[3] » ; on ne naît pas dans une Église, on la choisit. Quant au prince, il est, en la matière, d'une totale impuissance :

> C'est en vain que les princes forcent leurs sujets à entrer dans la communion de leur Église, sous prétexte de sauver leurs âmes : si ces derniers croient la religion du prince bonne, ils l'embrasseront d'eux-mêmes ; et s'ils ne la croient pas telle, ils ont beau s'y joindre, leur perte n'en est pas moins assurée. En un mot, quelque grand empressement, quelque zèle que l'on prétende avoir pour le salut des hommes, on ne saurait jamais les forcer à se sauver malgré eux ; et après tout, il faut toujours finir par les abandonner à leur propre conscience[4].

---

1. J. C. D. Clark, *English Society 1688-1832*, Cambridge, Cambridge University Press, 1991, pp. 47-50 et 280-281. Pour Clark, qui diffère sur ce point de John Dunn, ce n'est pas le contractualisme de Locke qui influença ses contemporains, mais bien plutôt l'hétérodoxie de ses positions religieuses. Sur Locke, en général, voir John Dunn, *La Pensée politique de John Locke* [1969], trad. fr. Paris, PUF, 1991, et John Marshall, *John Locke. Resistance, Religion and Responsibility*, Cambridge, Cambridge University Press, 1994.
2. John Locke, « Error », cité par Jean-Fabien Spitz dans son introduction à J. Locke, *Lettre sur la tolérance, op. cit.*, p. 58, note 6.
3. *Ibid.*, p. 171.
4. *Ibid.*, pp. 187-188.

La portée du raisonnement lockien est considérable. Le prince devra tolérer l'idolâtrie, au nom même d'une certaine vérité chrétienne à laquelle Locke reste sincèrement attaché. Car nombreux sont les souverains, à l'échelle du globe, qui n'acceptent pas la religion chrétienne. Permettre à un prince chrétien d'« extirper par des violences sanguinaires, la religion qu'il regarde comme idolâtre » conduirait, par imitation, « un prince, païen ou mahométan » à faire de même vis-à-vis des minorités chrétiennes de son État. Le principe de tolérance ne souffre aucune exception, il y va de la survie même du christianisme[1]. En fin de compte, le refus de la tolérance, avec tout ce qu'il entraîne de violence, de privation et de dépossession, est inacceptable parce qu'il aboutit à « mêl[er] et confond[re] deux choses tout à fait différentes, l'Église et l'État[2] ». La tolérance lockienne n'est donc ni neutre ni relativiste. Elle est parfaitement compatible avec l'idée qu'une certaine religion ou qu'un certain mode de vie est supérieur à tout autre. L'important est que le religieux échappe au pouvoir coercitif de l'État. Le choix de la « vraie religion » ne se décrète pas, il est affaire d'éducation, de persuasion et d'intime conviction[3].

C'est bien cette logique que James Madison, avec l'appui distant de Jefferson, va mettre en œuvre en 1785-1786, pour empêcher toute tentative d'officialiser une ou plusieurs religions dans sa Virginie natale. Le prétexte en est une proposition de loi destinée à autoriser le financement public des « instituteurs de la religion chrétienne ». Dans un virulent pamphlet anonyme distribué en Virginie, Madison

---

1. *Ibid.*, pp. 194 et 196. Ce qui n'empêche pas Locke d'exclure le catholicisme de ce principe général, sous prétexte que les catholiques sont par définition les ennemis de la tolérance. « Les papistes, écrit-il dans son *Essai sur la tolérance* [1667], ne doivent point jouir des bienfaits de la tolérance parce que, lorsqu'ils détiennent le pouvoir, ils s'estiment tenus de la refuser à autrui » (p. 126).
2. *Lettre sur la tolérance, ibid.*, p. 213.
3. Voir à ce propos William Galston, *Liberal Purposes. Goods, Virtues and Diversity in the Liberal State*, New York, Cambridge University Press, 1992, p. 222.

dénonce le mélange des genres politique et religieux, l'absurdité d'un enseignement public de la religion et le risque de
persécutions qu'une telle emprise de l'État risque de déclen-
cher. La religion, selon Madison, n'est authentique que si
elle exprime un choix volontaire, fondé sur un acte de
« raison et de conviction ». Un impôt religieux, même s'il
a une portée générale, ne peut conduire qu'à « l'Inquisition
dont il ne diffère qu'en degré seulement ». En fait, la liberté
religieuse est un « droit naturel et inaliénable » si extensif
qu'il inclut aussi la liberté de ne pas croire[1]. Madison avait
lu Voltaire ; comme lui, il savait que les « sectes », parce
qu'elles sont nombreuses, « se balancent par leur pouvoir[2] », et que la vraie liberté religieuse dépend précisément
de la prolifération des sectes, de telle sorte « qu'aucune secte
ne l'emporte en nombre sur les autres pour les opprimer[3] ».
Il n'avait pas oublié les persécutions subies par les baptistes
de Virginie, chassés à coups de pierres du comté de Culpep-
per en 1765, et dont six prédicateurs furent emprisonnés
trois ans plus tard pour avoir simplement publié leurs opinions, jugées contraires à celles de l'Église officielle de l'époque, l'Église anglicane. Le remède était simple : l'adoption
du *Virginia Bill for Religious Liberty*. Cette loi dénonçait
comme « tyrannique » toute tentative de « forcer un
homme à verser de l'argent pour la propagation d'opinions
auxquelles il ne croit pas » ; elle précisait que « nos droits

---

1. James Madison, *Memorial and Remonstrance against Religious Assessments*
[1785], cité dans Ralph Ketcham, « James Madison and Religion. A New Hypothe-
sis », *in* Arlin M. Adams et Charles J. Emmerich (éd.), *A Nation Dedicated to
Religious Liberty*, Philadelphie, University of Pennsylvania Press, 1990, pp. 186-187.
2. Voltaire, article « Tolérance », *Dictionnaire philosophique* [1764], Paris,
Garnier-Flammarion, 1964, p. 367. Madison, d'après son premier biographe, William Rives, aimait à citer cet autre passage du même article de Voltaire : « Si vous
avez deux religions chez vous, elles se couperont la gorge ; si vous en avez trente,
elles vivront en paix. Voyez le Grand Turc : il gouverne des guèbres, des banians,
des chrétiens grecs, des nestoriens, des romains. Le premier qui veut exciter du
tumulte est empalé, et tout le monde est tranquille » (p. 365). Voir R. Ketcham,
« James Madison and Religion », art. cité, pp. 184, 190-191.
3. James Madison, discours à la Convention de Virginie en faveur de la ratification de la Constitution fédérale (12 juin 1788), cité dans R. Ketcham, *ibid.*, p. 191.

civils ne dépendent pas plus de nos opinions religieuses que celles-ci de nos opinions concernant la physique ou la géométrie [1] ». Jefferson, le partenaire de Madison dans cette entreprise de laïcisation de l'État virginien, avait donc raison d'affirmer, avec un certain cynisme : « Le gouvernement n'a d'autorité légitime qu'en ce qui concerne les actes qui portent atteinte à autrui. Mais mon voisin ne me gêne nullement s'il affirme qu'il y a vingt dieux, ou aucun Dieu. Ça ne me vide pas les poches et ne me casse pas la jambe [2]... »

Devenu vice-président des États-Unis (1797-1800), Jefferson fut violemment attaqué par ses adversaires qui voyaient en lui un « déiste » ou un « athée » irrémédiablement corrompu par son expérience de la vie politique française. Jefferson, à en croire un discours fameux du président de Yale, prononcé le jour de la fête nationale, le 4 juillet 1798, aurait souhaité transformer les Églises américaines en « temples de la raison » pour s'y livrer à de « frénétiques danses jacobines » et lancer, à cette occasion, des bibles dans de gigantesques feux de joie. « Nos enfants, s'inquiétait alors le révérend Timothy Dwight, seront-ils [bientôt] les disciples de Voltaire et les dragons de Marat [3] ? »

Malgré les attaques des prédicateurs, Jefferson sera finalement élu président en 1800. Il maintiendra ses convictions et c'est à lui qu'on doit la première interprétation laïque du premier article du *Bill of Rights* des États-Unis. Dans une lettre aux baptistes de Danbury, Jefferson apporte une précision importante. Il explique que la phrase « Le Congrès

1. Rédigé par Thomas Jefferson dès 1779, ce projet est finalement adopté sur l'insistance de Madison le 16 janvier 1786. On en trouvera le texte complet dans Thomas Jefferson, *Notes on the State of Virginia* [1785], New York, Harper and Row, 1964, pp. 206-208.
2. *Ibid.*, p. 152. Sur la modernité d'un tel raisonnement, voir Isaac Kramnick, « Jefferson *v.* the Religious Right », *New York Times*, 29 août 1994, et, plus récemment, Isaac Kramnick et R. Laurence Moore, *The Godless Constitution. The Case against Religious Correctness*, New York, Norton, 1996, pp. 11-25. En français, on trouvera une bonne synthèse dans Jeanine Rovet, « Un peuple presque élu : la laïcité incertaine aux États-Unis », *Philosophie politique*, n° 7, 1995, pp. 43-62.
3. Timothy Dwight, cité dans I. Kramnick et L. Moore, *The Godless Constitution*, *op. cit.*, p. 89.

ne fera aucune loi qui touche l'établissement ou interdise le libre exercice d'une religion » doit être comprise comme « construisant un *mur de séparation* entre l'Église et l'État [1] ». L'interprétation jeffersonienne sera souvent reprise par les juges de la Cour suprême pour interdire la prière dans les écoles publiques, l'octroi d'aides publiques aux écoles confessionnelles ainsi que les brimades visant des athées ou des incroyants. Paraphrasant Jefferson, le juge Hugo Black explique en 1947, dans une décision qui fera date et qui domine encore la jurisprudence de la Cour suprême, que « le premier amendement a érigé un mur entre l'Église et l'État. Ce mur doit être maintenu élevé et impénétrable. Aucune brèche ne saurait être admise [2] ».

Toutes les tentatives historiques de christianiser la Constitution, l'adoption tardive d'une devise nationale à caractère religieux (*In God we trust*), le débat en cours sur l'« obligation » de la prière à l'école sont autant de tentatives de percer le « mur de séparation » construit par les fondateurs de la République américaine. Tant que ce « mur » reste encore debout et résiste aux assauts des fondamentalistes, ou de la droite républicaine, la démocratie américaine sera bien une « république » au sens donné à ce mot par certains de ses critiques en France, c'est-à-dire un État « libre de toute entreprise religieuse ».

Il est vrai que la République fédérale inaugurée en 1789 était en avance sur son temps. Qu'on se replace, en effet, dans le contexte de l'époque. En Angleterre, l'émancipation politique des catholiques n'était toujours pas réalisée (elle ne le sera qu'en 1829). En France, le rejet de la Constitution civile du clergé (1790) par la hiérarchie catholique entraînait des représailles et des persécutions. Aux États-Unis mêmes,

---

1. Jefferson, Lettre à la communauté baptiste de Danbury [1802], cité dans *ibid.*, p. 97. Kramnick et Moore notent que la formule du « mur de séparation » est empruntée par Jefferson à l'ouvrage d'un *dissenter* anglais, le *Crito* [1767] de James Burgh.
2. *Everson v. Board of Education*, 330 U.S. 1 (1947).

les parlements des États fédérés maintenaient certains
« tests » religieux, pourtant contraires au principe de neutralité proclamé par le gouvernement fédéral.

Situons-nous, par exemple, dans l'État de Pennsylvanie,
en 1787. La « Déclaration des droits des habitants de l'État
de Pennsylvanie », adoptée en 1776, défendait le « droit de
libre conscience dans le libre exercice du culte religieux ».
Mais le parlement de l'État imposait néanmoins une profession de foi religieuse à ceux qui se destinaient aux charges
électives ou aux plus hautes fonctions de l'État. Ceux-ci
devaient non seulement déclarer qu'ils croyaient « en Dieu,
le Créateur de l'univers », mais aussi jurer que « l'Ancien
et le Nouveau Testament [étaient] des textes d'inspiration
divine ». La liberté de conscience n'était donc pas complète,
ce qui incita un certain Jonas Phillips de Philadelphie à
protester, en s'adressant directement aux délégués de la
Convention de Philadelphie (réunis dans la ville pour rédiger le texte de la future Constitution fédérale). Dans une
lettre courageuse, datée de l'an 5547 [1787], Phillips dénonce
le serment exigé par la législature de Pennsylvanie comme
« absolument contraire au principe religieux d'un juif ».
Expliquant que les juifs ont « bravement combattu pour la
Cause » (de l'indépendance des États-Unis), Jonas Phillips
demande aux conventionnels d'utiliser leur autorité pour
interdire toute profession de foi fondée sur le Nouveau
Testament, afin de rendre « les Israélites heureux de vivre
sous [l'égide d']un gouvernement qui traite toutes les sociétés religieuses sur pied d'égalité ». Il précise qu'il « sollicite
cette faveur pour lui-même, ses enfants, leur postérité et
pour le bénéfice de tous les Israélites des 13 États-Unis
d'Amérique », et il conclut en exprimant le souhait « que
le peuple de ces États se dresse comme un grand et jeune
lion, qu'il triomphe de ses ennemis [...] et que le Dieu
tout-puissant de nos pères Abraham, Isaac et Jacob dote
cette Noble Assemblée de sagesse dans ses jugements et

d'unanimité dans ses avis [1]... » Cette requête, sans précédent, restera malheureusement sans suite et il faudra attendre les années 1830 pour que la plupart des États mettent fin aux serments d'allégeance religieuse [2]. Il faudra encore un siècle pour que la Cour suprême choisisse d'imposer aux États toute la rigueur laïque de la Constitution fédérale des États-Unis.

Le débat, aujourd'hui, comme l'a observé John Wilson, tourne autour de l'interprétation à donner à la métaphore jeffersonienne du « mur de séparation [3] ». Pour les « séparatistes », qui ne sont pas, il faut le souligner, des anticléricaux, la religion n'appartient pas à la sphère du politique. Il est par conséquent inconcevable que les États, fédéral ou fédérés, puissent subventionner une école confessionnelle. Quant à l'obligation de la prière dans les écoles publiques, réclamée par les chrétiens « fondamentalistes », elle est inacceptable, car elle ne peut servir un « objectif laïque ». Tout au plus peut-on admettre la méditation fondée sur un « moment de silence ». Un tel moment satisfait le principe de la neutralité de l'enseignement public à la seule condition qu'il reste indéfini, pour permettre à chacun d'exprimer sa

---

1. Jonas Phillips, lettre au Président et aux membres de la Convention de Philadelphie, 7 septembre 1787, cité dans M. Farrand, *The Records of the Federal Convention, op. cit.,* t. III, pp. 78-79.

2. Huit États maintiendront ces tests jusqu'à la fin du XIXᵉ siècle. Le Massachusetts y met fin en 1821. La ou les religions officielles sont « desétablies » du Connecticut en 1818, du Massachusetts en 1833... La Constitution de Caroline du Sud maintiendra jusqu'au XXᵉ siècle que « la Religion protestante et chrétienne » est « la religion établie de cet État ». De nombreuses lois concernant les activités tolérées le jour du sabbat, les jours de jeûne et d'action de grâce, le blasphème, etc. sont édictées par les États fédérés tout au long du XIXᵉ siècle. Voir le commentaire de Stephen Botein, « Religious Dimensions of the Early American State », *in* Richard Beeman, Stephen Botein et Edward Carter II (éd.), *Beyond Confederation. Origins of the Constitution and American National Identity*, Chapel Hill, University of North Carolina Press, 1987, pp. 315-330. On trouvera une stimulante analyse des mouvements de promotion d'un « Sabbat chrétien » et des lois interdisant la distribution du courrier le jour du Seigneur dans I. Kramnick et L. Moore, *The Godless Constitution, op. cit.,* pp. 131-149.

3. John F. Wilson, « Religion, Government and Power in the New American Nation », *in* M. Noll, *Religion and American Politics, op. cit.,* pp. 77-91. J'emprunte à Wilson la distinction entre « séparatistes » et « accommodateurs ».

foi ou son indifférence[1]. Pour les « accommodateurs », la séparation de l'Église et de l'État n'est pas véritablement violée si l'État poursuit des « fins laïques » en se servant de « moyens religieux, sans faire de discrimination[2] ». Dans cette perspective, minoritaire aujourd'hui, la liberté religieuse garantie par le *Bill of Rights* n'est pas une liberté négative interdisant à l'État de se mêler de religion. C'est au contraire une liberté positive qui oblige l'État à aider la religion, toutes les religions, sans traitement préférentiel.

Les communautés de la tolérance

La tolérance est un principe universel de pacification de la société, qui empêche, en vertu même de son différentialisme, la constitution d'une société intégrée et culturellement homogène. La tolérance favorise le maintien du particularisme religieux, qui se nourrit, en terrain protestant, d'une forte autonomie linguistique et culturelle. C'est pourquoi un luthérien de la vallée du Rhin ou un calviniste hollandais refusaient de lire la Bible en anglais, car la seule traduction existante, dite de *King James,* était anglicane. « Leur » Bible était celle de Luther ou encore celle du synode d'Amsterdam, et la vocation des premières écoles du Nouveau Monde était d'enseigner la langue de la « vraie » traduction de l'Ancien et du Nouveau Testament. « C'est la langue qui préserve la foi », ne cessaient de rappeler les prédicateurs luthériens. La sauvegarde de la religion des ancêtres eut donc pour effet de retarder, pendant plusieurs générations, l'intégration des immigrés au sein de la société dominante. Deux exemples serviront à illustrer ce phéno-

---

1. *Wallace v. Jaffree,* 472 U.S. 38 (1985).
2. Opinion minoritaire (*dissenting opinion*) du juge Rehnquist (*ibid.*). Pour une défense passionnée de la religion dans un État laïque, voir Stephen L. Carter, *The Culture of Disbelief. How American Law and Politics Trivialize Religious Devotion,* New York, Basic Books, 1993.

mène mal connu : celui des immigrés allemands de Pennsylvanie et celui des immigrés hollandais du futur État de New York.

Les quelque 120 000 Allemands qui peuplèrent la Pennsylvanie à la veille de la révolution américaine ne parlaient pas « allemand », mais des dialectes de langue allemande, dont le plus courant était un dialecte du Palatinat. Mais la langue noble était le *hoch-deutsch*, l'allemand écrit, grammaticalement correct, qui était aussi la langue des prédicateurs et de l'Écriture sainte. D'où l'importance donnée aux écoles chargées d'enseigner le haut allemand. En l'espace de quarante ans, les réformés allemands construisirent vingt-six écoles, les luthériens une quarantaine, les Frères moraves treize, dont la première école de filles et un célèbre Collegium Musicum[1]. Les livres et les journaux imprimés en Pennsylvanie servaient de supports à la culture allemande, à commencer par la première Bible imprimée en Amérique du Nord et d'innombrables recueils de cantiques, des œuvres théologiques, des traités pédagogiques, des dictionnaires, des almanachs, des journaux de voyage... Plus de trente journaux allemands furent publiés en Pennsylvanie, principalement, mais aussi en Géorgie et en Caroline du Sud. Le plus célèbre était *Der hoch-deutsch pennsylvanische Geschichts-Schreiber*, lancé dès 1739 par le grand rival de Benjamin Franklin, l'imprimeur Christopher Saur de Germantown. Le *Philadelphische Zeitung* de Franklin ne résistera pas à la concurrence, faute de rigueur grammaticale et typographique. Franklin, mal informé des traditions allemandes, avait fait l'erreur d'utiliser une typographie romaine. Saur disposait de caractères gothiques de la plus grande élégance, qu'il avait fait venir tout spécialement de Francfort ; il pouvait donc s'imposer aisément comme un authentique propagateur du « bon allemand » et de la

---

1. A. G. Roeber, « The Origin of Whatever is not English among Us », art. cité, p. 271.

germanité. Ses journaux et surtout son almanach, *Der hoch-deutsch amerikanische Calendar*, eurent une influence décisive sur les progrès de la culture allemande de Pennsylvanie. Ils devaient servir à unifier ce qui n'était jusque-là qu'une juxtaposition de sectes et de sous-cultures germaniques. « Ses lecteurs, écrit A. G. Roeber, appartenaient à toutes les sectes, et son analyse des sujets politiques, économiques et sociaux se résumait à un message simple, constamment ressassé depuis 1739 [...] : "Soutenez les quakers, évitez les tribunaux, les avocats, la politique et tout rapport inutile avec des anglophones, qui risquerait de porter atteinte à notre langue, nos familles, nos coutumes et notre foi[1]". »

Le succès même de la culture allemande fut pérennisé par des formes de sociabilité « typiquement » germaniques – la fréquentation des tavernes, la consommation fréquente de la bière et du vin, l'habitude du café (préféré au thé), la constitution d'orchestres et de chorales polyphoniques... Certaines pratiques juridiques continentales, comme le partage égalitaire de l'héritage entre frères et sœurs, furent maintenues, malgré leur évidente incompatibilité avec la tradition de la *common law*. Seule la vie politique échappait à la germanisation croissante de la société pennsylvanienne[2].

Inquiets de ces phénomènes de résistance à l'assimilation, les colons anglophones songèrent, dès 1753, à lancer un vaste programme d'intégration par l'école, destiné aux enfants des familles allemandes les moins fortunées. Pour ce faire, ils eurent recours aux *charity schools* mises à leur disposition par la très anglicane Society for Promoting Religious Knowledge and English Language among the German Emigrants in Pennsylvania, avec l'aval de l'archevêque de Canterbury. Cette société d'entraide avait été fondée pour faciliter l'« incorporation » de jeunes Allemands au sein de

---

1. *Ibid.*, p. 252.
2. *Ibid.*, pp. 260-261 et 266-269.

l'Empire britannique en les incitant à côtoyer des élèves anglais, afin de pratiquer ensemble la « langue commune » de la métropole, d'adopter des « mœurs similaires » et de découvrir ainsi la grandeur des libertés anglaises et le sentiment d'appartenir à une « nation commune[1] ». Les fondateurs de la Société espéraient qu'à terme, suivant l'exemple de l'histoire romaine dont ils faisaient grand cas, des « intermariages » entre les deux groupes faciliteraient la fusion des communautés pour le plus grand bien de l'Empire. C'est ainsi que devaient disparaître, selon le vœu du missionnaire anglican William Smith, ces « circonstances déplorables » qui faisaient qu'il y avait à l'époque, en Pennsylvanie, trop d'imprimeurs allemands, trop d'avocats qui se croyaient obligés d'écrire en allemand, trop d'interprètes dans les tribunaux et un parlement dont « la moitié des élus serait [bientôt] incapable de comprendre ce que dit l'autre[2] ».

Cet ambitieux projet d'anglicisation échoua face à la résistance organisée des partisans de la liberté de conscience, qui soupçonnèrent, derrière ce programme éducatif, la main cachée de l'Église anglicane. Paradoxalement, les quelques *charity schools* créées par les Anglais à la fin du XVIIIe siècle allaient devenir des hauts lieux de la culture germanique, car on y enseignait d'abord le *hoch-deutsch*, l'exégèse biblique et, de façon annexe, quelques rudiments d'anglais[3].

La résistance des Hollandais de l'État de New York à l'anglicisation avait une autre signification. Installés dès 1624 dans ce qui s'appela d'abord la Nouvelle-Néerlande, les Hollandais avaient l'avantage d'être les premiers colons. Leur contrôle de l'économie locale se prolongea jusqu'à la fin du XVIIIe siècle, malgré la conquête du territoire par les

---

1. William Smith, lettre du 13 décembre 1753 à la Society for Promoting Religious Knowledge..., reproduite dans Leonard W. Labaree (éd.), *The Papers of Benjamin Franklin*, New Haven, Yale University Press, 1962, t. V, pp. 214-215.
2. *Ibid.*, p. 215.
3. A. G. Roeber, « The Origin of Whatever is not English among Us », art. cité, p. 272.

Anglais en 1664. Mais, surtout, leur attachement à l'Église réformée de Hollande contribua à préserver la vigueur de leur culture d'origine, d'autant que les Anglais n'essayèrent pas, dans un premier temps, d'imposer leurs valeurs propres. La pratique anglaise de la tolérance religieuse renforça le pluralisme d'une société divisée en trois grands groupes d'appartenance : les Hollandais, de loin les plus nombreux, les huguenots et les Anglais.

Les Hollandais de la ville de New York, comme l'a admirablement mis en évidence Joyce Goodfriend, résistèrent pendant près d'un siècle au conformisme culturel des vainqueurs, grâce à la création d'un réseau d'institutions culturelles, centré sur les Églises réformées, les sociétés d'entraide et de bienfaisance et les écoles qui étaient, à cette époque, placées sous le strict contrôle des Églises. L'intensité de la vie culturelle hollandaise est attestée, à la fin du XVIIIᵉ siècle, par la publication de plus d'une centaine de livres, pamphlets et almanachs imprimés en hollandais par des éditeurs de New York. Les taux élevés de mariage endogame et le cloisonnement ethnique du marché de l'emploi contribuaient au renforcement d'une culture hollandaise dominante. Ainsi, trente et un ans après la conquête anglaise, 99 % des hommes et 83 % des femmes d'origine hollandaise préféraient épouser un partenaire issu du même groupe national. Quant aux apprentis de même origine, 10 % seulement d'entre eux, entre 1694 et 1727, acceptaient de se lier à un maître anglais, allemand ou huguenot. Face à la pression des Anglais, trois générations de Hollandais maintinrent leur singularité culturelle, tout en continuant d'investir, avec succès, le champ de la politique locale : entre 1708 et 1830, 89 % des officiers municipaux élus (*aldermen*) étaient des Hollandais de deuxième ou de troisième génération[1]. Il serait facile de multiplier les exemples de diversité

---

1. J. Goodfriend, *Before the Melting Pot*, *op. cit.*, pp. 93-98, 101-103, 163-169 et 194.

culturelle en prenant le cas des Écossais d'Irlande, nombreux en Virginie et en Pennsylvanie, des huguenots de Caroline du Sud, des Suédois de la vallée du Delaware...

À l'époque de la révolution américaine, les colonies du Nouveau Monde – à commencer par les plus anciennes et les plus unifiées, la Virginie et la Nouvelle-Angleterre – cessèrent de constituer un univers homogène, acquis aux valeurs dominantes de l'Angleterre de Guillaume III. La prolifération des sectes avait déjà porté atteinte à l'hégémonie des puritains de la Nouvelle-Angleterre. Elle avait freiné, dans d'autres régions acquises au piétisme allemand ou aux différentes formes du calvinisme européen, les progrès des missionnaires de l'Église anglicane, qui étaient, en cette fin de siècle, les principaux agents du monarchisme et du nationalisme anglais. En 1776, comme le note l'historien anglais J. C. D. Clark, les colonies anglaises d'Amérique n'offraient pas le spectacle idéal d'un melting-pot, mais bien plutôt celui d'un « kaléidoscope » de religions rivales, introduites par des « étrangers » venus d'Europe continentale, ou encore par ceux qui n'étaient alors « ni des anglicans, ni même des Anglais » : les Écossais d'Ulster et de Basse-Écosse[1]. Le morcellement ethnoreligieux de l'Amérique prérévolutionnaire explique à son tour la fragilité du consensus politique américain et la lenteur avec laquelle va s'élaborer un nationalisme authentique qui sera, toujours selon Clark, « une conséquence et non pas une cause de la Révolution [américaine][2] ». Lorsque le « Fermier » Dickinson s'interrogeait, en 1768, sur la nature du « caractère américain », il s'avouait incapable de distinguer entre « sa loyauté pour son Souverain, son sens du devoir pour la mère-patrie et son affection pour le sol de son pays[3] ».

---

1. J. C. D. Clark, *The Language of Liberty, op. cit.*, p. 307.
2. *Ibid.*, p. 57.
3. John Dickinson, *Letters from a Farmer in Pennsylvania, to the Inhabitants of the British Colonies*, Philadelphie, 1768, cité par J. C. D. Clark, *The Language of Liberty, op. cit.*, p. 58. Publiées quatorze ans avant celles de Crèvecœur, ces *Lettres* furent immensément populaires.

Crèvecœur réussira mieux à conceptualiser la nouvelle identité américaine, en postulant, dans la version française de ses fameuses *Lettres*, le primat du principe de tolérance, ce « premier trait de notre caractère national » :

> Ici, toutes les sectes sont reçues et tolérées ; tous nos bons livres nous enseignent que ce sont les branches du même arbre, comme nous sommes les enfans du même père ; cette discordance apparente, est devenue parmi nous la base la plus philosophique et la plus certaine du repos public, ainsi que de l'harmonie générale ; nous avons laissé à douze cens lieues vers l'Orient, le zèle, amer et turbulent [...]. Le mêlange de tant de nations et de tant de sectes vivans depuis un siècle à l'ombre de l'égalité et de la justice, nous a enfin conduits à la sagesse, en nous rendant plus véritablement frères encore que partout ailleurs ; *la première base de nos loix est la liberté et la tolérance*[1].

« Le mêlange (*sic*) de tant de nations » permet-il de conclure, comme Crèvecœur nous y incite dans la première version anglaise de ses *Lettres,* à la « fonte » inexorable de tous les immigrés en une « nouvelle race d'hommes[2] » ? Cette phrase, si souvent célébrée, n'est encore, manifestement, qu'un vœu pieux qui ne décrit pas la réalité religieuse et sociale du pays.

Représenter l'Amérique : « *E pluribus unum* »

Tout le problème de l'Amérique indépendante est précisément celui-ci : comment faire tenir le mêlange des peuples ? Comment cimenter un pays aussi divers et fragmenté

---

1. Crèvecœur, *Lettres d'un cultivateur américain* [1784], *op. cit.*, t. I, pp. 35-36 (souligné par moi).

2. « Here individuals are *melted into a new race of men*, whose labours and posterity will one day cause great changes in the world », écrit Crèvecœur dans ses *Letters from an American Farmer, op. cit.*, p. 70 (souligné par moi). Crèvecœur traduit ce passage dans une « Esquisse » publiée deux ans plus tard : « Ici les individus de toutes les nations sont *fondus dans une nouvelle race* dont les travaux et la postérité produiront un jour des changemens merveilleux dans le monde » (*Lettres d'un cultivateur américain, op. cit.*, t. II, p. 277, souligné par moi).

dans sa base sociologique ? Comment réussir l'opération d'alchimie qui consiste, selon la devise officielle du pays, à unifier une pluralité d'États, d'intérêts, de sectes et de nations – *E pluribus unum* (« De plusieurs, un seul ») ? L'origine même de la formule est révélatrice : elle illustre les difficultés rencontrées par les Pères fondateurs pour penser ce qui n'est encore que l'ébauche d'une nation. On trouve la première mention de la devise *E pluribus unum* dans un projet d'armes pour les États-Unis conçu par une commission du Congrès, au lendemain de la signature de la Déclaration d'indépendance, en 1776. Son principal inspirateur fut, semble-t-il, un artiste suisse, Pierre-Eugène du Simitière. Inscrit dans une bande figurant un manuscrit déroulé, *E pluribus unum* résume en un raccourci frappant le contenu du grand écu américain qui lui est superposé. Divisé en six quartiers par un « parti coupé de deux », l'écu représente les armes des six peuples fondateurs :

Au premier, d'Or à une Rose de gueules boutonnée d'Argent, pour l'Angleterre ; au second, d'Argent, à un Chardon au Naturel, pour l'Écosse ; au troisième, de Sinople à une Harpe d'Or, pour l'Irlande ; au quatrième, d'Azur à une Fleur de Lys d'Or, pour la France ; au cinquième, d'Or à l'Aigle Impériale de Sable, pour l'Allemagne ; au sixième, d'Or au Lion de Flandre de gueules, pour la Hollande[1].

Treize écussons figurant les initiales des treize États de la Confédération entourent le blason que soutiennent deux figures allégoriques : la Liberté et la Justice. Au-dessus du blason rayonne un œil de la Providence inscrit dans un triangle. Ce premier projet, très européen de conception, ne sera pas retenu en l'état par le Congrès confédéral[2]. Le

---

1. Julian Boyd *et al.* (éd.), *The Papers of Thomas Jefferson*, Princeton, Princeton University Press, 1959, t. I, p. 496, cité dans Jay Fliegelman, *Declaring Independence. Jefferson, Natural Language and the Culture of Performance*, Stanford, Stanford University Press, 1993, p. 161.
2. *Ibid.*, pp. 160-163. Le dessin du projet original de Simitière est préservé à la Library of Congress. Empruntée à Virgile, la formule *E pluribus unum* était aussi

projet final de Grand Sceau des États-Unis, adopté six ans plus tard, reprend deux des symboles du grand écu : l'œil dans un triangle et la formule *E pluribus unum*. Mais le blason, porté par un aigle incarnant la souveraineté, est vidé de sa substance. À la spécificité nationale des six peuples fondateurs, les élus du Congrès confédéral ont préféré la rigueur tout abstraite de treize bandes verticales rouges et blanches symbolisant les États de l'Union. Dans ses serres, l'aigle tient d'un côté treize flèches (une par État), de l'autre un rameau d'olivier figurant les premiers attributs d'un peuple libre et indépendant : les pouvoirs de faire la guerre et de déclarer la paix. Au-dessus de la tête de l'aigle rayonne dans sa splendeur nouvelle une constellation de treize étoiles. Dans son bec, l'aigle tient le bandeau sur lequel est inscrite la fameuse devise latine.

Six ans de guerre avaient-ils suffi pour unifier les différentes composantes religieuses et nationales des colonies rebelles ? Disons plutôt que la rupture avec la mère-patrie, l'exil forcé des loyalistes et l'intervention active de la France rendaient moins crédible un blason plurinational accordant une place égale aux Anglais, aux Français, aux Allemands, etc. La nation restait à construire et les milices difficilement armées et mobilisées par les treize États insurgés apportaient chacune leur pierre à l'édifice du « nouvel ordre » américain. Cet édifice, représenté au revers du Grand Sceau par une pyramide tronquée surmontée d'un œil de la Raison, a bien une base solide, équilibrée et apparemment indestructible. Mais il est clair qu'en 1782, date de l'adoption du Sceau, la pyramide n'est encore qu'une tour de Babel inachevée.

◆

---

la devise d'un journal à la mode, le *Gentleman's Magazine*, qui offrait une sélection de bonnes feuilles déjà publiées dans d'autres journaux (*ibid.*, p. 173). Sur l'influence de Virgile et certains conflits d'interprétation, voir le chapitre 7.

Fondé sur le pari confédéral d'une « nation de nations »,
le nationalisme américain des origines se distingue radicalement des nationalismes européens. La diversité ethnique
et culturelle existe bel et bien ; elle se justifie au nom d'une
véritable éthique de la tolérance, mais elle n'a pas de fondement territorial. C'est pourquoi les inévitables conflits
interethniques n'atteindront jamais, au Nouveau Monde, le
degré de violence qu'ils devaient connaître en Europe.
Certes, l'histoire des États-Unis est traversée par des périodes de nativisme et d'intense xénophobie. Mais ces mouvements violents, faute d'ancrage territorial, ne peuvent dégé-
nérer en conflits interétatiques, comme je le montrerai dans
les deux prochains chapitres.

Chapitre 3

INTOLÉRANCES

Violences à Charlestown

Charlestown est une banlieue ouvrière de Boston. La majorité de ses habitants sont des catholiques d'origine irlandaise. Mais l'immigration irlandaise a cessé et la plupart des nouveaux immigrés sont aujourd'hui des Hispaniques. En octobre 1993, un incident banal se produit dans la cité résidentielle de Bunker Hill : deux jeunes femmes se disputent dans la rue et en viennent aux mains ; deux voisines les observent d'une fenêtre et leur demandent de cesser de se battre. Les premières sont des autochtones, des *Yankees* de Nouvelle-Angleterre [1]. Elles se retournent et découvrent que leurs interlocutrices sont des immigrées récentes, d'origine hispanique. Elles leur conseillent alors de se taire et de « retourner là d'où elles viennent ». Les insultes fusent... Les Hispaniques, furieuses d'être ainsi traitées et humiliées par des « Blanches », menacent d'appeler « leurs amis ». La menace est mise à exécution : le 19 octobre 1993, une bande de jeunes *Latinos* [2] débarque à Bunker Hill, armés de

---

1. J'entends par *Yankee* des habitants natifs de Nouvelle-Angleterre. À Charlestown, il s'agit pour la plupart d'Irlandais de troisième génération.
2. J'emploie indifféremment « Latinos » ou « Hispaniques » pour désigner des immigrés d'origine latino-américaine. Un Hispanique n'est pas nécessairement un hispanophone.

couteaux et de battes de base-ball. Ils s'en prennent aux autochtones et blessent trois d'entre eux à l'arme blanche. En riposte, trois cents jeunes *Anglos* de Bunker Hill se précipitent dans les rues et font la chasse aux *Latinos*. La police intervient et arrête les présumés coupables. Des poubelles sont incendiées, des pierres et des cocktails Molotov pleuvent sur les forces de l'ordre, des pneus de voiture appartenant aux immigrés sont crevés, et, dans la nuit, une croix de bois, symbole du Ku Klux Klan, brûle devant l'habitation d'une famille d'Hispaniques. L'incident est banal, l'émeute a été contenue, c'est le vingt-deuxième épisode raciste de l'année à Charlestown [1]...

Un siècle et demi plus tôt, toujours à Charlestown, les rôles étaient inversés : d'autres *Yankees*, des protestants d'origine anglaise, affrontaient les nouveaux immigrés de l'époque – des catholiques irlandais. Des Blancs attaquaient d'autres Blancs pour des raisons religieuses, nourries par une rumeur incontrôlée : une nonne, Elizabeth Harrison, aurait été ramenée de force au couvent des Ursulines d'où elle avait tenté de s'échapper, et aurait été depuis lors séquestrée dans un souterrain. Alertés, ses amis décidèrent de la libérer. Mais les sœurs ursulines menacèrent d'appeler à la rescousse leur évêque qui disposait, affirmaient-elles, d'une milice privée de quelque vingt mille « gars d'Irlande ». La riposte ne se fit pas attendre : des bandes de protestants prirent d'assaut les bâtiments du couvent pour y mettre le feu. À Boston, on craignait tant la revanche des Irlandais que des milliers de citoyens patrouillaient dans les rues de la ville alors que des étudiants étaient postés en vigiles autour de Harvard Square... Il n'y eut pas, heureusement, de suite violente et, une fois le calme revenu, on apprit que

---

1. Voir John Ellement, « Hot Tempers, Taunting Words Gave Birth to Racial Incident » ; Lynda Gorov et Tom Mashberg, « Racial Fault Lines », *Boston Globe*, 21 octobre 1993, et « Charlestown Residents Stress Racial Strides », *Boston Globe*, 24 octobre 1993 ; Judy Rakowsky et Zachary Dowdy, « Burning Cross Placed outside Hispanic Home », *Boston Globe*, 21 octobre 1993.

la nonne mystérieusement enlevée était revenue de son plein gré au couvent des Ursulines après un épisode de dépression [1].

Ces deux émeutes xénophobes, distantes de plus d'un siècle, mettent bien en évidence la persistance du problème immigré dans un pays pourtant créé par l'immigration. Dans un cas comme dans l'autre, c'est le nouvel immigrant qui sert de bouc émissaire. En 1993, dans un quartier récemment intégré par les autorités de l'État du Massachusetts, des Irlandais de troisième génération reprochent aux Hispaniques d'être trop nombreux, trop bruyants, trop « voyants ». Ils n'ont pas choisi ces nouveaux voisins, disent-ils, et ils acceptent mal leur concurrence sur le marché de l'emploi et leur esprit de « bande ». Quant aux Hispaniques, ils dénoncent l'arrogance des autochtones, les insultes constantes et la volonté sans cesse exprimée par les « Blancs » de leur interdire l'accès aux confortables immeubles à loyer modéré de la cité [2]. La religion, dans ce cas précis, n'est pas l'enjeu du débat, puisque *Yankees* et *Latinos* pratiquent, dans leur majorité, le même catholicisme.

En 1834, les autochtones du Massachusetts étaient, pour la plupart, des protestants d'origine anglaise ou écossaise. Ce n'était donc pas la culture, la langue ou l'apparence physique qui séparaient ceux-ci des nouveaux venus, mais bien plutôt la religion. L'étrangeté des immigrés irlandais tenait à la particularité de leur catholicisme et c'est là-dessus qu'allaient se greffer toutes les attaques verbales et physiques des anglo-protestants.

De façon plus générale, le refus de l'immigrant – toujours

---

1. Les émeutes du mois d'août 1834 sont admirablement décrites par Ray Allen Billington, *The Protestant Crusade, 1800-1860* [1938], Chicago, Quadrangle Paperbacks, 1964, pp. 67-76.
2. Les immeubles à loyer modéré de Bunker Hill, les plus confortables et donc les plus recherchés de Charlestown, ont été « intégrés » de force par le législateur en 1984. La cité comprend à ce jour 62 % de Blancs, 17 % d'Hispaniques, 11 % de Noirs et 9 % d'Orientaux. Voir L. Gorov et T. Mashberg, « Racial Fault Lines » et « Charlestown Residents Stress Racial Strides », art. cités.

temporaire dans la société américaine – soulève un paradoxe : celui de l'intolérance pratiquée dans une société dont
le ressort fondamental est le principe de tolérance.

Benjamin Franklin et la question de l'assimilation des immigrants

L'intolérance vis-à-vis des étrangers s'est exprimée très
tôt, dès l'origine de la colonisation. Elle s'est toujours justifiée à partir d'un discours de l'identité préalablement
construit : je me dois d'être intolérant pour préserver mon
identité menacée par des pratiques culturelles « déviantes ».
L'altérité de l'étranger est inacceptable parce qu'elle met en
cause mon existence dans ce qu'elle a de plus précieux[1]. Les
immigrés dont les valeurs sont proches des miennes sont
assimilables ; ceux qui restent attachés à une culture radicalement autre ne le sont pas. D'après ce raisonnement, l'identité des uns et des autres est établie une fois pour toute ; il
n'y a pas de place pour le dialogue, l'échange ou l'évolution
harmonieuse des rapports entre identités. Le discours de
l'intolérance est donc un discours d'exclusion. Or, cette
conception d'un monde figé par une culture dominante est
bien antérieure à la construction politique des États-Unis.
Il était difficile, en effet, au début du XVIIᵉ siècle, d'être plus
intolérant qu'un puritain de Nouvelle-Angleterre. L'idéal
des premiers congrégationalistes était théocratique et devait
le demeurer jusqu'à l'âge de la tolérance institutionnalisée
par la Glorieuse Révolution anglaise à partir de 1688.

Au début du XVIIIᵉ siècle, l'intolérance exprimait toujours
une réaction défensive. Mais la politique avait remplacé la
religion proprement dite. Ce qu'il fallait défendre, désormais, c'était l'identité acquise, c'est-à-dire l'identité britan-

---

1. C'est le phénomène bien connu de la dialectique ami-ennemi définie par Carl
Schmitt comme le critère, par excellence, de la politique. Voir *La Notion de politique*
[1927], Paris, Flammarion, coll. « Champs », 1992, pp. 63-66.

nique. Cette défense fut particulièrement bien exprimée par Benjamin Franklin une trentaine d'années avant la guerre d'Indépendance. On connaît déjà sa répugnance pour les Allemands du Palatinat installés en Pennsylvanie, à qui il reprochait leur déviance par rapport aux normes d'une « anglicité » qu'il aurait voulue triomphante. Les Allemands d'Amérique, écrit Franklin à un ami, sont inassimilables : ils refusent de parler anglais, ils ne cessent d'importer des livres allemands pour parfaire l'éducation de leurs enfants, ils contrôlent la plupart des imprimeries, ils affichent des panneaux publicitaires en allemand ; les contrats ou les testaments qu'ils soumettent aux tribunaux sont rédigés en allemand, ils utilisent des traducteurs pour faire du commerce... bref, « ils vont bientôt nous dominer par le nombre, au point de menacer la survie de notre langue et de rendre précaire notre mode de gouvernement[1] ». Pourquoi ? parce qu'ils ne sont ni des amis de la liberté, ni même des patriotes. Trop influencés par les idées pacifiques des quakers, tout indique, ajoute Franklin, qu'ils n'interviendront pas auprès de l'Angleterre pour résister aux visées impériales de la France sur la région des Grands Lacs et la vallée de l'Ohio[2].

Mais, à terme, les Allemands seront-ils assimilables ? Là aussi Franklin exprime les plus grands doutes. Le meilleur test d'une assimilation réussie est le mariage mixte. Mais cette voie semble irréalisable à Franklin qui constate la répugnance naturelle des Anglais pour la femme allemande. Chaque nation, raisonne-t-il encore, défend ses critères de la beauté féminine. Pour les Anglais, la femme doit d'abord être « une jolie fille » ; pour les Allemands, la femme idéale est « *dick und strarcke (sic)* », forte en poids et puissante au

1. Lettre à Peter Collinson, 9 mai 1753, *in* Leonard W. Labaree et Whitfield J. Bell (éd.), *The Papers of Benjamin Franklin*, New Haven, Yale University Press, 1961, t. IV, p. 485.
2. *Ibid.* Ce conflit, bien anticipé par Franklin, sera l'une des causes de la guerre de Sept Ans (1756-1763).

travail, et sa seule valeur consiste « en la qualité du travail qu'elle peut fournir ». Aussi, « les femmes allemandes sont si généralement disgracieuses aux yeux des Anglais, qu'il faudrait des sommes considérables pour inciter ceux-ci à les épouser [1] ». La seule solution acceptable consiste donc à ralentir l'immigration allemande et à encourager, le plus vigoureusement possible, l'importation de travailleurs originaires d'Angleterre, d'Irlande du Nord et du pays de Galles. Faute de telles mesures, la Pennsylvanie sera bientôt abandonnée par ses premiers colons anglais, incapables de s'habituer aux « mœurs dissonantes » de leurs nouveaux voisins. Elle deviendra, en l'espace de quelques années, « une colonie allemande [2] ».

Le grand intérêt des lettres de Benjamin Franklin tient à leur caractère paradigmatique. On y trouve tous les éléments de ce qu'on appellera plus tard le « nativisme » : la dénonciation de l'étranger « inassimilable » à cause de sa langue, de ses mœurs et de son manque de loyauté politique. Toutefois, le pessimisme radical de Benjamin Franklin n'était pas partagé par ses contemporains. L'un de ses correspondants, le prédicateur anglican William Smith, croyait au contraire qu'il serait possible d'assimiler les Allemands grâce à l'école. La création d'écoles publiques, financées par la Société pour la propagation de la langue anglaise, servirait trois objectifs patriotiques, les seuls envisageables à cette époque : « la nation britannique tout entière, le protestantisme dans son ensemble et le parti de la liberté ». Il ne s'agirait pas, d'après William Smith, de favoriser une faction ou une congrégation particulière, mais de réaliser un véritable « travail britannique » d'intégration. Tout devrait donc être fait pour éviter que la vaste multitude des protestants allemands « ne sombrent dans un plus grand état d'ignorance, ne subissent la séduction de l'ennemi, ne

---

1. Lettre à Peter Collinson [fin 1753 ?], *ibid.*, p. 159.
2. Lettre à James Parker, 20 mars 1750, *ibid.*, p. 120.

détournent le commerce de sa bonne direction [et] ne se constituent en une communauté séparée[1] »... Ce projet, partiellement mis en œuvre, allait susciter une forte réaction de défense de la communauté allemande. Et, de fait, il n'y aura pas d'« assimilation » complète des Allemands de Pennsylvanie avant la guerre d'Indépendance des États-Unis.

Ces débats sont révélateurs de la force du nationalisme anglais, construit par la dynastie hanovrienne en alliance avec l'Église anglicane. La devise *E pluribus unum*, adoptée par les insurgés en 1782, n'est donc pas particulièrement originale. Elle n'est que la transposition tardive et partielle du projet britannique d'unification des marges de l'Empire.

Pires que les Allemands : les Irlandais

Les immigrants irlandais qui débarquèrent par milliers dans le premier tiers du XIXe siècle furent moins bien acceptés que leurs prédécesseurs pour une raison simple : la première vague d'immigration comprenait, pour l'essentiel, des protestants d'Ulster. Les nouveaux venus, en revanche, étaient des catholiques originaires du sud de l'Irlande, qui choisissaient l'exil pour échapper à l'effondrement d'une économie rurale déjà précaire et à la grande famine des années 1845-1849. En 1790, les 25 000 catholiques recensés formaient une minorité invisible ; ils ne représentaient que 1 % de la population totale. En 1850, ils comptaient près de deux millions, soit 7,5 % de la population. L'Église catholique avait désormais la taille de la plus grande des « sectes » américaines[2].

Les premiers catholiques furent d'autant mieux acceptés

1. William Smith, « To the Society for the Relief and Instruction of Poor Germans », 13 décembre 1753, *ibid.*, t. V, p. 215.
2. Thomas J. Archdeacon, *Becoming American. An Ethnic History*, New York, Free Press, 1983, pp. 73-74.

qu'ils vivaient, pour la plupart, dans le seul État du Maryland, fondé en 1632 par les Calvert, une famille de catholiques anglais anoblie en 1625 et dont l'aîné portait le titre
héréditaire de lord Baltimore. Le second lord Baltimore,
Cecilius Calvert, comprit très vite qu'une minorité catholique ne pourrait survivre en pays protestant que grâce à
la tolérance érigée en loi. Pour ce faire, le parlement du
Maryland vota, en 1649, une loi fameuse interdisant, sous
peine d'amende ou même de flagellation publique, toute
adresse injurieuse telle que « hérétique, schismatique, idolâtre, puritain, indépendant, presbytérien, curé papiste,
jésuite, papiste jésuité, luthérien, calviniste, anabaptiste,
barrowiste, tête-ronde, séparatiste », etc. Cette loi ne garan-
tissait ni la liberté de conscience, ni la séparation de l'Église
et de l'État, mais seulement le « libre exercice » de la religion pour ceux qui faisaient « profession de croire en Jésus-
Christ ». Elle punissait le blasphème contre Dieu, Jésus-
Christ et la Sainte Trinité par la peine de mort, et toute
dénonciation de la Vierge Marie et des saints Évangélistes
par une amende de cinq livres sterling[1]. Cette tolérance,
toute relative, permit aux premiers catholiques d'Amérique du Nord de prospérer et d'accéder à des positions de
pouvoir. Mais la chute des Stuarts devait bientôt porter
une atteinte sévère à l'entreprise de colonisation catholique
des Calvert. Ceux-ci ne sauvèrent leur autorité qu'en acceptant de se convertir à l'anglicanisme au lendemain de la
Glorieuse Révolution (1688). Cette conversion avait un
prix : l'Église anglicane devenait l'Église officielle du Maryland ; les catholiques perdaient le droit de vote, et la pra-

---

1. « An Act Concerning Religion » [1649], *in* Philip Kurland et Ralph Lerner
(éd.), *The Founders' Constitution*, Chicago, University of Chicago Press, 1987, t. V,
pp. 49-50. L'abbé Raynal constate avec admiration que « les catholiques du Maryland, désabusés enfin d'une intolérance dont ils avaient été la victime [...] ouvrirent
un asile à toutes les sectes indistinctement. Toutes jouirent avec la même étendue
des droits de cité » (*Histoire Philosophique et Politique des Établissemens et du Commerce des Européens dans les deux Indes*, Genève, 1781, t. IX, pp. 41-42).

tique du catholicisme n'était plus autorisée que dans un cadre strictement privé[1].

Le Maryland, malgré ces aléas, était en avance sur la métropole : il démontrait, par l'exemple, la viabilité d'une expérience de pluralisme religieux et créait un environnement favorable au succès économique de la minorité catholique. James Reichley estime ainsi que l'homme le plus riche d'Amérique, dans la seconde moitié du XVIIIᵉ siècle, était un catholique d'Annapolis, Charles Carroll, dont le fils, Charles Carroll of Carrollton, devait réussir suffisamment bien en politique pour être l'un des signataires de la Déclaration d'indépendance. Son cousin, John Carroll, devait se distinguer dans la sphère ecclésiastique : en 1790, il sera le premier évêque catholique consacré aux États-Unis[2].

À la fin du XVIIIᵉ siècle, la présence catholique débordait le Maryland. Les grands ports de la côte atlantique étaient peuplés d'émigrés catholiques qui avaient fui la Révolution française ou échappé à la révolte des esclaves de Saint-Domingue. Ce catholicisme-là était une religion de survie, aristocratique de tradition, et si peu missionnaire qu'il ne menaçait en rien la majorité des sectes protestantes. D'autres catholiques venus d'Allemagne et d'Irlande participèrent activement à la vie économique des grands ports. Ils étaient pour la plupart des artisans et des commerçants. Certains disposaient de moyens substantiels et constituaient une véritable « aristocratie du travail » ; d'autres étaient des engagés qui offraient leurs services pour paiement de la traversée de l'Atlantique.

On doit à Anne Hartfield une remarquable description du milieu catholique de la paroisse de Saint Peter, à Manhattan, de 1785 à 1815[3]. La majorité des pratiquants recensés

1. A. James Reichley, *Religion in American Public Life*, Washington D.C., Brookings Institution, 1985, pp. 82-85, et Bernard Bailyn *et al.*, *The Great Republic. A History of the American People*, Lexington, D.C. Heath, 1985, 3ᵉ éd., t. I, pp. 44-47 et 78-79.
    2. J. Reichley, *Religion in American Public Life*, *op. cit.*, p. 84.
    3. Anne Hartfield, « Profile of a Pluralistic Parish : Saint Peter's Roman Catholic

(73 %) étaient des Irlandais, auxquels s'ajoutaient des minorités de Français (14 %), d'Allemands (5 %) et de Noirs (3 %). Ces derniers, libres ou esclaves, avaient pour la plupart fui Saint-Domingue en compagnie de leur maître. Les deux tiers des membres de la paroisse étaient des artisans ou des commerçants. Chaque groupe d'immigrés conservait une forte identité ethnique, à laquelle se rattachaient certains critères de classe. Les Français demeuraient ainsi très sensibles aux titres et à l'élégance des formes : leurs actes de baptême et de mariage, rédigés en français, portaient toujours les mentions de « Monsieur », « Madame », ou encore de « fils » et de « fille légitime ». L'Église catholique était certes universelle dans son principe, mais elle n'échappait pas, dans le Manhattan du début du XIXe siècle, aux effets centrifuges de la différenciation ethnique. Chaque groupe national tenait à ce que le sermon fût prononcé dans sa langue maternelle et des pétitions à cet effet furent envoyées à l'évêque de la ville de New York, Mgr Carroll. En fait, tous les sacrements importants étaient distribués par des prêtres qui partageaient la langue et l'origine nationale de leurs fidèles. Il y avait donc, à l'intérieur même de la paroisse, un système de ségrégation ethnique, qui fut institutionnalisé lorsque les Irlandais d'abord en 1815, puis les Allemands en 1833, et enfin les Français en 1842, construisirent des églises concurrentes aux noms révélateurs de Saint Patrick, Saint Nicholas et Saint Vincent de Paul[1].

Moins nombreux, moins riches et sans doute plus indifférents à la religion, les Français seront les derniers à « nationaliser » leur pratique religieuse, conformément aux exhortations de leur évêque, Mgr Dubois, et d'un visiteur de marque, l'évêque de Nancy, Mgr de Forbin : aux Français de New York d'imiter l'exemple des catholiques irlandais

Church, New York City, 1785-1815 », *Journal of American Ethnic History*, n° 3, 1993, pp. 30-59.
    1. *Ibid.*, p. 49 ; Robert Ernst, *Immigrant Life in New York City 1825-1863* [1949], Syracuse, Syracuse University Press, 1994, pp. 135-139.

et allemands afin d'accorder une fois pour toutes « l'intérêt supérieur de leur salut » avec celui de leur « nationalité ». Dans cette perspective, la future paroisse de Saint Vincent de Paul devait être non seulement une « église », mais encore et surtout une « école » destinée à « maintenir sur la terre étrangère le culte de la langue natale, en l'identifiant avec celui de la religion[1] ». En fin de compte, la vieille paroisse de Saint Peter n'avait pas réussi son amalgame : faute de regrouper ses fidèles en une seule communauté de foi, Saint Peter encourageait au contraire le séparatisme ethnique, avec pour résultat l'isolement des catholiques face à la majorité protestante[2].

L'image des Irlandais s'est dégradée à partir de la deuxième décennie du XIXᵉ siècle pour une raison simple : la pauvreté croissante des nouveaux immigrants. Les premiers catholiques irlandais étaient difficiles à distinguer de leurs homologues protestants ; ils étaient, majoritairement, des artisans, des entrepreneurs ou des membres des professions libérales. À partir des grandes crises agraires de 1822, 1831 et 1845-1852, la population des immigrés irlandais changea radicalement de composition[3]. La plupart des nouveaux arrivants étaient des paysans ruinés, illettrés ou si mal éduqués que les Américains de souche les tenaient pour une « race de sauvage – paresseuse, superstitieuse, alcoolique et violente », particulièrement menaçante pour « l'homogé-

---

1. Prédication de Mᵍʳ de Forbin Janson à St. Peter Church, 10 avril 1841 ; *Courrier des États-Unis* (le journal des Français de New York), 4 mai 1841, cités dans Olivier Brégeard, « Les Français de New York au milieu du XIXᵉ siècle : une communauté ? », mémoire de maîtrise, Faculté des sciences historiques, Université des sciences humaines de Strasbourg, 1993-1994, p. 138. L'attachement des Français à leur langue et à leur culture était si fort que certains d'entre eux, avant la construction de « leur » église, préférèrent « rejoindre l'église huguenote où l'on parle français » plutôt que de pratiquer un catholicisme dangereusement anglicisé (p. 137).

2. A. Hartfield, « Profile of a Pluralistic Parish », art. cité, p. 49 ; R. Ernst, *Immigrant Life in New York City, op. cit.*, pp. 25-47.

3. Voir Donal A. Kerr, « *A Nation of Beggars* » ? Oxford, Clarendon Press, 1995, et Christine Kinealy, *This Great Calamity. The Irish Famine, 1845-1852*, Dublin, Gill and Macmillan, 1995.

néité culturelle de la nouvelle République[1] ». La crise économique des années 1830, le chômage urbain, les difficultés d'accès à des logements bon marché allaient exacerber les tensions ethniques entre travailleurs catholiques et protestants. Ces tensions allaient être la source d'innombrables incidents raciaux dont les plus célèbres et les plus sanglants sont les émeutes de Philadelphie de mai et juillet 1844, au cours desquelles des dizaines d'Irlandais trouvèrent la mort, des blocs entiers d'appartements furent détruits et deux églises catholiques brûlées[2].

Les premiers nativistes

L'arrivée de nouveaux Irlandais catholiques et misérables allait exacerber la xénophobie des Américains de souche. Mais il faut bien comprendre l'ampleur du phénomène de l'immigration : aux 3,4 millions d'Irlandais venus s'installer aux États-Unis entre 1820 et 1890, devaient s'ajouter 4,4 millions d'Allemands, catholiques pour moitié environ, ainsi que des Scandinaves, des Suisses, des Français... en moins grand nombre[3].

1. Kerby Miller, « Class, Culture and Immigrant Group Identity in the United States : The Case of Irish-American Ethnicity », *in* Virginia Yans-McLaughlin (éd.), *Immigration Reconsidered*, New York, Oxford University Press, 1990, p. 108. Miller constate que, au début du siècle, un quart des immigrés irlandais appartenaient à la classe moyenne (professionnels, commerçants, entrepreneurs disposant d'un capital propre) et 40 % étaient des artisans ou des ouvriers qualifiés. À partir de 1830, ces deux groupes ne représentaient plus que 6 % et 12 % de l'ensemble des immigrés. Plus d'un million d'Irlandais émigrèrent aux États-Unis de 1814 à 1840 (pp. 126-127, notes 21 et 24).

2. Voir Michael Feldberg, *The Philadelphia Riots of 1844 : A Study in Ethnic Conflict*, Wesport, Greenwood Press, 1975. À New York, les premières émeutes anti-irlandaises remontent à 1806 : elles opposaient un gang de chômeurs protestants à des Irlandais pauvres du même quartier de la ville, et se soldèrent par un mort et de nombreux blessés. Voir Paul Gilje, *The Road to Mobocracy : Popular Disorder in New York City, 1783-1850* (1984), cité dans A. Hartfield, « Profile of a Pluralist Parish », art. cité, pp. 49-50.

3. Comme Benjamin Franklin, un siècle plus tôt, Tocqueville exprima son inquiétude quant aux capacités d'assimilation des nouveaux immigrés allemands : « Qu'est-ce que vous pouvez faire de ces gens-là quand ils vous arrivent en Amérique ? [...] Quelle que soit votre puissance d'assimilation, il est bien difficile que vous

Évolution de l'immigration aux États-Unis de 1820 à 1860 [1].

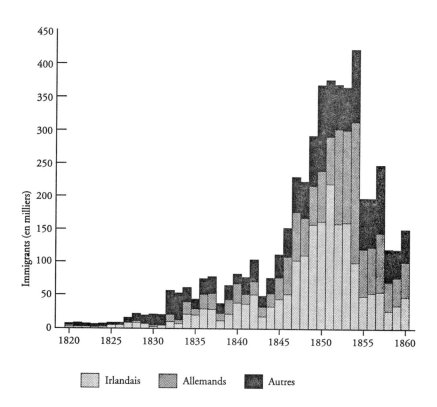

Comme l'illustre le graphique ci-dessus, la vague annuelle des immigrants n'excédait pas 20 000 entre 1820 et 1831 ; elle dépassait les 50 000 entre 1832 et 1845, pour atteindre une moyenne d'environ 350 000 par an entre 1848 et 1854. Bientôt, dans les plus grandes villes, les immigrés allaient être plus nombreux que les autochtones, et ceci dès 1855 à Chicago, à Detroit et à Milwaukee, puis à New York, à

---

digériez assez vite tant de corps étrangers pour pouvoir les incorporer à votre substance et les faire assez *vous-mêmes* pour qu'ils ne troublent pas l'économie et la santé de votre corps social » (Alexis de Tocqueville, lettre à T. Sedgwick, 14 août 1854, *Œuvres complètes*, Paris, Gallimard, t. VII, p. 159, souligné dans le texte).
    1. Source : Tyler Anbinder, *Nativism and Slavery. The Northern Know Nothings and the Politics of the 1850s*, New York, Oxford University Press, 1992, p. 4.

Buffalo, à Cleveland et à Cincinnati. Le tiers des habitants de Boston, de Pittsburgh, d'Albany, de Rochester... étaient aussi des immigrants récents qui se regroupaient dans des quartiers ethniques[1]. À cette ethnicité aux frontières encore imprécises s'ajoutait un fait massif : il y avait désormais plus de travailleurs catholiques, d'origine irlandaise ou allemande, que de protestants de souche. Il y avait donc danger pour la survie des valeurs culturelles d'un pays qui s'imaginait protestant, même si ces valeurs n'étaient pas monolithiques et s'accommodaient fort bien d'un régime de tolérance. Pour les évangélistes les plus militants, recrutés au sein des Églises baptistes et presbytériennes, et déjà mobilisés par plusieurs campagnes de « réveil religieux » dans les années 1820 et 1830, la survie de la nouvelle République était indissociable d'un protestantisme fort – la seule culture, à leurs yeux, capable d'unifier une nation d'immigrants. Comme en Angleterre à la même époque, le protestantisme devint l'élément essentiel d'une identité nationale en formation, ce par quoi les élites politiques et religieuses jugeaient le passé et construisaient le présent[2].

La grande force du projet nationaliste des nouveaux évangélistes américains tient à la nouveauté d'un discours qui fusionne le politique et le religieux. Le protestantisme, pour les nativistes des années 1830, était la seule religion compatible avec l'idéal politique des Pères fondateurs. Le protestant serait républicain dans l'âme, puisque opposé à toute hiérarchie structurée et autoritaire. Il serait aussi l'adversaire de toutes les superstitions, et donc entièrement libre de ses choix politiques et religieux. Samuel Morse, le futur inventeur du télégraphe, incarne bien cette nouvelle sensibilité à la fois républicaine et protestante. Sa dénonciation

---

1. *Ibid.*, pp. 3-7 ; K. Miller, « Class, Culture and Immigrant Group Identity », art. cité, pp. 106-108 ; Nancy Green, *Et ils peuplèrent l'Amérique. L'odyssée des émigrants*, Paris, Gallimard, coll. « Découvertes », 1994, pp. 56-58.
2. Voir Linda Colley, *Britons. Forging the Nation 1707-1837*, New Haven, Yale University Press, 1992, p. 330.

du « complot catholique » est presque une affaire de famille. Samuel, en effet, était le fils d'un prédicateur calviniste célèbre, Jedidiah Morse, qui présida l'assemblée de la première Église congrégationaliste de Charlestown, au Massachusetts, et fulmina jadis contre les Illuminés de Bavière et ceux qu'il considérait comme leurs disciples les plus sanguinaires : les Jacobins français[1]. Tel père, tel fils. Le complot, en l'occurrence, n'était plus jacobin, mais monarcho-papiste ; il avait pour point de départ un étonnant traumatisme, survenu lors d'une visite à Rome, en 1830. Touriste parmi d'autres touristes, Morse assista par le plus grand des hasards à la procession solennelle du *Corpus Domini*, lors de la Fête-Dieu. Les fidèles italiens étaient agenouillés au moment du passage de ce qui n'était, pour Morse, que l'« idole » du jour – la sainte hostie, portée et présentée sous un magnifique baldaquin. « Ignorant tout des coutumes païennes », Morse tourna le dos à la procession pour rédiger quelques notes. À sa grande surprise, il reçut un violent coup sur la tête : un garde palatin lui arracha son chapeau, avant de lui pointer sa baïonnette sur la poitrine et de le couvrir d'insultes, dont il retint les mots furieux de : « *il diavolo* », « *il diavolo* »... Cet incident lui ouvrit enfin les yeux : le papisme était bien cette Église autoritaire qui avait besoin d'une garde prétorienne pour « imposer de force ses cérémonies d'adoration à toutes les personnes présentes[2] ». À partir de ce jour fatal, il devint l'ennemi juré de Rome et de ses suppôts.

Samuel Morse ouvre la charge en 1834 en publiant dans l'*Observer* de New York, sous le pseudonyme éminemment républicain de « Brutus », une série d'articles dénonçant le

1. Voir David Brion Davis, *Revolutions. Reflections on American Equality and Foreign Liberations*, Cambridge, Harvard University Press, 1990, pp. 30, 44, 48 et 78.
2. Brutus [Samuel Morse], *Foreign Conspiracy against the Liberties of The United States*, New York, Leavitt, Lord et Co., 1835 [d'abord publié en 1834 sous forme d'articles dans le *New York Observer*, révisé et corrigé par l'auteur], note R, pp. 178-179.

« complot étranger contre les libertés des États-Unis ». Il constate d'abord l'étonnante tolérance religieuse qui règne dans le pays. La Constitution, écrit-il, défend la liberté de conscience, garantit la séparation de l'Église et de l'État, et protège également toutes les croyances, « y compris cette secte unique et solitaire, [l'Église] catholique, dont le système est fondé sur – et se nourrit de – la destruction de toute tolérance [1] ». Les apparences sont trompeuses, ajoute-t-il. Minoritaires aux États-Unis, les catholiques donnent l'illusion du civisme et de la tolérance. Mais qu'on ne s'y trompe pas, l'intolérance est chez eux la règle et l'expérience européenne est là pour le prouver : l'Italie, l'Autriche, l'Espagne, le Portugal ne tolèrent ni missionnaires ni prédicateurs protestants. Le papisme, dès lors qu'il est allié au pouvoir monarchique, est « infailliblement intolérant [2] ». C'est dans sa nature immuable. Tout progrès du catholicisme aux États-Unis représente donc une menace pour la tolérance protestante et ce qui la rend possible : les libertés républicaines. Les révolutions européennes de 1830 ont révélé la fragilité mais aussi le caractère répressif des vieilles monarchies, à commencer par la Russie tsariste et l'Empire austro-hongrois. Il y a bien une coalition de despotes, la Sainte-Alliance, et celle-ci, menacée dans sa survie par les courants modernes et libéraux, a dû, pour assurer la survie des dynasties qui la composent, se lancer dans une « croisade contre les libertés » du seul pays qui s'oppose, par nature, au légitimisme. Ce pays si menaçant pour l'ordre international, symbole honni de la « révolution en marche » et de la « destruction des trônes », est naturellement les États-Unis d'Amérique [3]. C'est-à-dire le pays de la doctrine Monroe, énoncée dès 1823 pour mettre en garde les membres

---

1. *Ibid.*, p. 52.
2. *Ibid.*, p. 53.
3. *Ibid.*, p. 55.

de la Sainte-Alliance contre toute « extension » de leurs « systèmes politiques » dans l'hémisphère américain[1].

En proposant une nouvelle intolérance républicaine pour faire face à l'intolérance constitutive des régimes monarcho-papistes, Samuel Morse ne fait qu'étendre à la politique intérieure des États-Unis les principes mêmes de la doctrine Monroe. L'ennemi, pour lui, est l'immigrant catholique, ignorant tout des libertés modernes et manipulé à son insu par des prêtres dont « les habitudes d'action, sinon même de pensée, sont contraires aux principes de nos institutions libres, car ils ignorent tout des raisonnements de la presse, et sont incapables de penser par eux-mêmes ». Ces prêtres sont à leur tour manipulés par les agents secrets du papisme ultramontain : les « adorateurs » de l'empereur d'Autriche, les agents de l'Association Léopold (chargés de financer la construction d'églises catholiques aux États-Unis), le prince de Metternich lui-même et cette « créature de l'Autriche », le pape Grégoire XVI, sans compter les jésuites, ces « émissaires de la Sainte-Alliance », toujours présents, toujours hypocrites et prêts à jouer des jalousies entre sectes protestantes pour mieux imposer leurs idées subversives[2].

Pour un lecteur moderne, la charge de Samuel Morse peut friser l'hystérie. On la comprend mieux si on la replace dans le contexte politique et religieux de l'époque. L'Église catholique des années 1830, en effet, était dirigée par un partisan de la manière forte, le pape Grégoire XVI (1831-1846), qui prônait l'obéissance aveugle des catholiques au pouvoir monarchique, même si ce pouvoir était despotique. En 1831, alors que la Pologne insurgée était écrasée par les forces d'occupation russe, le Saint-Père appela les Polonais

---

1. Une telle « extension », précise le président Monroe dans sa déclaration au Congrès du 2 décembre 1823, « mettrait en danger la paix et le bonheur » des États-Unis. Cité dans Cecil V. Crabb, Jr., *The Doctrines of American Foreign Policy*, Baton Rouge, Louisiana State University Press, 1982, p. 14.
2. Brutus, *Foreign Conspiracy, op. cit.*, pp. 54, 58 et 131 (note sur Grégoire XVI).

à se soumettre au « magnanime Empereur » de Russie. Dès 1830, il sollicita l'intervention des troupes autrichiennes pour mater la révolte des États pontificaux et envoya même, en 1832, des troupes pontificales au côté des armées autrichiennes pour réprimer brutalement l'insurrection de Bologne. Grégoire était donc devenu l'allié objectif des princes de la contre-révolution. Imperméable aux idées modernes, le pape camaldule s'était d'abord fait connaître avant son élection en publiant un savant traité sur *Le Triomphe du Saint-Siège et de l'Église contre les assauts des novateurs repoussés et confondus par leurs propres arguments* (1799), avant de se consacrer aux activités missionnaires de l'Église qu'il dirigeait en tant que préfet de la *Propaganda Fide* (Sacrée congrégation pour la propagation de la foi). Élu pape en 1831, Grégoire XVI publia l'encyclique *Mirari vos* (1832), dont le contenu ouvertement réactionnaire allait être la cible idéale de tous les protestants et de tous les libéraux. Dans ce texte, le souverain pontife dénonçait la liberté de conscience comme une « erreur pestilentielle », la liberté d'opinion comme une « liberté funeste » qui devait faire « plus horreur que toutes les autres », et la liberté de la presse comme une liberté qui ne serait « jamais suffisamment détestée ni exécrée[1] ». Or, dans la perspective démocratique que défendait Samuel Morse, ces libertés fondamentales étaient des « principes civils » échappant par définition à la sphère du religieux. Les supprimer, comme le souhaitaient les ultramontains, ou les subordonner à des préceptes religieux était une démarche propre « à un gouvernement despotique ». Le complot papiste dénoncé par Morse était, à ses yeux, évident : il visait les principes mêmes « de notre gouvernement républicain[2] ».

---

1. J'utilise ici la traduction de l'encyclique proposée par Samuel Morse. Sur ce pape traditionaliste, on lira l'excellent article « Grégoire XVI » de Philippe Boutry *in* Philippe Levillain (éd.), *Dictionnaire historique de la papauté*, Paris, Fayard, 1994, pp. 767-773.
2. Brutus, *Foreign Conspiracy, op. cit.*, pp. 129-130.

Quelles étaient les intentions véritables du pape et de ses alliés ? Pour Morse et d'autres commentateurs protestants, les indices étaient criants – l'ouest des États-Unis, et en particulier la vallée du Mississippi, constituait une terre de mission spécialement ciblée par les œuvres pontificales. La vallée était encore peu habitée, les catholiques allemands, autrichiens, irlandais et français y étaient déjà présents et des milliers d'immigrants (catholiques) étaient prêts à franchir l'Atlantique... D'où le grand dynamisme des congrégations missionnaires. En France, l'Association de la Propagation de la Foi avait été créée à Lyon en 1822 sous l'influence directe de l'évêque français de Louisiane, Mgr Dubourg ; en Autriche, l'Association Léopold fondée à Vienne par l'archiduc Rudolph en 1829, et la Ludwig-Missionsverein, créée à Munich la même année, répondaient à la demande expresse d'un autre évêque américain, Mgr Fenwick de Cincinnati. Les fonds collectés en Europe par ces associations étaient destinés à promouvoir la construction d'églises, d'écoles et de couvents dans les régions de l'ouest des États-Unis. D'où la thèse du complot pontifical vigoureusement défendue par Samuel Morse : sur le sol américain se dresse désormais, seule et solitaire, « la plus puissante et la plus dangereuse des sectes du pays », qui « fonctionne avec les cerveaux et l'argent de l'Europe des despotes[1] ».

Cette thèse sera reprise, développée et popularisée par deux émules de Morse dans des ouvrages au succès retentissant : *A Plea for the West* (1835) du révérend Lyman Beecher et *The Flight of Popery from Rome to the West* (1836) du révérend Samuel B. Smith, le directeur d'un virulent journal anticatholique, le *Downfall of Babylon*[2]. La

---

1. *Ibid.*, p. 55.
2. On trouvera une bonne analyse de ces auteurs et de ces débats dans le grand classique de R. Billington, *The Protestant Crusade 1800-1806, op. cit.*, pp. 118-141. D'après Claude Langlois, l'œuvre de la Propagation de la Foi concentre son activité « aux États-Unis surtout où l'épiscopat et le clergé paroissial sont majoritairement français, jusqu'à ce que les Irlandais prennent la relève ». Voir « Le renouveau

conquête de l'Ouest s'annonçait donc plus difficile que prévu. « Notre cause, affirme en 1839 un journaliste nativiste, est la cause de l'Ouest. C'est là qu'aura lieu la grande bataille entre la vérité et l'erreur, la loi et l'anarchie, avec, d'un côté, le Christianisme, son ministère, son Sabbat et ses écoles, et de l'autre, les forces alliées du Papisme et de l'Infidélité [1]. »

Comment contenir et limiter les effets de l'« invasion » catholique ? Comment éviter que l'Amérique, « cet asile pour le reste du monde », ne soit transformée en « un bateau percé, rempli d'eaux boueuses menaçant de le faire couler [2] » ? Il faut d'abord colmater la brèche. Pour ce faire, Samuel Morse propose un certain nombre de réformes qui seront, elles aussi, reprises quelques années plus tard par les dirigeants des partis nativistes. Parmi celles-ci : une politique de contrôle de l'immigration, destinée à empêcher l'arrivée massive d'immigrés démunis de ressources ; une réforme des lois électorales pour interdire le vote des immigrés récents et mettre fin aux manipulations électorales de « jésuites à la solde de l'Autriche [3] » ; une réforme des lois de naturalisation, destinée à retarder le plus longtemps possible l'octroi de la citoyenneté et donc le droit de vote des immigrés ; la création d'écoles publiques pour limiter l'influence des courants et des enseignants « papistes ».

Il y a, au fond, deux types d'étrangers : le « citoyen naturalisé » dont le comportement est sans reproche, parce qu'il a su devenir un « véritable Américain », et cet étrange « hermaphrodite », cette curieuse « créature des jésuites » qui abuse scandaleusement des lois de naturalisation et dont on

---

religieux au lendemain de la Révolution »,, *in* Jacques Le Goff et René Rémond (éd.), *Histoire de la France religieuse*, Paris, Éd. du Seuil, 1991, t. III, p. 445

1. Éditorial non signé du *Home Missionary* (août 1839), cité par R. Billington, *The Protestant Crusade 1800-1806, op. cit.*, p. 129.

2. Brutus, *Foreign Conspiracy, op. cit.*, p. 148.

3. *Ibid.*, p. 155. Morse constate l'accroissement rapide des « étrangers » dans l'hospice de Boston, de 42 % des pauvres logés par la ville en 1829 à 64 % des pauvres en 1834 (p. 148).

ne sait s'il est « natif ou étranger [...], ni l'un ni l'autre ou la moitié des deux ». Venu d'Irlande, de France ou d'Allemagne, l'« hermaphrodite » viole toutes les règles de l'hospitalité en prétendant renoncer à ses origines pour prêter serment de citoyenneté, alors qu'il continue, « par exemple, de parler de l'Irlande [...] comme de "son pays bien aimé", de dénoncer toute critique contre les Irlandais comme une attaque adressée à lui personnellement, de vanter son origine irlandaise, de défendre et de chérir les intérêts irlandais, d'apporter ici des querelles de clocher irlandaises, et d'oublier, en bref, ses devoirs d'Américain, à l'opposé de ce qu'on serait en droit d'attendre de lui : un sentiment de décence, de gratitude et de vrai patriotisme vis-à-vis de son pays d'adoption [1] ». On trouve là tous les éléments d'un paradigme nativiste qui ne cessera d'être invoqué, jusqu'aux années 1990, par les partisans xénophobes et protectionnistes d'une « Amérique d'abord », privilégiant les intérêts économiques et les vieilles valeurs patriotiques des Américains de souche. Mais l'hyperpatriotisme du sénateur Joseph McCarthy dans les années 1950, puis l'élection de John F. Kennedy en 1960, mettront fin, une fois pour toutes, à la pertinence de l'anticatholicisme.

Le parti de ceux qui ne savent rien : les « Know-nothing »

À l'époque où écrit Samuel Morse, le projet nativiste d'intégration des immigrés n'est pas encore fondé sur des critères raciaux ou ethniques. Ce qui est dénoncé, c'est la religion des Irlandais, leur double allégeance et les effets délétères de la pauvreté et de l'illettrisme. L'objectif premier des nativistes est la création d'une culture homogène et

---

1. An American [Samuel Morse], *Imminent Dangers to the Free Institutions of the United States through Foreign Immigration, and the Present State of the Naturalization Laws* [d'abord publié en 1835 dans le New York Journal of Commerce], New York, John F. Trow, 1854, éd. révisée, p. 24.

uniforme, qui serait proprement américaine, et dont la vertu civique ne serait pas contaminée par l'arrivée incontrôlée de ces « hordes » d'individus « vils, ignorants et superstitieux », élevés dans « la croyance ressassée chaque jour et chaque minute que leur curé est infaillible et peut non seulement les absoudre des pires offenses – le vol, l'abus de boisson, la fornication et le meurtre – mais aussi leur garantir, par la prière, une sortie [rapide] du purgatoire[1] ». Il s'agit, écrit l'éditorialiste anonyme de l'un des premiers journaux nativistes, l'*American Republican*, de « nationaliser les institutions de notre pays et de s'identifier [complètement] à lui, afin de constituer un grand peuple unique, dont le caractère national, les intérêts politiques et les affinités sociales et civiques seraient distincts de ceux des autres nations, tribus ou peuples du monde. [Notre vœu le plus cher] est d'affirmer notre dévotion complète et éternelle au pays de notre naissance, aux autels de nos pères, au foyer de nos enfants, et de déclarer une guerre ouverte et décisive à toutes les violations de nos droits en tant que peuple, ou à toute agression contre nos institutions politiques[2] »... Ici, la définition de la nation est politique et il n'est pas question alors d'incorporer les étrangers dans un métaphorique melting-pot, mais bien plutôt d'améliorer la qualité du « grand chaudron fumant de la société américaine » en éliminant les « impuretés déversées chaque année en quantités immenses » par les hordes catholiques. Ces impuretés ont trois formes visibles, aussi détestables les unes que les autres : le « paupérisme », le « crime » et la « perversion de la morale publique[3] ».

Comment purifier le chaudron de l'Amérique ? Comment régénérer la société pour qu'un véritable esprit natio-

---

1. *American Republican*, 2 août 1844, cité par Lee Benson, *The Concept of Jacksonian Democracy*, Princeton, Princeton University Press, 1973, 2ᵉ éd., p. 116.
2. *American Republican*, 7 novembre 1844, *ibid.*, pp. 115-116.
3. *Ibid.*, p. 116. L'expression anglaise de 1844 est le « *great seething cauldron of society* ».

nal puisse enfin éclore, sans influence étrangère, dans le respect des normes établies ? Pour répondre à cette nouvelle exigence patriotique, les nativistes créèrent des organisations politiques dont le but évident était de prendre des voix au « parti des immigrants », le parti démocrate. L'américanisation revendiquée passait par l'adhésion à des associations fraternelles plus ou moins secrètes, aux noms révélateurs : « Association démocrate des Américains de souche », « Parti américain-républicain », « Ordre des Américains unis », « Fils unis d'Amérique », « Ordre de la Bannière étoilée »... Ce dernier, fondé à New York en 1850, prit le nom mystérieux de *Know-nothing*. L'origine exacte de ce nom est inconnue, mais son sens est clair : « Ceux qui ne savent rien » étaient en réalité ceux qui ne tenaient pas à révéler leur appartenance à une association fraternelle dont les membres étaient soigneusement triés sur le volet.

Les rites d'initiation à l'Ordre de la Bannière étoilée ont été décrits par Tyler Anbinder : dans un premier temps, les futurs initiés ne savaient rien de leur « parrain », lequel devait certifier que leur candidat était bien « un citoyen de souche, un protestant, né de parents protestants, élevé sous l'influence du protestantisme et sans attache maritale avec une catholique romaine[1] ». Les candidats retenus par un « comité de sélection » étaient alors invités à participer à une cérémonie d'initiation, au cours de laquelle ils faisaient le serment d'user de toute leur influence pour faciliter l'accession à des postes de responsabilité d'« Américains natifs, à l'exclusion de tout étranger et de tout résident d'origine étrangère, en particulier s'il est catholique[2] ». Ils s'engageaient, par ailleurs, à préserver le secret des délibérations de la loge qui les avait acceptés. Une fois initiés, « Ceux qui ne savent rien » disposaient, pour se reconnaître entre eux, de tout un système de « mots de passe, signes,

1. Manuel d'initiation d'une loge du Connecticut, cité par T. Anbinder, *Nativism and Slavery*, *op. cit.*, p. 23.
2. « Rituel de premier degré », cité dans *ibid.*, p. 24.

codes et poignées de main rituelles » qui faisaient d'eux des membres à part entière de l'Ordre. Bien sûr, le secret ne fut pas toujours gardé, et certaines loges particulièrement populaires prirent l'initiative de lancer des cérémonies d'initiation publique[1].

Toujours mieux organisés, les *Know-nothing* allaient emporter d'étonnants succès aux élections locales et nationales de 1854 et 1855, non seulement dans des États à forte tradition puritaine, comme le Massachusetts, mais encore dans des États marqués par un certain pluralisme religieux, comme la Pennsylvanie, la Californie, la Louisianne, le Maryland et le Kentucky... Essayant d'expliquer les raisons d'un tel succès, un éditorialiste du *Times* de Philadelphie y a vu le signe de la montée irrésistible « du grand principe de l'Américanisme : l'Amérique aux Américains[2] ». Mais on ne saurait réduire le succès de « Ceux qui ne savent rien » aux seuls effets d'un programme xénophobe. Les *Know-nothing* étaient aussi, à leur façon, des progressistes : ils s'opposèrent aux lois scélérates des années 1850 autorisant l'introduction de l'esclavage dans les nouveaux territoires de l'Ouest et l'arrestation d'esclaves fugitifs dans les États du Nord. Très impopulaire, cette dernière mesure fut rarement mise en œuvre, faute de volontaires pour seconder les autorités fédérales. L'arrestation à Boston, en 1854, d'un esclave en fuite, Anthony Burns, créa un émoi tout particulier, car c'est grâce à l'intervention de milices irlandaises que le malheureux fut repris. Un tel acte renforçait, à l'évidence, les préjugés xénophobes des nativistes en même temps qu'il servait leur propagande abolitionniste : la preuve était faite que les Irlandais étaient d'incorrigibles autoritaires qui faisaient le sale boulot des oppresseurs[3].

---

1. *Ibid.*, pp. 23-24.
2. *Times* (Philadelphie), novembre 1855, cité dans *ibid.*, p. 194.
3. Voir *Liberator*, 29 septembre 1854 (le journal du grand abolitionniste américain William Lloyd Garrison), cité dans T. Anbinder, *Nativism and Slavery*, *op. cit.*, p. 89. Sur l'arrestation de Burns, voir *ibid.*, pp. 89 et 155, et James McPherson, *Battle Cry of Freedom*, New York, Ballantine Books, 1988, pp. 119-120.

Rien de surprenant à cela, puisqu'ils obéissaient comme toujours à Grégoire XVI, ce pape qui avait eu le mauvais goût, en 1839, d'approuver la pratique de l'esclavage... Quelle différence y a-t-il entre l'esclavage et la prêtrise ? se demandait un honorable représentant du Massachusetts au Congrès. Aucune, répondait-il. L'esclavage « enlève à l'homme le droit de posséder son corps ; [la prêtrise] lui interdit de posséder son âme. Dans un cas, il n'a pas le droit de penser pour lui-même, dans l'autre il n'a pas celui d'agir pour lui-même [1] ».

Toutefois, il ne faudrait pas se représenter les immigrés irlandais comme les victimes passives de préjugés yankees. Les leaders politiques et religieux de la communauté irlandaise ont su défendre avec vigueur les intérêts particuliers de leurs coreligionnaires au nom même du principe de tolérance, pourtant refusé théoriquement (et théologiquement) par leur Église. La controverse sur l'école publique en est une bonne illustration.

Le refus irlandais de l'école républicaine

Le conflit entre immigrants catholiques et protestants de souche se développait au moment où le mouvement pour l'école publique gratuite et « laïque » avait atteint son apogée. Les leaders du mouvement étaient préoccupés par l'extraordinaire diversité ethnique, religieuse et sociale de l'Amérique des années 1840. Ils voulaient fonder une culture nationale qui permît d'intégrer sans trop de difficulté les nouveaux arrivants pour en faire de bons citoyens. Leur instrument d'action privilégié était l'« école publique pour tous », une école qui donnerait sa chance à chacun, pauvre ou riche, natif ou immigré, et qui jouerait le rôle de

---

1. Discours de l'honorable Anson Burlingame, 4 juillet 1854, cité dans T. Anbinder, *Nativism and Slavery, op. cit.*, p. 45.

« grand égalisateur des conditions de l'homme » à partir de quelques solides principes : le savoir inculqué à l'école est libérateur ; il supprime la misère et efface toutes les formes d'exploitation propres aux sociétés traditionnelles ; il rend intelligent celui qui n'aurait été que le pauvre hère d'un régime féodal[1].

Horace Mann, l'un des meilleurs propagateurs de cette réforme pédagogique, a magistralement exposé sa philosophie dans une série de rapports annuels du Conseil de l'éducation du Massachusetts, dont il était le secrétaire général de 1837 à 1848, avant de se lancer dans la carrière politique. L'école publique, affirmait Mann, doit servir un objectif central : « faire des républicains », c'est-à-dire des individus capables de comprendre quelque chose de la « vraie nature » d'une république, dont l'auteur postule, *a priori*, la supériorité sur toute autre forme de gouvernement[2]. Pour cela, ils devront tout savoir de la Constitution des États-Unis, de celle de leur État, des lois, des tribunaux, du principe des élections libres, etc. Sans un tel « savoir », la république ne serait que lettre morte, une sorte de « maison de fous, privée de maîtres ou de gardiens », avec cette chaîne de conséquences : « au despotisme des uns succéderait l'anarchie universelle, puis un nouveau despotisme [et ainsi de suite], de pire en pire[3] ». Or, ce savoir est précisément ce dont les étrangers et leurs enfants ont le plus besoin, car il ne suffit pas de « traverser l'Atlantique ou de faire serment d'allégeance » pour acquérir la « pleine stature d'un Citoyen américain ». C'est une question de temps, d'études, d'exercice patient des droits de l'homme, bref d'« acclimatation morale » aux bienfaits des institutions du pays. Sans un passage obligé par l'école publique, le nouvel arrivant se

1. Horace Mann, *The Republic and the School* (Sélection des « Reports to the Massachusetts Board of Education », 1837-1848, édité et présenté par Lawrence A. Cremin), New York, Teachers College Press, 1957, p. 87.
2. H. Mann, 12ᵉ rapport annuel de 1848 et 10ᵉ rapport annuel de 1846, *ibid.*, pp. 92 et 61.
3. *Ibid.*, p. 90.

maintiendrait dans un état de servilité abject et risquerait de tomber sous l'influence de ces despotes qui « s'autoproclament chefs ou prêtres » et qui prolifèrent, hélas, de ce côté-ci de l'Atlantique[1].

La nouvelle école libre prônée par Horace Mann pouvait-elle échapper à l'influence dominante du protestantisme de la Nouvelle-Angleterre ? Était-elle laïque au sens français du terme ? Il y a là une difficulté d'interprétation qui tient à la nature même du système politique américain. L'État est neutre en matière de religion, ce qui ne veut pas dire que la religion soit exclue du discours politique. Le principe de tolérance interdit d'accorder le moindre privilège à une Église ou à une secte établies ; il postule l'égalité des religions devant la loi, ni plus ni moins. Et c'est bien ce principe pluraliste qu'Horace Mann entend transposer aux écoles publiques du Massachusetts. Accusé d'irréligion et même d'« anti-christianisme » par ses adversaires, Mann n'hésite pas à répliquer que l'école publique idéale ne chasse ni la religion ni la morale de ses classes, mais qu'elle les maîtrise en en faisant des sujets d'étude comme les autres. L'instruction religieuse est acceptable à condition qu'elle ne soit pas l'objet d'une interprétation « sectaire » ou confessionnelle. Si une telle interprétation prévalait, il faudrait alors interdire la lecture de la Bible, comme n'ont pas manqué de le faire, déjà, certains instituteurs du Massachusetts. Mais pourquoi se priver d'une lecture objective de l'Ancien Testament ? Il y a là de quoi satisfaire toutes les religions, y compris celle des juifs, des mormons et des mahométans... Aux commissions scolaires locales de décider du bon usage de la Bible. L'école publique, conclut Mann, est la véritable « école libre », son adversaire est l'« école paroissiale ou confessionnelle » car celle-ci ne protège aucunement « la liberté d'opinion et l'inviolabilité des consciences »

---

1. 9ᵉ rapport annuel de 1845, *ibid.*, p. 58.

pourtant défendues, théoriquement, par les lois de la République[1].

La même discussion sur le rôle des écoles publiques eut lieu à New York et en Pennsylvanie. Là aussi on discuta de la nécessité de donner aux jeunes élèves une instruction religieuse objective, fondée sur une lecture non sectaire de la Bible. « La Bible, raisonne Samuel Morse, ne prescrit aucune forme de foi, de doctrine ou d'autorité ecclésiastique. » C'est un texte ouvert dont la diversité des points de vue permet à chacun de choisir « selon les impératifs de sa conscience et de sa raison[2] ». Mais, bien sûr, ce n'est pas ainsi que l'entendirent les catholiques américains pour qui la Bible étudiée dans les écoles publiques – la version dite de *King James* – n'était pas compatible avec la traduction (et les dogmes) prônés par l'Église catholique. La « bonne Bible », pour ces derniers, était la nouvelle vulgate produite par les théologiens anglais de l'université de Douai à l'époque de la Contre-Réforme. Dans l'État de New York, des centaines de familles catholiques préférèrent retirer leurs enfants de l'école publique plutôt que de les soumettre à une lecture « neutre » de la *King James Bible*. Le libre examen appliqué à la lecture du Livre saint : voilà l'ennemi, le signe par excellence de l'indoctrination protestante ! Les catholiques exigèrent donc du gouverneur de l'État qu'il finance des écoles paroissiales réservées aux immigrants afin qu'ils puissent être « instruits par des maîtres qui parlent leur langue et professent la même foi[3] ».

Le débat sur le financement public des écoles privées fut au cœur des controverses politiques des années 1840. On assista ainsi à une lutte électorale d'un genre nouveau, sans précédent dans l'histoire des États-Unis : un évêque catholique – John Hughes –, qui menait la charge contre les partisans de l'école publique, intervint devant la législature

---

1. « De l'éducation religieuse », *in* 10ᵉ rapport annuel, *ibid.*, pp. 101-112.
2. Brutus, *Foreign Conspiracy*, *op. cit.*, note B, p. 138.
3. Cité dans T. Anbinder, *Nativism and Slavery*, *op. cit.*, p. 10.

de l'État, enrôla ses partisans dans un parti politique de circonstance et réussit à faire élire la plupart des candidats qui soutenaient son projet d'aide à l'école privée. Mais le succès électoral du « parti catholique » aux élections législatives de 1841 suscita une forte réaction nativiste et fut à l'origine du succès, deux ans plus tard, d'un nouveau parti xénophobe, le parti des « Américains-Républicains »... En fin de compte, les nativistes de New York eurent gain de cause : il n'y eut plus de crédit public pour les écoles confessionnelles et la lecture de la Bible (version *King James*) fut désormais obligatoire dans les écoles publiques de l'État[1]. Quant aux tribunaux, appelés à juger des mérites de l'enseignement biblique, ils tranchèrent dans tous les cas en faveur du point de vue majoritaire. La Bible, déclarèrent les juges de la Cour suprême du Maine, est un ouvrage à lire au même titre que Locke, Bacon, Milton et Swift. Aucune « secte » ne saurait dicter au corps enseignant le choix des ouvrages fondamentaux, et celle qui s'arrogerait ce droit ne pourrait que « saper le pouvoir de l'État[2] ». Aussi, tout élève catholique qui refusait de lire en classe la *King James Bible* risquait une punition corporelle (le fouet), voire l'expulsion[3]. À Philadelphie, les violentes émeutes de 1844 eurent pour origine la décision courageuse d'un directeur d'école publique irlandais d'interdire la lecture de la Bible (version *King James*). Dans le Maine, en 1854, un immigré irlandais retira sa fille de l'école publique pour la soustraire à l'influence pernicieuse

---

1. James Hennessey, « Roman Catholics and American Politics », *in* Mark A. Noll (éd.), *Religion and American Politics. From the Colonial Period to the 1980s*, New York, Oxford University Press, 1990, p. 305 ; T. Anbinder, *Nativism and Slavery, op. cit.*, pp. 10-11 ; L. Benson, *The Concept of Jacksonian Democracy, op. cit.*, pp. 117-118.

2. *Donahoe v. Richards*, 38 Maine (1854), cité dans R. Billington, *The Protestant Crusade, op. cit.*, p. 294

3. R. Billington relève des cas d'expulsion, pour ces raisons, à New York et à Boston en 1858 et 1859. Il constate qu'un catholique fut sévèrement fouetté à Oswego, dans l'État de New York, pour avoir refusé de lire la « Bible protestante » (*ibid.*, pp. 293 et 294, note 19).

du Livre protestant. Mais il n'en resta pas là ; il demanda aux autorités de l'État le remboursement des frais de scolarité de sa fille, ce qui provoqua des émeutes sanglantes dans la petite ville d'Ellsworth [1]...

Un siècle plus tard, dans une période moins tendue, alors qu'un catholique d'origine irlandaise – John F. Kennedy – avait enfin réussi à conquérir la présidence, la Cour suprême examina à son tour la constitutionnalité d'une loi rendant obligatoire la lecture quotidienne de dix versets de la Bible dans les écoles publiques de la Pennsylvanie. La Cour invalida cette loi en constatant qu'il y avait là violation évidente des principes de neutralité de l'État. La lecture rituelle et obligatoire de la Bible, selon l'opinion du juge Clark, s'apparentait plus à une prière qu'à une « analyse de la Bible, conduite objectivement dans le cadre d'un programme d'enseignement laïque ». Elle était d'autant plus choquante que la seule Bible utilisée était la version de *King James*. En d'autres termes, la seule lecture acceptable du Livre saint, selon la Cour suprême, était celle qui le concevait comme un « ouvrage de référence » à usage séculier ou comme une source d'« inspiration morale à caractère non religieux [2] ». La démarche suivie par la Cour suprême, dans sa subtilité même, illustre bien la force du principe de tolérance, sans cesse réactualisé dans une Amérique qui reste confrontée aux pressions cléricales des sectes fondamentalistes et des mouvements évangélistes. Aujourd'hui, le conflit entre les avocats d'un État neutre et tolérant et les partisans d'une religion omniprésente ne porte plus sur la lecture de la Bible, mais sur l'obligation de la prière à l'école, constamment réclamée par les plus conservateurs des républicains et toujours déclarée inconstitutionnelle par la Cour suprême, au nom de la liberté de conscience et du vieux

---

1. *Ibid.*, pp. 203 et 293-294 ; T. Anbinder, *Nativism and Slavery, op. cit.*, pp. 11-12, et plus généralement M. Feldberg, *The Philadelphia Riots of 1844, op. cit.*
2. *Abington School District v. Schempp*, 374 U.S. 203 (1963).

principe jeffersonien de la séparation de l'Église et de l'État [1].

Le laïcisme américain n'est donc pas anticlérical, comme l'a été longtemps le laïcisme français. Il ne rejette pas la religion en tant que telle ni la lecture des textes sacrés. Mais il interdit l'identification confessionnelle. Toutes les Bibles sont bonnes à lire comme toutes les traductions de Virgile ou toutes les pièces de Shakespeare. Mais il ne saurait y avoir de version officielle recommandée par une secte, une Église ou un État. Le laïcisme américain n'est pas fondé sur une censure. Il multiplie, au contraire, les sources de lecture et les formes d'interprétation. Il est donc pleinement compatible avec le principe de tolérance analysé au début de ce livre.

La « pornographie des puritains »

L'anticatholicisme des nativistes, fondé sur des faits en partie exacts – la pauvreté des immigrés irlandais, leur mobilisation électorale sans précédent, les activités missionnaires et l'intolérance d'une église ultramontaine –, s'est nourri également de rumeurs extravagantes, colportées par toute une littérature spécialisée qui mettait en scène, avec force détails, les horreurs du papisme, soi-disant vécu de l'intérieur par des témoins irréprochables. Le chef-d'œuvre en la matière fut l'ouvrage autobiographique d'une certaine Maria Monk, qui prétendait avoir échappé à l'enfer d'un couvent de Montréal. *Awful Disclosures of the Hotel Dieu Nunnery of Montreal*, publié à New York en 1836 et sans cesse réédité jusqu'aux années 1870, contenait d'étonnantes

---

1. Dans *Wallace v. Jaffree*, 472 U.S. 38 (1985), la Cour précise que la prière à l'école est contraire à la liberté de conscience protégée par le 1er amendement, car elle manifesterait, si elle était imposée, une forme d'« intolérance » à l'égard de ceux « qui ne croient pas ou sont agnostiques ». Or il est dans l'« intérêt public » d'interdire toute forme d'intolérance.

révélations sur les crimes sexuels commis dans les couvents, les viols répétés d'innocentes sœurs par leur confesseur, avec, pour inévitable résultat de ces unions illicites, des enfants que l'on étranglait dès leur naissance, non sans les avoir promptement baptisés pour offrir à leurs petites âmes sans péché « un bonheur immortel [1] ». Les *Terrifiantes Révélations* de Maria Monk, puis les *Nouvelles Révélations* publiées en 1837 regorgent de détails sur de mystérieux souterrains reliant les couvents aux presbytères, des cimetières clandestins où s'entassent les ossements d'enfants, les tortures subies par les nonnes qui refusent de se soumettre au bon vouloir de prêtres lubriques...

Il fut vite établi que les *Terrifiantes Révélations* étaient des mémoires apocryphes rédigés par trois prédicateurs protestants à partir du témoignage hystérique d'une jeune femme enceinte, échappée d'un asile d'aliénés de Montréal. Des enquêtes précises, menées par le clergé catholique et certains journalistes protestants, établirent la supercherie. Mais ces nouvelles révélations, pourtant bien documentées, n'affectèrent en rien le succès de librairie de l'ouvrage : 300 000 exemplaires vendus entre 1836 et 1860 ! Seule *La Case de l'oncle Tom* d'Harriet Beecher-Stowe connaîtra un tirage plus important [2].

Ainsi, un nouveau genre littéraire naissait : la « pornographie des puritains [3] ». Citons, parmi les innombrables imitateurs de Maria Monk, l'inévitable Samuel Morse qui produisit en 1837 les *Confessions of a French Catholic Priest to which are added Warnings to the People of the United States*. Le style est ici plus noble, les confessions plus réfléchies,

---

1. Cité dans R. Billington, *The Protestant Crusade, op. cit.*, p. 99.
2. Voir Th. Archdeacon, *Becoming American, op. cit.*, pp. 75-81 et R. Billington, *The Protestant Crusade, op. cit.*, pp. 107-108. La malheureuse Maria Monk, exploitée par des pasteurs peu scrupuleux, ne toucha qu'une faible partie des droits d'auteur de son best-seller. Mariée, puis abandonnée par son second mari, elle se livra à la prostitution avant de terminer ses jours en prison.
3. « L'anticatholicisme a toujours été la pornographie du Puritain » (Richard Hofstadter, *The Paranoid Style in American Politics*, New York, Knopf, 1965, p. 21).

mais les détails croustillants abondent sur la corruption des prêtres, leur vie licencieuse, leurs gouvernantes et leurs enfants illégitimes, la tyrannie et les secrets du confessionnal, la course aux indulgences, le trafic des reliques et la fabrication des miracles. L'auteur anonyme du pamphlet, un prêtre défroqué originaire du sud de la France, prétend avoir échappé à l'oppression politique et religieuse de la France de Charles X. Il se déclare « libéral », partisan de La Fayette, et prend des accents cicéroniens pour mettre en garde le peuple américain contre les dangers qui menacent leur république. « *Ne quid respublica detrimenti capiat* » (Que la république ne subisse aucun mal), écrit-il en guise d'avertissement, avant de dénoncer ces « nids du despotisme » que sont les écoles et les séminaires catholiques, et de s'en prendre au nouveau « cancer » américain, le « clergé papiste » qui, tel un « ver à peine visible [...], dévore les racines de l'arbre de la Liberté[1] ».

Qu'est-ce qu'un bon citoyen ?

J'ai délibérément fait une large place au premier nativisme américain en raison de son caractère paradigmatique et de sa violence symbolique. Aux yeux des *Know-nothing*, ce n'est pas l'immigrant qui est critiquable en soi, car l'Amérique est par définition un pays d'immigration, mais un certain type d'immigrant qui refuse de se conformer au nationalisme naissant, alliant le républicanisme et le laïcisme des Fondateurs à une éthique religieuse agressivement protestante. Le juif, à cet égard, est plus acceptable que le catholique parce qu'il ne conteste pas le système de l'inté-

---

1. [A French Gentleman], *Confessions of a Catholic Priest to which are added Warnings to the People of the United States by the Same Author* (Les confessions d'un prêtre catholique auxquelles est ajouté un avertissement au peuple des États-Unis), New York, John Taylor, 1837, édité et préfacé par Samuel Morse, pp. 227-229. La citation latine est empruntée à l'*Oratio pro Milone* de Cicéron.

rieur ; sa croyance ne dicte pas son comportement politique. En fait, observe un journaliste de l'*Express* de New York, les juifs deviendront certainement de bons citoyens car « leur religion, quel que soit son caractère répugnant, est une religion républicaine [...]. Les juifs, en effet, sont le premier peuple républicain du monde [1] ». Mais surtout, leur petit nombre interdit aux juifs d'Amérique de mobiliser une masse d'électeurs comparable à celle des Irlandais. Or, c'est bien ce dernier phénomène qui déplaît le plus aux nativistes, lesquels dénoncent l'utilisation des tavernes irlandaises comme clubs politiques et comme lieux de transmission des consignes de vote, et, plus généralement, la corruption politique élevée au rang d'un art politique par les *party bosses* d'origine irlandaise. Dans les années 1840, cette corruption a deux formes principales : le bourrage des urnes par des électeurs qui ne sont pas encore des citoyens, mais qui prétendent l'être et le jurent devant des fonctionnaires complaisants ; l'intimidation des électeurs « mal-pensants », réduits à l'abstention par de « gros bras » postés devant les bureaux de vote. Les nativistes auront beau jeu de dénoncer ces mœurs politiques et de réclamer, au nom de la morale et de la tempérance, la fermeture des tavernes, la liberté d'accès aux bureaux de vote et une réforme des lois de naturalisation qui interdirait le vote des étrangers et ferait passer de cinq à vingt et un ans la période d'attente nécessaire à l'acquisition de la citoyenneté [2].

Le but était simple : « nationaliser » les nouveaux Américains avant de les « naturaliser [3] ». Mais les Irlandais, bien sûr, ne l'entendirent pas ainsi et proposèrent une autre définition de la nation idéale. Eux aussi, affirmèrent les leaders de la communauté irlandaise, étaient de bons patriotes qui

---

1. *New York Express*, 10 septembre 1855, cité dans T. Anbinder, *Nativism and Slavery, op. cit.*, p. 120.
2. L. Benson, *The Concept of Jacksonian Democracy, op. cit.*, pp. 119-120.
3. Opinion du gouverneur du Massachusetts, Henry J. Gardner, cité dans T. Anbinder, *Nativism and Slavery, op. cit*, p. 121.

partageaient les grandes valeurs des Pères fondateurs : la liberté politique, la tolérance religieuse, l'indépendance vis-à-vis de l'ennemi commun, la Grande-Bretagne. Mais leur « tolérance » avait des limites puisqu'elle reposait sur une foi inébranlable en l'avenir du catholicisme. Devenu archevêque de New York, John Hughes ne mâchait pas ses mots lorsqu'il déclarait en 1850 à ses fidèles de Saint Patrick :

> Notre objectif [...] est la conversion de toutes les nations païennes, de toutes les nations protestantes et même de l'Angleterre avec son Parlement orgueilleux et son impériale souveraineté. Il n'y a point là de secrets. C'est la mission de Dieu pour son Église, cela n'a rien d'un projet humain [...]. Le protestantisme effraye nos voisins de l'Est en [prétendant révéler] les intentions du Pape concernant la vallée du Mississippi, et s'imagine ainsi avoir fait une grande découverte. Il n'en est rien [...]. Tout le monde devrait savoir que nous avons pour mission de convertir le monde – ce qui inclut les habitants des États-Unis, les habitants des villes et des campagnes, les officiers de marine, les commandants de l'armée, les Parlements [des États], le Sénat, le Cabinet, le Président, et tous les autres[1] !

La fermeté du sermon de l'archevêque, intitulé fort à propos *The Decline of Protestantism and its Causes*, n'a pas facilité l'intégration des nouveaux arrivants irlandais. Les nativistes allaient trouver là de précieux aliments pour nourrir leur polémique xénophobe et dénoncer le danger d'une invasion papiste des territoires de l'Ouest. Mais la vigueur du ton révèle un phénomène nouveau dans l'histoire des États-Unis : les capacités de réaction d'une communauté minoritaire qui n'a pas l'intention de se laisser intimider par la majorité protestante. En affichant ouvertement la supériorité de leur tradition religieuse, en retirant leurs enfants des écoles publiques, en résistant les armes à la main aux émeutiers anticatholiques, en utilisant tous les moyens légaux et illégaux pour imposer leurs candidats aux élections locales, les Irlandais démontraient la vigueur de

---

1. Cité dans R. Billington, *The Protestant Crusade, op. cit.*, p. 291.

leur culture d'origine, leur étonnante capacité de mobilisation politique et sociale et, par contrecoup, la faiblesse du projet nativiste de construction d'une nation républicano-protestante.

Quand les victimes du nativisme se transforment en agresseurs

Une fois intégrés, les immigrés irlandais adoptèrent parfois les travers des Américains de souche les plus xénophobes, pour défendre leurs emplois et leur mode de vie contre le « déferlement » des nouveaux immigrés allemands, italiens, chinois... Se développa alors une nouvelle forme de violence nativiste, organisée par les leaders des communautés irlandaises. En 1846, par exemple, cinq cents dockers irlandais de Brooklyn firent grève pour obtenir une hausse de salaire et une réduction du temps de travail. Les dirigeants de l'Atlantic Dock engagèrent sur-le-champ de nouveaux immigrés allemands pour briser la grève. En représailles, des gangs d'Irlandais investirent les quartiers allemands et proférèrent des menaces de mort contre les « jaunes », avant d'être ramenés à la raison par l'arrivée massive des troupes de la milice du comté[1]... Dans les années 1870, sur la côte Est, comme sur la côte Ouest des États-Unis, des gangs de grévistes et de chômeurs irlandais prirent à partie les nouveaux immigrés chinois, accusés de leur faire concurrence et de se laisser utiliser comme briseurs de grève. Le Workingmen's Party, fondé en 1877 à San Francisco par un Irlandais naturalisé américain, Dennis Kearny, fut au centre de l'agitation anti-chinoise. Ce parti d'un nouveau style recrutait l'essentiel de ses membres au sein de la communauté irlandaise de la ville et faisait campagne autour d'un slogan brutal et xénophobe : « Les Chinois à la porte ! » Le Workingmen's Party mobilisa de nom-

---

1. R. Ernst, *Immigrant Life in New York City, op. cit.*, p. 107.

breux travailleurs immigrés et incita les électeurs de Californie à modifier la Constitution de leur État pour interdire tous les emplois publics aux « Chinois » et aux « Mongoliens »[1].

À la veille de la guerre de Sécession, les Irlandais-Américains prirent le contrôle de la faction anti-abolitionniste du parti démocrate. Le parti des immigrés était devenu le parti de la peur – peur d'une libération précoce des esclaves, qui conduirait ceux-ci à « envahir le Nord » pour s'emparer des emplois durement conquis par les Blancs... Sur la côte Est, la mobilisation du vote irlandais en 1846 tint en échec la grande mesure progressiste proposée par les partis protestants : l'octroi du droit de vote aux résidents noirs de l'État de New York. Les *Know-nothing*, les *Free Soilers* et autres précurseurs du parti républicain n'eurent bientôt plus qu'une expression pour décrire leurs adversaires démocrates : des fanatiques « de l'esclavage, du rhum et du romanisme[2] ».

L'incident le plus grave, opposant des travailleurs irlandais à leurs homologues noirs, eut lieu à New York, au milieu de la guerre de Sécession. Les circonstances du drame sont bien connues : des dockers irlandais, mécontents de leurs conditions de travail, s'étaient mis en grève. Ils avaient été remplacés, en juin 1863, par des briseurs de grève recrutés au sein de la communauté noire de la ville. Ces derniers

---

1. Grâce au vote d'un amendement constitutionnel à la Constitution de Californie. Voir Roger Daniels, *Asian America. Chinese and Japanese in the United States since 1850* [1988], Seattle, University of Washington Press, 1995, p. 55, ainsi que les excellents commentaires de Ronald Takaki, *A Different Mirror. A History of Multicultural America*, Boston, Little, Brown, 1993, p. 156, et d'Annick Foucrier, « Immigration et tensions raciales aux États-Unis : la Californie, un laboratoire », *in* Catherine Collomp et Mario Menéndez (éd.), *Amérique sans frontière*, Paris, Presses Universitaires de Vincennes, 1995, pp. 153-156.

2. J. McPherson, *Battle Cry of Freedom*, *op. cit.*, p. 137. Pour William G. Brownlow, les Irlandais étaient soumis au contrôle absolu de la prêtrise catholique. Ils étaient tous des ignorants et des alcooliques dont « l'intelligence et le sens de la vertu » étaient manifestement inférieurs à ceux des Américains de souche. Voir William Brownlow, *Americanism Contrasted with Foreignism, Romanism and Bogus Democracy* (1856).

bénéficiaient d'une forte protection policière, ce qui accréditait la rumeur d'un « complot noir » organisé par des *Yankees* protestants. La guerre de Sécession, d'après cette rumeur, avait changé d'objectif : il n'était plus question de préserver l'Union et les institutions de l'État fédéral, mais bien plutôt de libérer les Noirs. La proclamation d'Émancipation énoncée par Lincoln le 1er janvier 1863 aurait ainsi caché les vraies raisons de la guerre : servir les intérêts capitalistes des industriels du Nord en leur procurant une source de main-d'œuvre abondante, soumise et bon marché, prête à accepter des salaires inférieurs à ceux des immigrés. Sur ces entrefaites, les autorités militaires de la ville publièrent, le 11 juillet 1863, la liste des nouveaux conscrits désignés pour rejoindre les rangs de l'armée de l'Union. La guerre était peu populaire ; elle fut dénoncée comme une « guerre de riches » dont l'enjeu semblait particulièrement discutable : accorder à des « êtres inférieurs » une liberté dont ils allaient nécessairement abuser. Une ballade irlandaise résume bien le climat de l'époque :

> *When the negroes shall be free*
> *To cut the throats of all they see,*
> *Then this dear land will come to be*
> *The den of foul rascality*[1].

Les sanctions prises contre quelques jeunes Irlandais qui avaient refusé la conscription parce qu'ils ne disposaient pas des trois cents dollars nécessaires pour acheter leur exemption, provoquèrent des émeutes qui durèrent quatre jours et se soldèrent par l'investissement des casernes de la ville, la destruction d'un orphelinat pour enfants noirs (le Colored Orphan Asylum), des tortures, une dizaine de lynchages, la destruction de plusieurs églises protestantes, des atta-

---

1. « Quand les nègres seront libres / De couper la gorge de tous ceux qu'ils voient / Alors ce cher pays ne sera plus / Que le repaire puant de la canaille » (cité dans R. Takaki, *A Different Mirror, op. cit.*, p. 151).

ques contre les sièges de journaux républicains et le pillage systématique des magasins de la ville. Pour rétablir l'ordre, l'armée dut envoyer deux régiments de Pennsylvanie, qui n'hésitèrent pas à tirer à coups de canon sur la foule des manifestants. Ces émeutes, les plus violentes dans l'histoire des États-Unis, firent au total une centaine de morts et plus de cinq cents blessés[1].

East Harlem au début du siècle : Irlandais contre Italiens...

Cinquante ans plus tard, les immigrés juifs et italiens de East Harlem devaient, à leur tour, affronter la violence armée de gangs d'Irlandais, parfaitement assimilés à la vie américaine. Les mêmes causes produisaient les mêmes effets : conflits de territoire, concurrence pour l'emploi, utilisation peu scrupuleuse des nouveaux venus (italiens) comme briseurs de grève... Mais, curieusement, le conflit interethnique avait aussi une dimension religieuse, bien que les « vieux immigrés » irlandais aient professé la même foi et partagé les mêmes lieux de culte que les « nouveaux immigrés » italiens. Au tournant du siècle, les Irlandais nourrissaient deux sortes de reproches à l'encontre des Italiens : ils les accusaient d'une part de soutenir un régime politique qui rendait le pape « prisonnier du Vatican » ; ils critiquaient d'autre part leurs pratiques religieuses qu'ils jugeaient proches du paganisme. Les dévotions à la *Madonna del Carmine* de la 115e rue de Manhattan étaient mal comprises. Pour la hiérarchie catholique irlandaise, la fête de la Madone, avec son atmosphère de carnaval, ses jeux de hasard, les bals populaires et les repas publics qui l'accom-

1. R. Ernst, *Immigrant Life in New York City, op. cit.*, pp. 172-174 ; J. McPherson, *Battle Cry of Freedom, op. cit.*, pp. 600-611. Les deux tiers des émeutiers et la plupart des chefs de la révolte étaient, d'après Ernst, des Américains d'origine irlandaise. Pour plus de détails, voir Adrian Cook, *The Armies of the Streets : The New York City Draft Riots of 1863*, Lexington, University of Kentucky Press, 1974.

pagnaient, bafouait une religion qui se voulait fondée sur de « grandes vérités ». Les Italiens, en bref, ridiculisaient le catholicisme et confortaient, par la même occasion, les pires préjugés des protestants. Aussi, les Irlandais imposèrent d'innombrables vexations à leurs coreligionnaires italiens[1]. L'église de *Our Lady of Mount Carmel* devint le lieu d'une nouvelle forme de discrimination ethnique : la petite chapelle de la crypte était réservée aux dévotions italiennes, alors que la grande chapelle du rez-de-chaussée était le lieu exclusif des messes destinées aux Irlandais et aux Allemands. Il allait falloir près de vingt ans de négociations pour que les Italiens obtiennent enfin la possibilité de suivre la messe dans la « grande église » du Mount Carmel. Mais cette victoire, bien méritée, n'a pas résolu tous les problèmes. Le préjugé subsiste, comme l'admet un prêtre italien interrogé dans les années 1980 par l'historien Robert Orsi : le clergé irlandais « pense que nous sommes des Africains (*sic*), et qu'il y a [chez nous] quelque chose de bizarre. Il n'a jamais accepté [nos dévotions...] et je sais, d'expérience [...] qu'il nous traite toujours avec condescendance[2] ».

Ironie de l'histoire, Pat Buchanan, qui s'affirme irlandais et peut prétendre, à ce titre, être l'héritier des plus anciennes victimes de la xénophobie anglo-saxonne, était le plus nativiste des candidats aux élections présidentielles de 1996. Son programme de défense d'une « Amérique forteresse » prévoyait, entre autres, l'imposition d'un moratoire de cinq ans sur toutes les formes d'immigration autorisées par la loi, la suppression des aides sociales dont bénéficiaient les immigrés, l'érection d'une « double barrière » sur la fron-

---

1. Robert Anthony Orsi, *The Madonna of 115th Street. Faith and Community in Italian Harlem, 1880-1950*, New Haven, Yale University Press, 1985, pp. 16-17 et 50-74. Le culte de la *Madonna del Carmine* fut introduit en 1882 par des immigrés de la ville de Polla, près de Salerno, au sud de Naples, à l'initiative d'une société italienne de bienfaisance. Un conflit similaire opposa la hiérarchie catholique irlandaise aux Québécois installés au nord des États-Unis. Voir François Weil, *Les Franco-Américains, 1860-1980*, Paris, Belin, 1989.

2. Entretien avec un prêtre de la paroisse, cité dans R. A. Orsi, *The Madonna of 115th Street*, *op. cit.*, p. 56.

tière américano-mexicaine en vue d'arrêter, une fois pour toutes, l'« invasion étrangère [1] »... L'ennemi était clairement identifié par Buchanan dans un discours prononcé en janvier 1996 dans la petite ville de Waterloo dans l'Iowa : « Je construirai une barrière de sécurité et l'on pourra enfin dire : écoute *José*, cette fois-ci tu n'entreras plus [2] ! »

◆

Le conflit interethnique, opposant une vague d'immigration à une autre, est bien une invention américaine qui n'a cessé d'évoluer au gré des migrations internes et externes. Il oppose aujourd'hui les *Anglos* aux Hispaniques, comme le démontrent les propos de Pat Buchanan, mais aussi les Noirs aux juifs de New York, les Noirs aux Coréens de Los Angeles, et les *Blacks* aux *Browns* en Floride et en Californie [3]. C'est l'éternel conflit entre les Américains de souche et les nouveaux immigrants, les « bons » et les « mauvais » Américains, les exploiteurs et les exploités, les assimilés et les inassimilables.

Le conflit est ancien. Il prit une forme particulièrement vicieuse au lendemain de la guerre de Sécession, avec la popularisation des thèses des disciples américains de Darwin et de Spencer. C'est la « science », à partir de cette époque, qui allait juger les immigrés. Au nativisme anglo-protestant des années 1840-1860 allait succéder un nouveau nativisme eugénique, qui légitimait la « race » comme catégorie d'analyse et dressait une hiérarchie des races et des ethnies comme

1. James Bennet, « Buchanan », *New York Times*, 31 décembre 1995, et Alissa Rubin, « Buchanan's Protectionism », *Congressional Quaterly*, 2 mars 1996.
2. James Bennet, « Is Pat Buchanan his own Big Foe ? », *International Herald Tribune*, 19 février 1996.
3. Voir, notamment, Jack Salzman (dir.), *Bridges and Boundaries. African Americans and American Jews*, New York, George Braziller, 1992 ; Nancy Abelmann et John Lie, *Blue Dreams. Korean Americans and the Los Angeles Riots*, Cambridge, Harvard University Press, 1995 ; Jack Miles, « Blacks vs. Browns », *The Atlantic Monthly*, octobre 1992, pp. 41-68.

jamais n'aurait osé le faire le plus fanatique des *Know-nothing*. Cette nouvelle science est l'objet du prochain chapitre. Elle démontre, si l'on en doutait encore, que la nation américaine n'est pas seulement une « nation civique ». C'est aussi une « nation ethnique » construite et voulue comme telle par les promoteurs d'une Amérique protestante qui devait être non seulement purgée du danger catholique, mais encore et surtout peuplée de « vrais » Anglo-Saxons.

Chapitre 4

LA « SCIENCE » DES NATIVISTES

La mystique anglo-saxonne

À la veille et surtout au lendemain de la guerre de Sécession, la résistance à l'immigration prit une tout autre signification. Ce n'était pas la religion des immigrants qui inquiétait, ou encore la pauvreté des moins fortunés d'entre eux ; c'était la « race » qui faisait problème. Le nouveau nativisme exprimait une supériorité protestante « racialisée » au nom des sciences de l'évolution et de ce qui s'appelait alors communément le *social darwinism* (« darwinisme social »). Les élites politiques et sociales s'imaginaient appartenir à une race supérieure, celle des « Teutons » ou des « Anglo-Saxons », réinventée au début du siècle par des écrivains romantiques comme Walter Scott et Thomas Carlyle, formalisée par des historiens comme George Bancroft et « biologisée » par des ethnologues ou des phrénologues éduqués dans les meilleures universités européennes. Citons, parmi les innombrables ouvrages à la mode en ce milieu de siècle, *Crania Americana* de Samuel Morton (1839), *The Goths in New England* de George Marsh (1843) et *The Races of Men* de l'anatomiste anglais Robert Knox (1850).

Pour Knox, le plus sophistiqué des prédarwiniens, tous les phénomènes de société – la littérature, la science, l'art, en bref la civilisation – s'exprimaient en termes de race. La race saxonne était la plus robuste des races caucasiennes, la seule qui avait su résister à la conquête romaine, avant d'entreprendre la conquête des îles Britanniques, puis du continent nord-américain. Cette race, à l'évidence douée pour la démocratie, était seule capable de saisir le vrai sens du mot liberté, puisque les Anglo-Saxons avaient réussi à transplanter dans les forêts d'Amérique « les lois, les mœurs et les institutions » qu'ils avaient inventées dans les bois de la Germanie [1]. D'autres races inférieures, comme les Celtes, étaient manifestement inaptes à la démocratie. « Voyez l'Irlande », s'exclame Knox, son peuple, « furieusement fanatique », révèle une « passion pour la guerre et le désordre, la haine de l'ordre et du labeur patient, le refus de l'épargne, la trahison, l'incertitude, l'agitation [2] »... Mais les Anglo-Saxons, reconnaît Knox, n'ont pas que des qualités. Leur merveilleux sens de la justice et du *fair play*, en effet, ne s'applique qu'à eux-mêmes. Les autres races sont exclues du cercle magique de la liberté saxonne. Elles n'existent que pour être exploitées jusqu'à épuisement. Le mélange des races n'est pas une alternative viable ; face aux races pures, les races hybrides ne peuvent que disparaître [3]...

La « science » anglo-saxonne, empruntée à un certain darwinisme revu et corrigé par Spencer et la nouvelle école d'anthropologie physique, devait atteindre son apogée à la fin du siècle. Les grandes synthèses de John Fiske (*Outlines of Cosmic Philosophy*, 1874), de Josiah Strong (*Our Country : Its Possible Future and its Present Crisis*, 1885), de William Ripley (*Races of Europe*, 1899) et de Madison Grant (*The Passing of the Great Race*, 1916) tentèrent de réconcilier Darwin, Spencer et Mendel, en repérant, au sein d'un système général d'évolution des espèces, les groupes humains

---

1. Robert Knox, *The Races of Men : A Philosophical Enquiry into the Influence of Race over the Destinies of Nations* [1850], cité par Reginald Horsman, *Race and Manifest Destiny : The Origins of American Racial Anglo-Saxonism*, Cambridge, Harvard University Press, 1981, pp. 71-72.

2. *Ibid.*, p. 73.

3. *Ibid.*, p. 72.

les mieux adaptés, dont les caractéristiques raciales seraient stables, précisément mesurables et génétiquement fondées. Au nouveau peuple élu par la science – les « Teutons » ou les « Nordiques » – s'opposeraient des peuples certifiés inférieurs : les Indiens, les Noirs et les Mexicains, et bientôt la grande majorité des nouveaux immigrants venus d'Asie, de Russie et du sud de l'Europe.

Le grand historien Richard Hofstadter a décrit les ravages de la nouvelle « mystique de l'anglo-saxonnisme » sur la pensée politique américaine, et surtout sur le comportement des élites politiques à une époque où les États-Unis, devenus puissance maritime, décidaient d'en découdre avec l'Espagne, archétype d'une monarchie « décadente » peuplée de « primitifs latins[1] ». Désormais, la destinée politique du peuple américain était pensée en termes raciaux, et la nouvelle science de la politique comparée, inaugurée par Edward Augustus Freeman, s'efforçait de démontrer la supériorité politique de la race « nordique », « teutonne » ou « anglo-saxonne » sur toutes les autres. Les perspectives d'avenir s'annonçaient brillantes : l'humanité, d'après James Hosmer, allait bientôt adopter « les institutions anglaises, la langue anglaise, la pensée anglaise » ; le dynamisme démographique des Anglo-Saxons ferait bientôt de l'Amérique du Nord le « siège de l'anglo-saxonnie » dont la race triomphante atteindrait, selon le calcul du révérend Josiah Strong, le chiffre prodigieux d'« au moins 713 000 000 [personnes] à partir de 1980 ». John Fiske, rendu célèbre au début des années 1880 par ses conférences sur « l'idée politique américaine », fut invité à porter la bonne parole au sommet de l'État fédéral, à Washington, par le président des États-Unis et le président de la Cour suprême. Des sénateurs, des ministres, des généraux le sollicitèrent à leur tour... Son message était toujours le même : le meilleur système politique est

---

1. Richard Hofstadter, *Social Darwinism in American Thought*, 8e éd., Boston, Beacon Press, 1964, pp. 170-200.

celui que les Anglo-Saxons ont inventé dans les forêts allemandes. La démocratie est génétiquement « teutonique », et
cette race dynamique est destinée à triompher des mers et
des continents nouveaux ; c'est sa mission, son devoir et sa
« destinée manifeste[1] ».

La « science » anglo-saxonne était donc indissociable de
la vision impérialiste du monde prônée par des hommes
politiques influents, tels les sénateurs Beveridge et Cabot
Lodge, les présidents McKinley et Theodore Roosevelt et
le ministre des Affaires étrangères de ces deux derniers présidents, John Hay. Et c'est bien cette idéologie darwino-
spencérienne qui servit à justifier l'annexion ou l'établissement de protectorats sur les îles de Hawaii, de Cuba, de
Porto Rico, de Guam et des Philippines. Deux ans après la
capitulation de l'Espagne (le 10 décembre 1898), Beveridge,
le sénateur de l'Indiana, exprima ainsi sa conception du
nationalisme devant ses collègues du Sénat :

> Dieu n'a pas développé les peuples teutoniques de langue anglaise
> pendant des milliers d'années pour de vains projets d'autosatisfac-
> tion. Non ! Il nous a faits les maîtres-organisateurs de l'univers pour
> remplacer le chaos dominant par un [autre] système. Il nous a donné
> l'esprit de progrès pour mettre fin aux forces de la réaction à travers
> le monde. Il nous a donné le goût de l'autorité afin que nous puis-
> sions gouverner des peuples sauvages ou déclinants. Sans son auto-
> rité, le monde retournerait à son état de barbarie. Au sein de notre
> race, Il a repéré le peuple américain pour en faire Sa nation choisie
> et conduire enfin le monde à sa rédemption[2].

Ledit sénateur n'avait bien sûr rien d'un puritain. Il tentait simplement d'accommoder son protestantisme avec la
« science » de l'époque et sa conception géopolitique du
monde.

---

1. Edward Freeman, *Comparative Politics* (1874), James Hosmer, *Short History
of Anglo-Saxon Freedom* (1890), Josiah Strong, *Our Country* (1885), John Fiske,
American Political Ideas (1885), cités ou évoqués par R. Hofstadter, *ibid.*, pp. 173-178.
2. Intervention d'Albert Beveridge au Sénat des États-Unis (1900), cité dans John
Blum *et al.*, *The National Experience*, San Diego, Harcourt Brace Jovanovich, 1989,
7e éd., t. II, p. 490.

Quelle influence faut-il accorder à ce type de discours qui échappe, manifestement, aux normes traditionnelles du congrégationalisme comme à la rigueur du véritable darwinisme ? Richard Hofstadter a bien noté les limites de la rhétorique impériale particulièrement prisée par les élites américaines, mais difficilement acceptable pour une population dont l'hétérogénéité ethnique et culturelle ne pouvait que « l'immuniser contre une telle propagande[1] ». Il n'empêche : toutes les grandes réformes de la citoyenneté, toutes les lois d'immigration votées entre 1882 et 1924 reposaient sur un postulat dominant – la nécessité de préserver l'hégémonie des Anglo-Saxons d'Amérique du Nord. Les fantasmes des « darwiniens » rejoignaient donc les obsessions teutoniques des historiens romantiques de la première moitié du XIXᵉ siècle. Mais il leur manquait le lyrisme d'un George Bancroft, par exemple, qui dans sa fameuse *History of the United States* (1834-1840) prédisait un avenir radieux à la « race » et à la culture anglo-saxonnes :

> En Amérique, la race teutonique avec ses vigoureuses tendances vers l'individualité et la liberté était devenue la maîtresse depuis le golfe du Mexique jusqu'au pôle, et la langue anglaise qui, un siècle et demi auparavant, n'avait pour tout domaine que deux îles réservées, situées à l'extrémité de l'Europe, allait actuellement se répandre plus au loin que n'importe quelle autre, appelée à jamais à servir d'expression à la pensée humaine. Va donc, ô langue de Milton et de Hampden, ô langue de mon pays, va prendre possession du continent de l'Amérique du Nord ! Charme les lieux déserts de toutes les notes qui ont fait vibrer si harmonieusement la lyre anglaise, de toutes les paroles anglaises qui ont été prononcées si éloquemment en faveur de la liberté et de l'humanité ! Sers d'écho aux montagnes actuellement silencieuses et solitaires ; va mêler ton murmure à celui des sources qui jusqu'à présent chantent leurs antiennes tout le long du jour, sans réponse ; remplis les vallées des voix de l'amour dans toute sa pureté, des engagements de l'amitié dans toute sa fidélité ; et à mesure que le soleil du matin boit les gouttes de rosée dans les fleurs sur tout le chemin qui s'étend de la sombre Atlantique au pacifique Océan, accompagne-la du bourdonnement joyeux de l'acti-

1. R. Hofstadter, *Social Darwinism, op. cit.*, p. 183.

vité matineuse d'hommes libres ! Exprime hardiment et propage largement dans le monde les pensées des apôtres naissants de la liberté du peuple, jusqu'à ce que les sons qui réjouissent le désert fassent tressaillir le cœur du genre humain et que les lèvres du messager de la puissance du peuple, se tenant debout et majestueusement sur les montagnes, proclament la bonne nouvelle, la nouvelle rénovatrice de la liberté pour tous les membres de la race humaine [1] !

Bancroft était un contemporain de Charles Darwin. Mais sa démarche n'avait rien de scientifique ; il fabriquait le mythe d'une histoire linéaire en marche vers une ultime démocratie : la démocratie américaine. Sa « race teutonique » était métaphorique ; c'était la race des partisans de la liberté travaillant au progrès de l'humanité tout entière. Trente ans plus tard, la race teutonique allait devenir un objet scientifique intégré au sein d'une hiérarchie de peuples, qu'elle dominerait de sa supériorité attestée et mesurée par des savants.

◆

Le « nouveau nativisme » de la fin du XIXᵉ siècle était donc fort différent du nativisme des années 1830 : il « racialisait » l'immigré et mettait en scène des ethnies plutôt que des religions ou des idées politiques. L'ennemi public, désormais, n'était plus le papisme conquérant et ultramontain importé d'Irlande, mais tous les peuples « inférieurs » d'Amérique du Nord – Celtes, Latins, Slaves, Indiens et Noirs –, tous ceux dont le nombre ou l'afflux risquaient de remettre en cause la hiérarchie « naturelle » des Anglo-Saxons. D'où les hésitations à intégrer dans l'Union les nouveaux territoires peuplés d'Hispaniques ou de sang-mêlé

---

1. George Bancroft, *Histoire des États-Unis* [1834-1840], trad. fr. Paris, Firmin Didot, 1863, t. VI, pp. 320-321. Sur l'influence de cet auteur et l'invention d'une « orthodoxie patriotique », voir Joyce Appleby, Lynn Hunt et Margaret Jacob, *Telling the Truth about History*, New York, Norton, 1994, pp. 112-114.

à dominante indienne, noire ou mexicaine... D'où aussi les innombrables révisions des lois d'immigration et des procédures d'acquisition de la citoyenneté. Il fallait, selon l'expression du sénateur Henry Cabot Lodge, protéger « la race anglo-saxonne des États-Unis » contre des « races inférieures » considérées comme absolument inassimilables [1]. Et c'est bien à partir de cette époque que se développa aux États-Unis une « obsédante conscience de race [2] », dont les effets sont encore visibles aujourd'hui dans des domaines aussi différents que les recensements démographiques, la sélection des étudiants à l'université, la législation des droits civiques ou les décisions de la Cour suprême concernant les droits des minorités, le découpage des circonscriptions électorales et le traitement préférentiel (voir chapitre 8).

Toute la question du rattachement des nouveaux territoires du Sud-Ouest à l'Union est liée aux conceptions raciales des élites politiques. L'annexion du Texas fut relativement aisée parce qu'elle était fondée sur le triomphe d'une « chevalerie anglo-saxonne [3] » imbue de liberté républicaine et soumise au commandement d'un aventurier génial, le général Sam Houston, futur président d'un éphémère Texas indépendant (1836-1845). Cette « chevalerie » mythique n'eut aucune difficulté à vaincre les troupes désorganisées du nouveau leader du Mexique, le général Santa Anna. La destinée des Anglo-Saxons était, à en croire les auteurs de l'époque, toute tracée dans les gènes mêmes de leurs adversaires mexicains – peuple racialement « inférieur », « paresseux », « imbécile », « malhonnête », « corrompu », « bâtard », affreusement « métissé », constituant,

---

1. Henry Cabot Lodge, cité par Alexander DeConde, *Ethnicity, Race and American Foreign Policy*, Boston, Northeastern University Press, 1992, p. 55. Lodge était partisan de l'imposition d'un « examen de lecture » pour limiter les flux d'immigrants illettrés.
2. Le mot est de Jeff Rosen, « Affirmative Action : A Solution », *The New Republic*, 8 mai 1995, p. 25.
3. Sam Houston, cité par R. Horsman, *Race and Manifest Destiny, op. cit.*, p. 213.

en bref, une véritable « nation d'Orang-Outans[1] »... Le Congrès des États-Unis mettra moins de dix ans pour ratifier l'annexion du Texas, conquis de haute lutte par un peuple « de race américano-anglo-saxonne... part de nous-mêmes, os de nos os, chair de notre chair », selon les propos enflammés d'un sénateur de Géorgie[2].

En revanche, le même Congrès mettra soixante et un ans à incorporer le territoire du Nouveau-Mexique, cédé aux États-Unis en 1848 par le traité de Guadalupe Hidalgo, au lendemain de la guerre américano-mexicaine. Les habitants de ce territoire étaient jugés « inassimilables » par les élites politiques de la majorité protestante. Que leur reprochait-on ? Leur « race », d'abord, mais aussi leur langue, leur religion et la tradition politique mexicaine. John Calhoun, le grand défenseur de la souveraineté des États, exprimait bien le point de vue majoritaire lorsqu'il se demandait, en 1847 : « Pouvons-nous annexer un peuple aussi différent de nous à tous égards, si peu qualifié pour [se donner] un gouvernement libre et populaire, sans provoquer la destruction assurée de nos institutions politiques ? » La réponse, pour lui, ne faisait aucun doute : seuls les Caucasiens disposaient d'une aptitude réelle à faire vivre des institutions démocratiques, même s'il fallait bien admettre que certains Mexicains, trop peu nombreux, avaient du sang castillan et qu'à ce titre ils pouvaient prétendre à une origine « gothique » égale en génie à la race des Anglo-Saxons[3].

L'annexion tardive de l'Oklahoma en 1907, du Nouveau-Mexique et de l'Arizona en 1912, fut facilitée par des rivalités partisanes (les républicains voulaient chasser les démocrates qui géraient ces territoires depuis la guerre de Sécession) et la croyance que leurs habitants étaient enfin

---

1. Ces différents stéréotypes sont fréquemment utilisés dans l'Amérique du XIXᵉ siècle, comme le montre bien R. Horsman dans *ibid.* pp. 210-215.
2. Alexander Stephens, cité dans *ibid.*, p. 218.
3. John Calhoun, Déclaration au Congrès, 9 février 1847 et 4 janvier 1848, cité dans *ibid.*, p. 241.

devenus « culturellement » des Américains, contrairement aux peuples des colonies américaines arrachées à l'Espagne en 1898 et maintenus, pour longtemps encore, dans un état subalterne d'« in-américanité[1] ».

La rapidité de l'entrée dans l'Union était donc fonction de la qualité raciale des peuples postulants et de leur degré d'assimilation réelle ou imaginaire.

La grande peur de l'« invasion jaune »

En moins d'un siècle, entre la fin des années 1840 et le milieu des années 1920, près d'un million d'immigrants asiatiques s'installèrent aux États-Unis et à Hawaii. La plupart venaient de Chine, du Japon ou des Philippines. Attirés par la ruée vers l'or, les premiers immigrants chinois s'installèrent en Californie dans le pays de la « Montagne d'or » pour prospecter les gisements de la Sierra Nevada, puis pour participer, dans des conditions souvent périlleuses, à la construction du chemin de fer transcontinental. Réduits au chômage après l'achèvement du transcontinental en 1869, près de la moitié des immigrants chinois (47 %) retournèrent chez eux, tandis que d'autres s'installèrent comme journaliers agricoles ou comme artisans dans les villes de l'Ouest. Les Chinois étaient 800 en 1850, 34 933 en 1860, 105 465 en 1880... Ils ne seront plus que 61 639 en 1920 et 74 954 en 1930. Les Japonais n'arrivèrent aux États-Unis qu'à la fin du siècle pour travailler, principalement, dans les exploitations agricoles de Californie et de Hawaii. Ils étaient 2 000 en 1890 et 24 326 en 1910. Ils seront 138 834 en 1930 (et près de 140 000 à Hawaii). Le nombre des résidents asiatiques était donc infime dans un pays qui comptait

---

1. Voir l'excellent article de synthèse de Peter Onuf, « Territories and Statehood », *in* Jack P. Greene (éd.), *Encyclopedia of American Political History*, New York, Scribner's, 1984, t. III, pp. 1283-1304.

près de 76 millions d'habitants en 1900 [1]. Mais cette présence suffit à provoquer des réactions xénophobes parfois violentes et, surtout, un puissant mouvement législatif de restriction des immigrés.

Historiquement, les premières restrictions ne visaient que trois cas particuliers : les étrangers politiquement indésirables, dont le comportement était jugé dangereux pour « la paix et la sécurité des États-Unis » lors de la présidence de John Adams (*Alien and Sedition Acts* de 1798) ; l'importation d'esclaves africains (interdite par le Congrès à partir du 1er janvier 1808) ; l'immigration de prostituées et de criminels à qui l'on aurait promis une remise de peine en cas d'exil (1875) [2]. Dès 1865, alors que la construction du transcontinental n'était pas encore achevée, la question de l'intégration des Chinois fut vivement débattue dans la presse et au Congrès. Un éditorialiste du *New York Times* doutait du tempérament démocratique des nouveaux arrivants « à l'âme païenne », ignorant tout de « notre liberté constitutionnelle ». Et de conclure avec cet avertissement solennel : « S'il devait y avoir un raz de marée chinois [...], il nous faudra[it] dire adieu au républicanisme. » Un an plus tard, le sénateur Cowan de Pennsylvanie s'inquiétait du « flot d'immigrants de la race mongole », qui risquait de « se déverser par millions sur les côtes du Pacifique ». Il anticipait le pire, alors qu'un de ses collègues croyait bon de comparer les États-Unis à une entreprise privée à responsabilité limitée dont les associés comprendraient, à la

---

1. Voir Roger Daniels, *Asian America. Chinese and Japanese in the United States since 1850* [1988], 3e éd., Seattle, University of Washington Press, 1995, pp. 69, 115 et 127 ; du même, « United States Policy towards Asian Immigrants : Contemporary Development in Historical Perspective », *International Journal*, t. LXVIII, n° 2, 1993, pp. 310-334. Pour la meilleure synthèse en français, voir Jean Heffer, *Les États-Unis et le Pacifique. Histoire d'une frontière*, Paris, Albin Michel, 1995, pp. 166-249.
2. Voir E.P. Hutchinson, *Legislative History of American Immigration Policy, 1798-1965*, Philadelphia, University of Pennsylvania Press, 1981, et l'excellent article de Gerald Neuman, « The Lost Century of American Immigration Law (1776-1865) », *Columbia Law Review*, t. XCIII, n° 8, 1993, pp. 1833-1901.

rigueur, des Européens, mais certainement pas d'Asiatiques ni d'Africains[1]. L'économiste progressiste Henry George, l'un des premiers critiques américains du darwinisme social et de l'économie libérale, dénonça lui aussi le péril jaune. Le problème, écrivait-il en 1869, est que le Chinois n'est pas « un simple barbare » comparable au Noir, à qui l'on pourrait tout « désapprendre » pour en faire un citoyen docile. Sa culture et ses habitudes de pensée « ont été rendues permanentes par le poids d'innombrables générations ». Il n'est donc pas assimilable ; il est et il restera un « païen total, traître, sensuel, peureux et cruel[2] ».

Face à une telle campagne d'opinion, renforcée par la pression des syndicats de travailleurs « blancs », qui craignaient la concurrence des Asiatiques à une époque de crise économique, le Congrès vota une première loi restrictive dite *Page Act* (1875). Strictement appliquée, cette loi interdisait l'immigration des travailleurs asiatiques « sous contrat » et des femmes célibataires (sous prétexte qu'elles pourraient se livrer à la prostitution !). Le *Chinese Exclusion Act* de 1882 était plus draconien encore, puisqu'il suspendait pendant dix ans l'entrée aux États-Unis de *tout* travailleur chinois, en admettant cependant quelques exceptions en faveur des commerçants et de certaines catégories d'intellectuels. Cette « suspension » fut reconduite par le législateur à trois reprises (en 1888, 1892 et 1904), avant de devenir permanente à partir de 1924.

La Cour suprême, dans une décision de 1884, interpréta la loi de 1882 de façon particulièrement restrictive et humi-

---

1. *New York Times*, 3 septembre 1865, cité dans Ronald Takaki, *Strangers from a Different Shore. A History of Asian Americans*, Harmondsworth, Penguin Books, 1990, p. 101 ; sénateur Cowan (30 mai 1866) et sénateur Davis (31 janvier 1866), respectivement cités dans Peter H. Schuck et Rogers Smith, *Citizenship without Consent. Illegal Aliens in the American Polity*, New Haven, Yale University Press, 1985, p. 152, notes 2 et 17.
2. Henry George, « The Chinese on the Pacific Coast », *New York Tribune*, 1er mai 1869, cité dans *ibid.*, p. 109. George est l'auteur d'un ouvrage à sensation intitulé *Progress and Poverty : An Inquiry into the Cause of Industrial Depressions and of Increase of Want with Increase of Wealth. The Remedy* (1879).

liante : elle interdisait aux résidents chinois légalement installés aux États-Unis de faire venir leurs familles et surtout
leurs épouses[1]. Il devait en résulter un extraordinaire déséquilibre entre les sexes, qui atteindra, quinze ans après le
passage du *Page Act*, la proportion moyenne de vingt-sept
hommes pour une femme dans la communauté chinoise de
Californie. Les Japonais, mieux protégés par un gouvernement fort qui avait impressionné les puissances occidentales
lors de sa victoire militaire sur la Russie, bénéficièrent d'un
gentlemen's agreement, plus souple que la Loi d'exclusion
des Chinois. Cet accord informel, négocié en 1907-1908,
réduisait l'immigration de travailleurs japonais sans l'interdire complètement, tout en permettant les réunifications
familiales. Le déséquilibre des sexes sera donc moins prononcé dans la communauté des Américains d'origine japonaise (6,5 hommes en moyenne pour une femme en 1910)[2].

En 1889, la Cour suprême devait confirmer la validité
des lois d'immigration des années 1880 et justifier celles-ci
au nom de deux principes déjà énoncés par les autorités
politiques de Californie : le respect des institutions politiques des États-Unis et l'« unité indivisible » de l'État de
Californie. Les Chinois, précisait la Cour, « sont restés des
étrangers qui choisissent de vivre à part et qui adhèrent [...]
à des usages inconnus dans notre pays. Incapables de modifier leurs habitudes ou leur mode de vie, il leur est apparemment impossible de s'assimiler à notre peuple ». Le problème, toujours d'après la Cour, est qu'ils forment une
communauté fermée, un État dans l'État – « un peuple chinois dans l'État [de Californie], n'exprimant aucun intérêt
pour notre pays et ses institutions ». Plus grave encore, leurs
habitudes de travail et leur frugalité légendaire sont telles

---

1. *Chew Heong v. United States*, 112 U.S. 536 (1884).
2. Bill Ong Hing, *Making and Remaking Asian America through Immigration Policy, 1850-1990*, Stanford, Stanford University Press, 1993, pp. 19-25 ; Sucheng Chan, *Asian Americans, an Interpretive History*, Boston, Twayne Publishers, 1991, pp. 103-108.

qu'ils entrent en concurrence « avec notre peuple » et provoquent, par réaction, du ressentiment et des violences contraires à l'ordre public. Le législateur a donc parfaitement raison de prendre les mesures qui s'imposent pour mettre un terme à ce qui « s'apparente à une invasion orientale, et une menace pour notre civilisation[1] ».

De façon plus humiliante encore, le Congrès interdit expressément la naturalisation des immigrés asiatiques et de leurs enfants nés sur le sol américain, alors que le principe du *jus soli* (droit du sol) était la norme affichée pour les Blancs depuis 1790, et pour les Noirs depuis le passage du *Civil Rights Act* de 1866. Il faudra attendre trente ans pour que la Cour suprême reconnaisse enfin la citoyenneté des enfants asiatiques nés sur le sol américain, avec l'arrêt *United States v. Wong Kim Ark* (*1898*) : le *jus soli* était bien la règle constitutionnelle à laquelle tous les États devaient se soumettre[2]. Mais la loi fédérale n'offrait pas aux immigrés chinois (nés à l'étranger) le droit à la naturalisation. Cette mesure, injuste et discriminatoire, fut confirmée par la grande loi d'immigration restrictionniste de 1924. L'interdit ne sera levé qu'en 1943 pour récompenser le patriotisme

---

1. *Chae Chan Ping v. United States* (Chinese Exclusion Case), 130 U.S. 581 (1889), cité par B. O. Hing, *Making and Remaking Asian America, op. cit.*, pp. 221-224. Dans cette décision, le juge Field fait longuement référence aux débats politiques de la Convention constitutionnelle de 1878, chargée d'élaborer une nouvelle Constitution pour l'État de Californie. À noter qu'en 1879 les électeurs de Californie se prononcèrent massivement, par référendum, contre le maintien de l'immigration chinoise : 154 638 électeurs votèrent contre l'immigration et 883, seulement, pour le maintien de l'immigration.

2. *United States v. Wong Kim Ark*, 169 U.S. 649 (1898). Ratifié en 1868, le 14e amendement prévoyait en effet que « toute personne née ou naturalisée aux États-Unis, et soumise à leur juridiction, est citoyen des États-Unis ». Quant aux « étrangers d'origine africaine », ils sont reconnus aptes à la naturalisation depuis le passage du *Nationality Act* de 1870. Seuls les Amérindiens relevant d'entités tribales quasi souveraines et les diplomates étrangers résidant aux États-Unis ne disposent pas du droit d'accès à la citoyenneté. Aujourd'hui, comme le reconnaît expressément le législateur depuis 1982, tout Amérindien né aux États-Unis devient automatiquement citoyen, quelle que soit la tribu à laquelle il appartient. Voir P. Schuck et R. Smith, *Citizenship without Consent, op. cit.*, pp. 73-89 et les commentaires critiques de Gerald Neuman, « Back to Dred Scott ? », *San Diego Law Review*, t. XXIV, 1987, pp. 485-500, et David A. Martin, « Membership and Consent : Abstract or Organic ? », *Yale Journal of International Law*, t. XI, 1985, pp. 278-296.

d'un peuple allié aux États-Unis dans la lutte contre le Japon.

Les sommets de l'absurdité raciale furent atteints en 1923, lorsque la Cour suprême s'interrogea sur les possibilités de naturalisation d'un immigré indien « de caste élevée », originaire du Punjab, légalement installé aux États-Unis. Une loi de 1917 avait réservé les droits de naturalisation aux « personnes étrangères libres et blanches, ainsi qu'aux Africains de naissance et aux personnes d'origine africaine ». D'après les théories scientifiques en vogue à l'époque, les Indiens étaient des « Aryens » qui appartenaient depuis toujours à la « race » caucasienne. Un Indien pouvait donc espérer être traité comme n'importe quel « Blanc ». Mais c'était oublier l'impact de la *doxa* sur le raisonnement des magistrats. Pour le juge Sutherland, les Scandinaves « blonds » et les Indiens « bruns » partageaient bien des origines aryennes qui remontaient aux « profondeurs incertaines de l'Antiquité ». C'était, du moins, l'opinion de la science. Mais l'usage « scientifique » du mot « Caucasien » n'était pas celui qu'avait retenu l'Américain moyen. Or, c'est bien l'« usage populaire du mot », selon le juge, qui devait être retenu par la Cour suprême. Les Indiens, malgré ce qu'en disaient les ethnologues, révélaient des caractéristiques physiques qui les distinguaient radicalement des Anglais, des Français, des Allemands, des Italiens et des Scandinaves. Les enfants de ces derniers étaient manifestement faits pour « se fondre rapidement dans la masse de notre population, et pour perdre les traits distinctifs de leur origine européenne », tandis que les enfants indiens étaient, hélas, inassimilables : « Il ne fait aucun doute, déclarait le juge, qu'ils vont garder indéfiniment la marque évidente de leur origine. Loin de nous l'idée d'exprimer une quelconque supériorité raciale [...]. Ce que nous voulons dire, c'est qu'il y a simplement une différence raciale. Elle est si prononcée, comme le reconnaît instinctivement l'immense majorité de notre peuple, qu'elle exclut l'idée même de [leur] assimilation. » Et de conclure : le législateur a bien joué son rôle de souverain populaire en interdisant la naturalisation de ces Aryens à la peau brune [1].

Même un magistrat comme le juge Harlan, partisan convaincu d'une Constitution « aveugle aux différences de couleur », affirma dans son rejet de la fameuse décision *Plessy v. Ferguson*, qui officialisait la ségrégation raciale jusqu'aux années 1950 : « La race blanche se considère la race dominante dans ce pays. Elle l'est, effectivement, en matière de prestige, de réalisations, d'enseignement, de richesse et de pouvoir. Et je ne doute point qu'il en soit ainsi pour toujours, si elle reste fidèle à son incomparable héritage ainsi qu'aux principes de la liberté constitution-nelle [2]. » C'est dire combien fut grande l'influence du dar-winisme social, puisque le moins raciste des juges américains restait quand même, fondamentalement, un raciste [3].

La loi d'immigration de 1924 allait marquer le triomphe du mouvement restrictionniste. Elle interdisait de façon définitive l'immigration d'« étrangers reconnus inaptes à la citoyenneté », ce qui visait en premier lieu les Asiatiques : les Chinois, exclus de la naturalisation depuis 1870, et sur-tout les Japonais, qui bénéficiaient encore des privilèges du *gentlemen's agreement* de 1907. Seuls les Philippins échap-pèrent aux rigueurs de la loi, bien qu'ils ne pussent préten-dre accéder à la citoyenneté. Il faudra attendre près de trente ans pour que le Congrès vote une loi racialement neutre en matière d'immigration, le *McCarran-Walter Act* de 1952. Cette loi, en effet, levait toute interdiction de naturalisation fondée sur des critères raciaux. Mais son impact était limité puisqu'elle réservait un quota annuel de 100 immigrants par

---

1. Opinion du juge Sutherland, *United States v. Bhagat Singh Thind*, 261 U.S. 204 (1923), cité dans B. O. Hing, *Making and Remaking Asian America, op. cit.*, pp. 229-230.

2. *Dissenting opinion* du juge Harlan, *Plessy v. Ferguson*, 163 U.S. 537 (1896).

3. C'est ce qu'observe ironiquement le juge Ginsburg dans une *dissenting opinion* exprimée dans l'arrêt *Adarand v. Pena, United States Law Week*, t. LXIII, n° 47, 13 juin 1995, p. 4543.

an à chacun des pays d'Asie du Sud-Est. La réalité, cependant, fut tout autre. Les clauses de réunification familiale prévues par la loi permettaient de dépasser ces infimes quotas. Ainsi, environ 20 000 Chinois et 60 000 Japonais émigrèrent aux États-Unis entre 1952 et 1964[1]. C'est seulement à partir de 1965 qu'on observera un phénomène d'immigration de masse comparable dans son ampleur à celui du tournant du siècle, et bien plus favorable aux immigrants d'origine asiatique et latino-américaine (voir chapitre 5)[2].

À la fin du XIXe siècle et au début du XXe, d'autres immigrants d'origine européenne allaient bénéficier des avantages de la naturalisation et de la citoyenneté. Mais ils ne furent pas nécessairement bien accueillis. Tout dépendait, aux yeux des élites anglo-saxonnes, de leur capacité d'assimilation.

Ces nouveaux immigrants qui font peur...

Les Asiatiques étaient, manifestement, « inassimilables ». Qu'en était-il de cette « plèbe amorphe et bigarrée » composée de « Slavo-Latins » et de « Juifs d'Orient », qui débarqua en masse à la fin du XIXe siècle ? Était-elle trop « exotique » pour produire de véritables Américains, comme le laissait entendre André Siegfried dans la 10e édition de ses *États-Unis d'aujourd'hui* ?

Avec une inondation cinquantenaire, aujourd'hui colmatée mais non résorbée, de Slavo-Latins catholiques et de Juifs d'Orient,

1. Alliés des États-Unis pendant la Seconde Guerre mondiale, les Chinois bénéficient d'un quota d'entrée de 105 personnes par an depuis 1943. En fait, les clauses de réunification familiale ont permis à 11 058 Chinois (dont 10 000 femmes) de s'installer aux États-Unis entre 1945 et 1952. 20 000 Chinois suivirent entre 1952 et 1960. Voir R. Daniels, « United States Policy towards Asian Immigrants », art. cité, pp. 313-319, et B. O. Hing, *Making and Remaking Asian America, op. cit.*, pp. 32-38.
2. Nancy Green remarque ainsi : « Alors que la première vague d'immigration asiatique avait amené 1 million de Chinois, Japonais, Philippins, Coréens et Indiens d'Asie entre 1849 et 1924, il en débarque 3,5 millions dans les deux décennies suivant la loi [d'immigration] de 1965 » (*Et ils peuplèrent l'Amérique. L'odyssée des émigrants*, Paris, Gallimard, coll. « Découvertes », 1994, pp. 107-108).

peut-on espérer maintenir dans leur intégrité l'esprit protestant et la civilisation d'essence britannique, qui au XVIIe, et XVIIIe siècles, ont formé la personnalité morale et politique des États-Unis[1] ?

Cette interrogation, d'après Siegfried, était d'abord celle des « Américains de vieille souche », qui menaient le combat pour le contrôle de l'immigration au nom des meilleurs principes du darwinisme social. Parmi ceux-ci, Francis Walker, le président du MIT (Massachusetts Institute of Technology) et de l'American Economic Association ; Henry Cabot Lodge, futur sénateur et détenteur du premier Ph. D. de science politique décerné par Harvard ; l'historien réputé Henry Adams ; l'avocat Prescott Hall, qui fonda en 1894 l'Immigration Restriction League... Pour ce dernier, le « nouvel immigrant » européen représentait un immense péril pour la survie de la nation :

> Il faut se souvenir que nos institutions furent créées par une communauté relativement homogène, composée des meilleurs éléments d'une population [dûment] sélectionnée par les circonstances [religieuses] de leur départ vers le Nouveau Monde. Aujourd'hui, la grande majorité des immigrants n'est plus [triée sur le volet]. Ceux [qui viennent ici sont] les pires spécimens des peuples européens et asiatiques. Si les fondateurs de la nation avaient été constitués de ces types [humains], pouvait-on imaginer une seconde que ce pays dispose d'une telle civilisation[2] ?

L'Amérique était aux mains de barbares, et les leaders des générations à venir ne pouvaient être que des sous-hommes qui détruiraient l'édifice politique patiemment éla-

---

1. André Siegfried, *Les États-Unis d'aujourd'hui* [1927], Paris, Armand Colin, 1931, pp. 7-9 (ouvrage réédité jusqu'en 1951). Sur le darwinisme social de Siegfried, sa réticence à faire venir trop d'étrangers dans la France de l'entre-deux-guerres et son attachement tardif aux thèses bien désuètes de l'anthropologie raciale, voir Pierre Birnbaum, *La France aux Français. Histoire des haines nationalistes*, Paris, Éd. du Seuil, 1993, pp. 145-186.

2. Prescott F. Hall, cité dans Howard M. Sachar, *A History of the Jews in America*, New York, Knopf, 1992, p. 281. On trouvera une brillante analyse de l'intelligentsia restrictionniste dans John Higham, *Strangers in the Land. Patterns of American Nativism, 1860-1925* [1955], 2e éd., New Brunswick, Rutgers University Press, 1988, pp. 68-105.

boré par les Pères fondateurs. La menace n'était donc pas seulement ethnique ou raciale ; elle était aussi d'ordre moral et politique. D'où la force de persuasion des arguments restrictionnistes.

L'opposition facile entre la vieille immigration, vertueuse, mobilisant des êtres d'exception, et la nouvelle, composée de pauvres hères, incapables d'assimiler les vraies valeurs américaines, était au cœur de l'idéologie nativiste de cette fin de siècle. Comment définir la « nouvelle immigration » ? Marquait-elle une rupture, un « renversement radical » des flux migratoires traditionnels ? S'agissait-il, comme l'affirmait Siegfried, d'un « véritable raz de marée », susceptible à terme d'effacer toute trace d'hégémonie anglo-saxonne[1] ?

Les historiens de l'immigration ont bien analysé le phénomène : en distinguant plusieurs périodes au sein des grands flux migratoires, ils ont mis en évidence les changements de population les plus significatifs. De 1880 à 1889, environ 20 % des immigrants venaient d'Europe du Sud (Italie, Grèce, Balkans), d'Europe centrale (Autriche-Hongrie) et d'Europe de l'Est (Pologne, Ukraine, Russie, pays baltes). Entre 1890 et 1899, ces mêmes groupes représentaient 53 % de l'immigration totale, puis 75 % de 1900 à 1909. Les « Slavo-Latins » étaient bien les plus nombreux. Entre 1899 et 1924, 3 820 986 Italiens, 3 406 667 Slaves, 1 837 855 « Hébreux » (selon la terminologie du Bureau of the Census)... débarquèrent aux États-Unis. L'immigration d'Europe du Nord n'avait pas cessé, mais elle était proportionnellement moins nombreuse : 1 316 614 Allemands, 956 308 Scandinaves, 983 982 Britanniques et 808 762 Irlandais arrivèrent aux États-Unis à la même époque. L'élément britannique était désormais le plus faible : dans les années 1870, un immigrant sur quatre avait encore une origine britannique ; dès la décennie suivante, cette proportion était

---

1. A. Siegfried, *Les États-Unis d'aujourd'hui*, op. cit., p. 6.

tombée à un immigrant sur huit[1]. L'intelligentsia anglophile et darwino-sociale avait toutes les raisons de s'inquiéter : c'était bien une autre Europe, attirée par les facilités de la navigation transatlantique et les progrès de la révolution industrielle américaine, qui partait à la conquête du Nouveau Monde. C'est aussi à cette époque que se multiplièrent les incidents et les violences contre les nouveaux venus. Aucun groupe ethnique n'échappa au déchaînement des passions nativistes.

Les premières victimes de violences racistes, au lendemain de la guerre de Sécession, furent les travailleurs chinois de Californie, accusés de « voler » les emplois des Américains de souche en acceptant des salaires de misère et des conditions de travail indignes d'un être civilisé. Le développement spectaculaire du syndicalisme à l'ouest des Rocheuses devait une bonne part de son succès à la xénophobie anti-orientale des ouvriers blancs, souvent eux-mêmes des immigrants récents, comme l'Irlandais Dennis Kearny, le fondateur à San Francisco du Workingmen's Party (voir chapitre 3).

Les émeutes anti-chinoises étaient fréquentes en période de crise économique. Elles visaient principalement les ouvriers des mines d'or et de charbon, des entreprises de construction de chemin de fer et certains entrepreneurs indépendants dont le succès apparaissait comme une menace pour leurs concurrents anglo-américains. Ces émeutes furent souvent accompagnées de lynchages et d'incendies dévastateurs. Ainsi, en 1877, à Chico, dans la vallée du Sacramento, des syndicalistes blancs agressèrent quatre Chinois qui périrent brûlés vifs. En 1885, treize Chinois furent victimes de lynchages à San Francisco et vingt-huit autres

---

1. Lawrence Fuchs, *The American Kaleidoscope*, Hanover, Wesleyan University Press, 1990, p. 56 ; Thomas J. Archdeacon, *Becoming American. An Ethnic History*, New York, Free Press, 1983, pp. 112-142. La source fondamentale pour cette période reste Imre Ferenczi, *International Migrations*, t. I, *Statistics*, New York, National Bureau of Economic Research, 1929.

assassinés à Rock Springs dans le territoire du Wyoming, pour avoir refusé de participer à une grève. La même année, les autorités municipales de la petite ville de Tacoma, dans le territoire de Washington, expulsèrent les six cents résidents du *Chinatown* local, avant de procéder à sa destruction complète ; l'année suivante, trois cent cinquante Chinois furent chassés *manu militari* du *Chinatown* de Seattle. En 1887, un gang d'*Anglos* exécuta à coups de fusil trente et un chercheurs d'or chinois à Hells Canyon dans l'Oregon... Dans tous les cas, des jurys blancs compatissants acquittèrent les auteurs des meurtres ou les condamnèrent à des peines légères [1]. Mais, comme l'a bien observé Sucheng Chan, ce sont moins les violences subies qui distinguaient les immigrés asiatiques de leurs homologues européens que le dispositif de lois scélérates qui les empêchait d'acquérir la citoyenneté, leur interdisait l'accès à la propriété terrienne, les cantonnait dans des ghettos urbains et devait bientôt leur défendre de faire venir leurs épouses ou des membres de leurs familles proches [2].

Certains Européens jugés « inassimilables » étaient aussi l'objet de violences xénophobes. Ces violences, au lendemain de la guerre de Sécession, touchèrent d'abord des grévistes et des syndicalistes à qui l'on reprochait l'importation d'idées « rouges », contraires aux valeurs américaines : l'anarcho-syndicalisme, le socialisme, le communisme... L'attentat anarchiste du Haymarket Square à Chicago, en 1886, déclencha « un torrent d'hystérie nationaliste [3] », bien

---

1. Sucheng Chan, *Asian Americans : An Interpretive History*, Boston, Twayne Publishers, 1991, pp. 45-61 ; « Files in Oregon Detail Slaying of 31 Chinese », *New York Times*, 20 août 1995 ; Roger Daniels, *Asian America, op. cit.*, pp. 29-66 ; George M. Fredrickson, *White Supremacy*, New York, Oxford University Press, 1982, pp. 221-234 ; et plus généralement Alexander Saxton, *The Indispensable Enemy : Labor and the Anti-Chinese Movement in California*, Berkeley, University of California Press, 1971.

2. Sucheng Chan, « European and Asian Immigration into the United States », *in* Virginia Yans-McLaughlin (éd.), *Immigration Reconsidered*, Oxford, Oxford University Press, 1990, pp. 61-62.

3. J. Higham, *Strangers in the Land, op. cit.*, p. 54.

illustré par la virulence des journaux de l'époque qui se déchaînèrent contre ces « forces ennemies [qui] ne sont pas américaines, [mais] de la canaille, une chienlit de coupe-jarrets à la solde de Belzébuth, [débarqués des rives] du Rhin, du Danube, de la Vistule et de l'Elbe [1] ». Ceux que la presse dénonçait comme des « assassins européens » étaient des anarchistes d'origine allemande, pour la plupart, qui collaboraient aux deux grands quotidiens américains de l'International Working People's Association, *The Alarm* et *Die Arbeiter Zeitung*. À la suite d'un procès expéditif, huit accusés, dont cinq immigrants allemands, furent condamnés à mort et presque immédiatement exécutés par pendaison. Quel était leur crime ? La défense d'idées anarchistes, l'organisation de manifestations « rouges » et de grèves ouvrières... Le procureur public n'avait pas réussi à démontrer leur participation, même indirecte, à l'attentat du Haymarket, mais le motif d'une « conspiration étrangère » suffit à emporter la conviction du jury [2].

Dans les années 1890, d'autres « étrangers » d'origine slave ou hongroise furent aussi les victimes de violences policières, en particulier dans les villes minières de Pennsylvanie. On leur reprochait l'organisation de grèves ou de manifestations ouvrières contraires aux intérêts du patronat. En 1891, un bataillon de la milice de l'État n'hésita pas à tirer sur dix grévistes, dénoncés comme de dangereux « Huns ». Six ans plus tard, le shérif de la petite ville minière de Hazleton tua dans des circonstances similaires vingt et un manifestants d'origine hongroise et polonaise. À l'ouest et dans le sud du pays, les immigrés italiens furent à leur tour victimes de haines raciales. John Higham relève ainsi six lynchages d'Italiens dans une communauté minière du Colorado en 1895 et trois autres lynchages en Louisiane, en 1896. L'incident le plus grave eut lieu en 1891 à La

1. Cité dans *ibid.*
2. Paul Avrich, *The Haymarket Tragedy*, Princeton, Princeton University Press, 1984, pp. 94-99, 232-235 et 260-293.

Nouvelle-Orléans, où vivaient quelque trente mille immigrés débarqués de Sicile et du sud de l'Italie. L'assassinat du chef de la police provoqua des scènes de violence hystérique. Un témoin soupçonna des Italiens, ce qui entraîna des centaines d'arrestations suivies d'un procès expéditif. Faute de preuves, les principaux accusés d'origine italienne furent déclarés non-coupables par un jury d'Anglo-Américains. À l'annonce du verdict, le public en colère s'empara des prévenus et lyncha dans la foulée onze Italo-Américains. Cette scène atroce de « justice populaire » reçut l'assentiment des édiles politiques de la ville – ce qui devait provoquer la rupture des relations diplomatiques entre Rome et Washington [1].

Les passions xénophobes de cette fin de siècle visèrent également les émigrants juifs, nombreux à quitter les empires du Centre et de l'Est européen. Les premières manifestations d'antisémitisme organisé eurent lieu à la fin des années 1880, lorsque des fermiers endettés mirent le feu à des magasins de commerçants juifs de Louisiane et du Mississippi. Dans le New Jersey, en 1891, les ouvriers d'une verrerie mobilisés contre l'embauche de Juifs russes chassèrent, après trois jours d'émeute, tous les résidents juifs de leur petite ville. L'incident le plus grave toucha le patron d'une usine de crayons d'Atlanta (Géorgie), injustement accusé du meurtre d'une jeune employée de treize ans, Mary Phagan. Le « coupable », Leo Frank, fils de Juifs allemands, élevé à Brooklyn et éduqué à l'université Cornell, était, d'après la presse antisémite d'Atlanta, l'incarnation même du « diable » : un « juif pervers » qui aurait porté atteinte à l'honneur de la race blanche en violentant une jeune chrétienne. Leo Frank fut condamné à mort pour meurtre avec préméditation. Mais le gouverneur de l'État commua la sentence en une peine de prison à vie, pour ne pas répéter l'acte inique « d'un autre

---

1. J. Higham, *Strangers in the Land, op. cit.*, pp. 88-91 ; A. DeConde, *Ethnicity, Race and American Foreign Policy, op. cit.*, p. 53.

gouverneur [qui], il y a deux mille ans, se lava les mains [...] et livra un Juif à la populace ». Caché dans une prison rurale à plus de cent kilomètres d'Atlanta, Leo Frank fut néanmoins découvert par une foule fanatique, entraîné dans une clairière et pendu à la branche d'un chêne. À Atlanta, quinze mille curieux envahirent la maison funéraire où avait été déposé le corps du martyr dans l'espoir d'y voir, selon la rumeur, la « tête du diable [1] ».

Toutefois, les lynchages de cette nature étaient exceptionnels. La seule campagne antisémite d'envergure fut lancée par voie de presse, au début des années 1920, par le constructeur d'automobiles Henry Ford, dans son journal du Michigan, le *Dearborn Independent*. C'est ainsi que le grand public put découvrir les thèses, désormais célèbres, des *Protocoles des Sages de Sion*. Henry Ford et ses rédacteurs n'avaient de cesse de dénoncer le « complot juif international », la corruption des « idées juives », le caractère « inassimilable » du Juif cosmopolite, la « finance juive » accusée de contrôler l'industrie américaine et le « bolchevisme juif » qu'on disait noyauter les syndicats, les églises et les universités... L'Amérique devait se ressaisir, comme le proclamait cet appel grandiose publié en janvier 1922 à l'issue d'une série d'articles consacrés à la « juiverie internationale » : « Soyons à jamais des Américains et des Chrétiens [2]. » L'argument avait manifestement porté puisque, à la même époque, les meilleures universités de l'Ivy League choisirent de contrôler l'« élément hébraïque » en introduisant des quotas d'admission restrictifs (voir chapitre 8). On reprochait aux étudiants juifs d'être trop visibles, trop vulgaires, et surtout de se comporter en « arrivistes », par excès de zèle dans leurs études. On attendait alors de l'élève bien-né qu'il privilégie sa vie sociale sur le travail universitaire et qu'il se contente de notes « passables », seules dignes d'un *gentleman* [3].

1. Voir H. Sachar, *A History of Jews in America, op. cit.*, pp. 304-308.
2. Cités dans *ibid.*, pp. 308-315.
3. C'est ce qu'on appelait alors le *Gentleman's C* (le 8/20 du gentleman). Voir

C'est aussi à cette époque que le législateur décida d'imposer de nouveaux quotas d'immigration, d'abord en 1921,
puis en 1924. En privilégiant les « Nordiques » sur les
« Slavo-Latins », le Congrès restreignait nécessairement la
part de « l'élément hébraïque » dans l'immigration totale.
Les effets de ces lois restrictionnistes furent spectaculaires.
Chaque année, entre 1904 et 1914, environ 108 000 Juifs
d'Europe de l'Est entraient aux États-Unis ; ils n'étaient
plus que 50 000 en 1924 et moins de 10 000 après cette date [1].
L'antisémitisme popularisé par des leaders politiques
comme Ignatius Donnelly ou Robert La Follette, ou encore
par des intellectuels respectés comme Henry Adams, et plus
tard par un grand industriel comme Henry Ford, avait
porté ses fruits : l'Amérique fermait ses portes aux « Juifs
d'Orient » et aux « Slavo-Latins », aussi inassimilables les
uns que les autres...

Des moyens plus subtils furent parfois déployés pour
limiter le nombre des nouveaux immigrants. Parmi ceux-ci,
l'« examen de lecture » exigé dès 1894 par les fondateurs de
l'*Immigration Restriction League*. L'idée était simple et facile
à mettre en place : ne seraient acceptés aux États-Unis que
les étrangers capables de lire un texte court, rédigé dans la
langue de leur choix. Personne n'était dupe des intentions
des auteurs du projet : les Anglais, les Allemands et les
Scandinaves qui débarquaient à Ellis Island ne comprenaient
qu'un petit nombre d'illettrés (moins de 5 %), alors que les
immigrants juifs, polonais, italiens ou slovaques avaient des
taux élevés d'illettrisme (26 %, 35 %, 47 %, 24 % respectivement) [2]. Il s'agissait bien de limiter l'invasion des « Slavo-

---

Gerald Sorin, *A Time for Building. The Third Migration, 1880-1920*, t. III de *The Jewish People in America* (Henry L. Feingold, éd.), Baltimore, Johns Hopkins University Press, p. 239, et surtout, pour un exceptionnel travail d'archives, Dan A. Oren, *Joining the Club. A History of Jews at Yale*, New Haven, Yale University Press, 1985.
1. Moyenne annuelle calculée d'après G. Sorin, *A Time for Building, op. cit.*, tableau 3, p. 58.
2. Th. Archdeacon, *Becoming American, op. cit.*, p. 152.

Latins ». L'un des partisans les plus acharnés de l'examen de lecture – Henry Cabot Lodge, le sénateur du Massachusetts – expliquait les raisons de son choix au Congrès en invoquant un double objectif : garantir le « mérite » des immigrants, mais aussi et surtout quelque chose de plus profond et de plus insaisissable : « l'âme de [leur] race », c'est-à-dire « le capital d'idées, de traditions, de sentiments » qui s'accroît à travers les siècles et se transmet par héritage. Ces qualités, affirmait-il, disparaîtraient si « une race inférieure se mêlait avec une race supérieure[1] ».

Le recours à l'examen de lecture n'était donc qu'un moyen hypocrite, à peine voilé, de préserver la suprématie démographique des Anglo-Saxons. Voté à trois reprises par le Congrès, en 1896, en 1912 et en 1914, ce projet méritocratique de contrôle de l'immigration fut bloqué par trois présidents (Cleveland, Taft et Wilson), pour une raison éminemment politique : la mobilisation du lobby des immigrants, disposant de ses propres organes de presse et d'une imposante masse électorale. Aucun président – progressiste ou conservateur, démocrate ou républicain – ne pouvait ignorer le « vote ethnique », et c'est bien ce vote, désormais accordé aux étrangers naturalisés, qui facilita le retour au pouvoir des républicains avec l'élection de McKinley en 1896. « Face à la montée du conservatisme immigrant, les [courants] nativistes antiprogressistes avaient perdu leur raison d'être[2]. » La démocratie américaine, malgré ses limites, avait fait la preuve de ses capacités d'inclusion. L'assimilation de l'immigrant n'était pas seulement culturelle ; elle

---

1. Henry Cabot Lodge, « Immigration Restriction », *Congressional Record*, 1896, cité par Rogers Smith, « Beyond Tocqueville, Myrdal and Hartz : The Multiple Traditions in America », *American Political Science Review*, t. LXXXVII, n° 3, 1993, p. 560.

2. J. Higham, *Strangers in the Land*, *op. cit*, p. 104. Le président démocrate Wilson, comme ses prédécesseurs républicains, apprendra lui aussi à mobiliser le vote ethnique. Il obtiendra ainsi le soutien massif des électeurs polono-américains, lors des élections de 1916, un an après avoir opposé son veto au fameux projet d'« examen de lecture ». Mais le Congrès réussira à imposer sa volonté en renversant un autre veto présidentiel, en 1917.

était aussi politique, grâce au travail patient des agents électoraux organisés et mobilisés au sein des « machines politiques », particulièrement puissantes dans les grandes villes du Midwest et du nord-est des États-Unis[1].

L'effacement définitif de la culture germano-américaine

Pour l'intelligentsia anglo-saxonne, un « nouvel immigrant » ne valait pas un « vieil immigrant ». Pourtant, les plus nombreux des vieux immigrants, les Allemands[2], furent l'objet d'une campagne de brimades et d'hystérie xénophobe qui allait anéantir de façon définitive la spécificité de la culture germano-américaine. La Première Guerre mondiale et surtout l'engagement américain auprès des Alliés expliquent, sans en justifier les excès, le déchaînement des passions germanophobes. Les Germano-Américains, à la veille de la guerre, constituaient une véritable communauté autonome, structurée par des traditions préservées ou réinventées en Amérique du Nord et maintenues dans des institutions particulières : écoles, lieux de culte, sociétés d'entraide, clubs sportifs et culturels, etc.

La presse de langue allemande, le meilleur indicateur de la culture germanique, comprenait plus de huit cents titres dans les années 1890, soit 80 % de l'ensemble des journaux publiés en langue étrangère. Deuxième langue des États-Unis, l'allemand, à la veille de la guerre, était pratiqué par 24 % des lycéens (contre 9 % pour le français et 2 % pour l'espagnol). Attirés par l'immense prestige des universités allemandes, plus de dix mille étudiants américains poursuivaient à la même époque leurs études en Allemagne. La

---

1. Voir Moisei Ostrogorski, *La Démocratie et les partis* [1902], Paris, Fayard, 1993 (préface de Pierre Avril), et Harold F. Gosnell, *Machine Politics. Chicago Model* [1938], Chicago, University of Chicago Press, 1968.
2. En 1910, huit millions d'Américains étaient nés en Allemagne, ou bien avaient des parents ou des grands-parents nés en Allemagne.

culture allemande était particulièrement présente dans les régions de forte immigration du Middle West, grâce à la mise en place d'un système d'enseignement bilingue obligatoire dans les écoles publiques de grandes villes comme Cleveland, Milwaukee, Indianapolis, Saint Louis... Selon les estimations de Kathleen Conzen, en 1836, 430 000 élèves des écoles primaires étaient scolarisés en allemand, dont un tiers dans des écoles publiques et deux tiers dans des écoles confessionnelles, catholiques ou protestantes[1]. Les Églises allemandes étaient, naturellement, des hauts lieux de la germanophonie : chez les luthériens, à cause d'une vieille tradition liturgique et doctrinale exprimée en haut allemand ; chez les catholiques, parce que les immigrants comprenaient de nombreux prêtres, moines ou sœurs formés et recrutés en Europe, qui avaient créé en Amérique des écoles de langue allemande et maintenaient une préférence pour la prédication germanophone. Puisque « la langue préservait la foi », les communautés locales les plus religieuses étaient aussi « les moins américanisées », selon l'observation de Conzen[2].

Outre la presse, les Églises et un système d'enseignement respectueux de la langue des immigrants, la culture allemande, comme la culture irlandaise ou italienne, fut maintenue grâce à un puissant réseau associatif et d'innombrables manifestations folkloriques et commémoratives. La *Vereinswesen* (« vie associative ») nord-américaine était centrée sur des associations de métiers, des groupements de gymnastes, comme le mouvement Turner, très populaire au milieu du XIXᵉ siècle, des sociétés d'entraide, des chorales, des sociétés littéraires et politiques. Ces associations se regroupèrent en 1901 au sein d'une immense fédération, la Deutschameri-

---

1. Kathleen Neils Conzen, « Germans », *in* Stephan Thernstrom (éd.), *Harvard Encyclopedia of American Ethnic Groups*, Cambridge, Harvard University Press, 1980, p. 420.
2. *Ibid.*, p. 418. Il y avait ainsi, en 1916, 1 890 paroisses catholiques de langue allemande.

kanischer Nationalbund, dont le but avoué était la défense de la culture allemande et sa promotion dans les écoles publiques. Les fréquentes festivités germaniques – carnavals, fêtes de gymnastes (*Turnerfest*), fêtes de la bière (*Oktoberfest*), parades urbaines, commémorations d'Arminius (l'équivalent germain de Vercingétorix, d'après Tacite), de Pastorius (le fondateur de Germantown en Pensylvanie), de Schiller ou de Beethoven – témoignaient toutes de la vigueur d'une culture populaire qui transcendait les barrières sociales, religieuses et régionales, et consolidait, en Amérique comme en Allemagne, le sentiment d'appartenir à une véritable nation allemande [1].

Or, cette culture allemande, décrite par ses défenseurs comme une « culture supérieure », la seule qui pût empêcher la deuxième ou la troisième génération des immigrés de « sombrer dans une culture [américaine] médiocre [2] », allait s'effondrer en l'espace de cinq ans, au moment de la Première Guerre mondiale.

Dès le début du conflit, un climat de suspicion sépara les *Anglos* des Germano-Américains, à tel point que ceux-ci se crurent obligés de modifier, par prudence, leur comportement public. Un exemple typique : Frieda Warburg, l'épouse du banquier américain d'origine allemande Felix Warburg, évoque une discussion avec son père, Jacob Schiff, lui aussi d'origine allemande, émigré aux États-Unis à vingt-six ans et devenu l'un des principaux partenaires de la grande banque d'investissement Kuhn, Loeb & Co. C'est l'année 1914 et la guerre vient de commencer... La fille et

1. Cette culture populaire est admirablement décrite par Kathleen Conzen, « Ethnicity as Festive Culture : XIXth century German America on Parade », *in* Werner Sollors (éd.), *The Invention of Ethnicity*, New York, Oxford University Press, 1989, pp. 44-76. L'importance du mythe d'Arminius dans la construction du nationalisme allemand est bien décrite par Michael Werner, « La Germanie de Tacite », *Le Débat*, n° 78, 1994, pp. 42-61.

2. Le germaniste américain Julius Goebel, cité par Henry Schmidt dans « The Rhetoric of Survival : The Germanist in America from 1900 to 1925 », *in* Frank Trommler et Joseph McVeigh (éd.), *America and the Germans*, Philadelphia, University of Pennsylvania Press, 1985, t. II, p. 209.

le père déambulent dans le quartier du port de Manhattan. Frieda s'exprime en allemand, comme à son habitude, mais elle observe un phénomène nouveau : le regard désapprobateur des passants. Il n'y a pourtant aucune raison de s'inquiéter : l'Amérique est une puissance neutre et les Allemands ne sont pas encore présentés comme des monstres, des « Boches » ou des « Huns ». Mais elle craint pour l'avenir ; sa réaction est immédiate : « Père, désormais, nous ne pourrons plus parler ainsi [1]... » L'allemand avait cessé d'être une langue innocente. Très vite, la « grande culture » allemande allait s'effacer de la scène publique : les opéras allemands furent retirés du répertoire classique, Beethoven disparut des programmes radiophoniques, les bibliothèques cessèrent de se fournir en littérature allemande et, en matière culinaire, la *sauerkraut* devint du *liberty cabbage* et le *hamburger* du *Salisbury steak*.

Une véritable « panique linguistique [2] » saisit l'Amérique au lendemain de son entrée en guerre. Dès juin 1917, une loi fédérale interdit l'impression, la publication et la diffusion de tout texte rédigé dans une langue étrangère qui ferait référence au « gouvernement des États-Unis, ou à une quelconque nation engagée dans la guerre actuelle, à sa politique, aux relations internationales ou à tout sujet concernant la conduite de la guerre [3] »... L'unilinguisme fut défendu au nom de la patrie en danger et de l'unité nationale. Un législateur de l'Illinois douta ainsi de la « loyauté » de ces municipalités qui toléraient encore des « écoles primaires

---

1. Le propos est cité par Ron Chernow, *The Warburgs*, New York, Random House, 1993, p. 157. Je remercie le professeur David Landes pour m'avoir signalé cet incident révélateur du climat de l'époque.

2. J'emprunte cette expression à l'excellent ouvrage de Dennis Baron, *The English Only Question. An Official Language for Americans ?*, New Haven, Yale University Press, 1990, p. 109.

3. *Trading with the Enemy Act*, section 19, cité dans *ibid.*, p. 108. Une publication en langue étrangère n'était autorisée que si la traduction « véridique et complète » de l'article traitant de ces sujets était soumise à l'autorité postale du lieu de la publication, « *in plain type in the English language* ».

allemandes » et précisa que les « idées américaines » ne pouvaient s'exprimer qu'en bon anglais :

> Comment ces millions [d'immigrés] pourraient-ils *penser améri-cain*, s'ils ne parlent pas américain ? [...] L'ennemi public, c'est l'individu qui cherche à empêcher les écoles d'enseigner les *idées américaines*, de chérir les *idéaux américains*, de promouvoir le *patriotisme américain* et, surtout, de produire des citoyens américains, sans trait d'union et sans compromis [...], capables de penser et de parler la langue de la liberté – notre anglais, le moins dénaturé [possible][1].

L'enseignement de l'allemand fut peu à peu interdit dans les États de l'Ouest et du Midwest, le Colorado, l'Arkansas, l'Indiana, l'Iowa, le Kansas, le Nebraska... Le gouverneur de l'Iowa alla jusqu'à interdire la pratique de l'allemand au téléphone, dans tous les lieux publics et même au sein des églises. Parler allemand devenait un crime. Ainsi, dans le seul Midwest, 18 000 Américains furent condamnés pour violation des lois linguistiques locales... Les trois quarts des quotidiens de langue allemande disparurent entre 1910 et 1920. Interrogés en 1920 par les agents du recensement sur leur pays et leur langue d'origine, près de 500 000 Germano-Américains refusèrent de s'identifier comme tels, de peur d'être perçus comme des « ennemis », bien que la guerre fût terminée depuis deux ans[2] !

La Première Guerre mondiale est donc bien l'événement traumatique qui précipita l'assimilation forcée des Germano-Américains. Ceux-ci cessèrent, à partir de 1920, de constituer une « force politique importante[3] », alors que d'autres communautés ethniques, plus modestes par la taille

---

1. Intervention de Lewis Jarman, délégué républicain à la Convention constitutionnelle de l'Illinois (1920-1922), en faveur d'un amendement rendant obligatoire l'enseignement de l'anglais dans toutes les écoles de l'État, cité dans *ibid.*, p. 127 (souligné par moi).
2. *Ibid.*, p. 111 ; La Vern J. Rippley, « Ameliorated Americanization : The Effect of World War I on German-Americans in the 1920s », *in* Fr. Trommler, *America and the Germans*, *op. cit.*, pp. 221-225 et 228.
3. L. Fuchs, *The American Kaleidoscope*, *op. cit.*, p. 29. En 1930, les Allemands constituaient toujours le premier groupe de résidents américains nés à l'étranger (17,7 %), suivis de près par les Italiens (11,7 %).

mais plus légitimes aux yeux des élites anglo-saxonnes, comme les Irlando-Américains, allaient réussir à préserver jusqu'à ce jour un fort particularisme religieux, politique et culturel.

La chasse aux « Rouges »

Au lendemain de la guerre, un nouvel étranger devint la cible de tous les courants nativistes : c'était le « Rouge », un personnage indistinct, originaire d'Europe de l'Est ou du Sud, qui professait, selon la rumeur, des idées subversives proches du bolchevisme. La chasse aux Rouges devint une habitude nationale au lendemain des grandes grèves ouvrières de 1919, qui touchèrent à la fois les industries textiles de la Nouvelle-Angleterre, les aciéries de Pennsylvanie et les arsenaux de Seattle dans l'État de Washington. La chasse aux Rouges fut orchestrée par des élus locaux qui avaient mis leur milice à la disposition des entreprises touchées par les grèves. L'hystérie xénophobe atteignit son apogée avec la nomination d'un démocrate au ministère de la Justice, A. Mitchell Palmer. Convaincu de l'imminence d'un complot bolchevik destiné à « faire sauter d'un seul coup le gouvernement des États-Unis », Palmer n'hésita pas à déporter en Russie des centaines de leaders syndicalistes qu'il soupçonnait, sans preuve, d'appartenir à des organisations communistes. Il lança, par ailleurs, une série de raids policiers contre des travailleurs « étrangers », qui étaient en fait, pour la plupart, des citoyens américains dont les idées n'avaient rien de particulièrement subversif. Les moyens répressifs mis à sa disposition étaient tels qu'il put faire arrêter, en un seul jour – le 1er janvier 1920 –, plus de six mille « suspects ». Il fut toutefois contraint de les relâcher, faute d'apporter des preuves décisives de la réalité du complot. Fort heureusement pour l'avenir de la démocratie américaine, les membres du parti démocrate seront peu nombreux à soutenir la candidature de Palmer aux primaires présidentielles de 1920, lui préférant, pour succéder à Wilson, un modéré, le gouverneur de l'Ohio, James Cox.

Palmer, par son excès de zèle, son obsession antibolchevik et ses violations répétées des droits de l'homme les plus élémentaires, s'était discrédité, aux yeux mêmes des camarades de son parti[1]. Mais son échec politique ne mit pas fin au mouvement nativiste qui, on l'a vu, triompha avec le passage des lois restrictionnistes de 1921 et de 1924. Le nouvel immigrant se faisant rare, les « anciens » immigrés débarqués au tournant du siècle commencèrent à être traités comme des Américains à part entière. Ils s'assimilaient progressivement, en l'espace de deux ou trois générations, même si les handicaps ethniques, religieux ou culturels restaient nombreux. Signe des temps qui changent, les délégués du parti démocrate, lors des élections présidentielles de 1928, sélectionnèrent comme candidat un catholique – Al Smith, le gouverneur de l'État de New York. Il ne fut pas élu, mais obtint 41 % des voix (contre 58 % à Hoover), apportant ainsi la preuve de l'importance nationale du vote ethnique. Son échec était un succès symbolique, l'annonce de la fin prochaine de la vieille hégémonie anglo-saxonne...

◆

Les courants nativistes des années 1890-1920, inspirés par les thèses « scientifiques » du darwinisme social, contribuèrent à faire évoluer l'idée de « nation américaine ». Celle-ci n'était plus seulement définie par les élites politiques comme un artifice politique, comme une « nation républicaine » construite par de glorieux Pères fondateurs et légitimée par le consentement de tout un peuple... Elle devenait

---

1. J. Blum *et al.*, *The National Experience, op. cit.*, pp. 563-569. James Cox sera battu aux élections présidentielles de 1920 par un autre candidat de l'Ohio, Warren Harding.

une nation organique, « ethnicisée » par un programme d'exclusion de plus en plus restrictif. La liste des peuples réputés « inassimilables » ne cessa donc de s'allonger. Aux Amérindiens et aux Noirs (théoriquement libérés par la guerre de Sécession, mais très vite dépossédés de leurs droits dans la période de Reconstruction) s'ajoutèrent les Chinois, les Japonais, les « Slavo-Latins » et les « Juifs d'Orient ». La science des races élaborée par de pseudo-savants servait à justifier un nouveau discours de l'hégémonie anglo-saxonne, qui postulait la construction d'une nation nouvelle, racialement et culturellement homogène. L'afflux massif des immigrés asiatiques et européens menaçait ce postulat. Les Américains de souche, imaginés (à tort) comme des Anglo-Saxons, risquaient d'être submergés par une immigration incontrôlable. D'où la multiplication des lois restrictionnistes visant d'abord les plus « étrangers » de tous les immigrés, les Asiatiques, puis les nouveaux arrivants du sud et du centre de l'Europe. Le dispositif législatif mis en place au milieu des années 1920 marquait le triomphe du nativisme justifié au nom du darwinisme social.

Mais on aurait tort de conclure au triomphe absolu des courants nativistes. Certains leaders politiques, comme Theodore Roosevelt, et de nombreux intellectuels devaient tenter, à la même époque, de remettre à la mode l'idée d'une nation américaine qui serait principalement politique. L'étranger, dans cette perspective, devait se « fondre » dans une nation bientôt décrite comme un melting-pot (voir chapitre 6). Tant mieux s'il y avait mélange des races au sein du creuset américain. Mais tel n'était pas l'objectif recherché. Ce qui comptait, pour les partisans d'une américanisation réussie, c'était l'acceptation unanime des principes fondateurs de la nation américaine. L'homogénéité recherchée n'était pas culturelle, ni ethnique ; elle était politique. C'est pourquoi les « Rouges » furent si facilement dénoncés et pourchassés au lendemain de la Première Guerre mondiale. Ils cumulaient tous les désavantages : ils n'étaient pas, pour la plupart, des Anglo-Saxons et ils n'acceptaient pas le credo politique des Fondateurs. Ils étaient donc doublement « barbares » aux yeux de ceux qui s'imaginaient être de vrais Américains.

Le sentiment nativiste n'a pas disparu. On en trouve encore les traces dans l'Amérique des années 1990, mais il a perdu l'essentiel de sa virulence, d'abord parce qu'il n'est plus ouvertement raciste, ensuite parce qu'il n'a pas réussi à enflammer la nation tout entière. Les passions nativistes ne touchent plus aujourd'hui que certains États périphériques qui ne disposent pas d'une majorité de voix au Congrès. La législation sur l'immigration reste donc libérale, malgré diverses tentatives de réformes restrictionnistes. Mais les enjeux, décrits dans le prochain chapitre, restent fondamentalement les mêmes. Ils concernent les capacités d'accueil de la société américaine, la protection des emplois et de la culture des Américains de souche, les conséquences démographiques des politiques d'immigration, l'équilibre des « races » et des ethnies, en bref la définition même de la nation.

Chapitre 5

LES HÉRITIERS DES NATIVISTES

Qui sont, aujourd'hui, les héritiers des nativistes des années 1920 ? Quelle est la force des mouvements de rejet de l'immigration ? Pourquoi ces mouvements ont-ils une origine géographique précise : la Californie ? Un homme politique peut-il encore faire carrière en dénonçant l'« invasion » des nouveaux immigrants ? Pour répondre à ces questions d'actualité et comparer le « nativisme » du début du siècle à celui de la fin du siècle, il convient d'abord de faire l'inventaire des politiques d'immigration américaines, avant d'analyser la manifestation la plus récente du sentiment nativiste : l'adoption par la majorité des électeurs californiens, en novembre 1994, d'un référendum d'initiative populaire interdisant aux travailleurs illégaux l'accès aux services scolaires et médicaux de l'État de Californie.

L'évolution de la législation américaine de 1921 à 1990

La dénonciation du danger « rouge », la multiplication des arrestations et des expulsions arbitraires, la généralisation des campagnes d'américanisation à « cent pour cent » marquèrent l'apogée du mouvement nativiste au lendemain de la Première Guerre mondiale. C'est alors que les plus virulents des restrictionnistes l'emportèrent haut la main au Congrès des États-Unis en faisant voter des lois qui limitaient le nombre des immigrants en fonction de critères nationaux. Une première loi, votée en 1921, imposait à chaque pays un quota annuel égal à 3 % du nombre des immigrés originaires de ce pays vivant aux États-Unis et dénombrés par le recensement de 1910. Une deuxième loi, votée en 1924 (*Johnson-Reed Act*), modifiait la source de calcul des quotas autorisés : désormais, chaque pays d'origine n'aurait plus droit qu'à 2 % de ses nationaux recensés sur le sol américain en 1890.

La savante arithmétique du législateur était manifestement destinée à préserver l'équilibre ethnoracial atteint par la population américaine à la fin du XIXe siècle, avant les grandes vagues d'immigration « slavo-latines ». Les quotas favorisaient d'abord ceux qui étaient, en chiffre absolu, les plus nombreux : les Américains de vieille souche, d'origine anglaise, écossaise, hollandaise ou irlandaise. Révisés une fois encore par une commission *ad hoc* nommée en 1924, les quotas d'immigration étaient ainsi répartis : les Britanniques disposaient d'un quota annuel de 65 361 immigrants, les Irlandais de 17 756, les Allemands de 25 814 et les Scandinaves de 6 872. Les « Slavo-Latins » se virent réduits à la portion congrue : 5 802 immigrants par an pour l'Italie, 6 524 pour la Pologne, 2 784 pour la Russie, 307 pour la Grèce et un maximum de 100 pour des pays comme la Turquie ou la Syrie. Quant à l'immigration asiatique, elle était pratiquement interdite.

Les calculs des experts avaient utilement servi la cause des partisans d'une « *waspization* » de la société américaine. L'Américain de l'avenir resterait, espérait-on, un véritable Anglo-Saxon. Dans cette perspective, les quelque 3 millions de Russes et 3,8 millions d'Italiens arrivés aux États-Unis entre 1890 et 1920 ne représentaient plus qu'une aberration historique, une petite vague dans la grande marée anglo-saxonne[1]. La loi de 1924, d'après un titre de première page du *Los Angeles Times*, marquait bien la « victoire des Nordiques ». Désormais, les nouveaux immigrants « ressembleraient exactement à des Américains », selon les propos du commissaire chargé des questions d'immigration[2]...

La loi Johnson-Reed de 1924 avait pour effet de verrouiller presque complètement les portes de l'immigration pour une période de quarante ans : 23,5 millions d'immigrants avaient été admis aux États-Unis entre 1881 et 1920 ; ils ne seraient plus que 5,5 millions de 1921 à 1950[3]. La grande « inondation » avait été très efficacement endiguée par une législation draconienne qui laissait peu de place aux réfugiés politiques[4].

Malgré quelques aménagements mineurs au lendemain de la Seconde Guerre mondiale, le principe des quotas restrictifs resta la norme jusqu'au début des années 1960. Le *McCarran-Walter Immigration and Nationality Act* de 1952 ne fit en effet que prolonger le *statu quo*, tout en modifiant légèrement la taille des quotas d'admission. C'est en 1965 que tout changea avec le vote des amendements Kennedy-Johnson à la loi de 1952. Le législateur effaçait quarante ans de pratique restrictive en introduisant un nouveau principe

1. Leonard Dinnerstein et David Reimers, *Ethnic Americans. A History of Immigration*, 3ᵉ éd., New York, Harper Collins, 1988, p. 77, et le Tableau A.1 en annexe, pp. 206-213 ; Arthur Mann, *The One and the Many*, Chicago, Chicago University Press, 1979, pp. 132-133.
2. Cité dans Lawrence H. Fuchs, *The American Kaleidoscope*, Hanover, Wesleyan University Press, 1990, p. 60.
3. Plus précisément, un peu moins de 4 millions d'immigrants débarquèrent aux États-Unis entre 1920 et 1930, moins de 500 000 dans les années 1930 (époque de la grande dépression) et environ un million de 1940 à 1950, réfugiés politiques inclus. De 1951 à 1960, seulement 2,5 millions d'immigrants s'installèrent aux États-Unis. Voir Nicolaus Mills, « Lifeboat Ethics and Immigrant Fears », *Dissent*, hiver 1996, pp. 37-44.
4. Sur les 150 000 réfugiés politiques qui ont fui l'Allemagne nazie entre 1933 et 1937, les États-Unis n'en acceptèrent que 27 000. Le quota allemand autorisé par la loi ne fut jamais atteint, sous prétexte que la plupart des demandeurs d'asile risquaient de constituer une « charge publique ». Voir Patrick Weil, « Politiques d'immigration de la France et des États-Unis à la veille de la Seconde Guerre mondiale », *in* André Kaspi (éd.), *Les Cahiers de la Shoa*, n° 2, 1994-1995, pp. 51-84.

directeur : la complète égalité d'origine des immigrants. Désormais, la race, l'ethnie, la langue, les liens historiques avec les États-Unis perdaient toute signification. Tous les pays d'origine, quelles que soient leur taille ou leur situation géographique, avaient droit à un maximum de 20 000 immigrants par an. Le législateur innovait d'une autre façon en permettant, en sus des quotas mentionnés, une politique de regroupement familial particulièrement favorable aux frères et sœurs des étrangers déjà installés aux États-Unis.

En interdisant toute définition ethnique de la « bonne » et de la « mauvaise » immigration, le législateur démontrait qu'il n'avait pas été insensible aux pressions de groupes italiens, juifs, polonais ou grecs, qui s'estimaient injustement défavorisés par les vieux quotas d'immigration privilégiant l'Europe du Nord. Les amendements Kennedy-Johnson de 1965 répondaient aussi à l'attente des partisans du mouvement des droits civiques, qui voulaient effacer les stigmates du nativisme d'antan. Les pressions des uns se mêlaient donc à la générosité des autres. Mais personne n'avait prévu les effets de la loi : le retour insensible à un « système d'immigration de masse[1] », comparable à celui qu'avaient connu les États-Unis au début du siècle. Personne non plus n'avait imaginé que les Hispaniques et les Asiatiques seraient les principaux bénéficiaires de la nouvelle législation.

Les chiffres présentés sur le graphique suivant (Fig. 1) montrent bien l'amplitude du phénomène : la chute rapide du pourcentage des immigrants européens, la montée spectaculaire de l'immigration asiatique et, dans une moindre mesure, de l'immigration hispanique[2].

1. Nathan Glazer, « The Closing Door », *New Republic*, 27 décembre 1993, p. 20.
2. À noter que 2,5 millions d'immigrés légaux s'installèrent aux États-Unis dans la première décennie des années 1950 (1951-1960) ; 3,3 millions dans la deuxième décennie (1961-1970) ; 4,5 millions dans la troisième (1971-1980) ; et 6 millions dans

Fig. 1 : Évolution des flux migratoires vers les États-Unis par région d'origine et par décade, de 1951 à 1990[1].

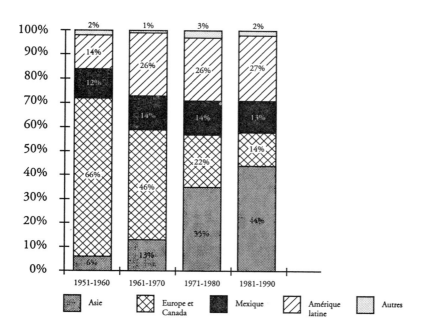

Comment expliquer un tel changement en l'espace de trois décennies ? La raison en est simple, quoique mal comprise à l'époque du vote des amendements Kennedy-Johnson de 1965. Les Hispaniques et les Asiatiques, déjà présents sur le sol américain, exploitèrent toutes les possibilités offertes par le principe de la réunification familiale.

la quatrième (1981-1990). En chiffre absolu, l'immigration canadienne et européenne passait de 1,7 million dans les années 1950 à 0,8 million dans les années 1980, alors que, à l'inverse, l'immigration hispanique progressait de 0,7 million à 2,4 millions dans la même période. Enfin, le nombre total des immigrants asiatiques progressait plus vite encore, puisqu'il passait de 0,15 million dans les années 1950 à 2,6 millions dans les années 1980 (Fig. 1).

1. Source : Adapté de Barry Edmonston et Jeffrey Passel, « Immigration and Race : Recent Trends in Immigration to the United States », *in* B. Edmonston et J. Passel (éd.), *Immigration and Ethnicity. The Integration of America's Newest Arrivals*, Washington D.C., Urban Institute, 1994, p. 41.

Ils réussirent à mobiliser d'immenses réseaux familiaux pour faire venir aux États-Unis leurs proches (frères, sœurs et leurs enfants), alors que les frères et sœurs d'immigrés récents d'origine européenne préféraient rester chez eux (à une époque, il est vrai, où l'Europe était particulièrement prospère). Résultat : 3,5 millions d'Asiatiques (Philippins, Coréens, Chinois, Japonais, Indiens...) débarquèrent aux États-Unis entre 1965 et 1985, soit trois fois plus que lors de la première grande vague d'immigration asiatique (1849-1924)[1].

Les conséquences inattendues de la politique de réunification familiale inaugurée en 1965 furent amplifiées, vingt et un an plus tard, par l'adoption d'une loi d'amnistie (loi Simpson-Rodino de 1986) qui autorisait la naturalisation d'un million et demi d'illégaux tout en leur permettant de bénéficier, à leur tour, des avantages du regroupement familial[2]. Une autre loi d'immigration votée en 1990, sous la présidence de Ronald Reagan, maintenait l'esprit des grandes réformes de 1965 : elle en prolongeait les effets en accroissant la liste des bénéficiaires du système de réunification familiale[3].

Les démographes disposent aujourd'hui de suffisamment de données statistiques pour mesurer l'impact des nouvelles lois d'immigration sur la composition de la population amé-

1. Nancy Green, *Et ils peuplèrent l'Amérique*, Paris, Gallimard, coll. « Découvertes », 1994, pp. 107-108. Pour plus de détails sur ces réformes, voir Nicolaus Mills (éd.), *Arguing Immigration*, New York, Simon and Schuster, 1994 ; en français, Sophie Body-Gendrot, *Les États-Unis et leurs immigrants*, Paris, La Documentation française, 1991, et Nancy Green, « L'immigration en France et aux États-Unis. Historiographie comparée », *Vingtième Siècle*, n° 29, 1991, pp. 67-82.

2. Voir N. Glazer, « The Closing Door », art. cité, pp. 15-20, et Philip Martin, « The United States : Benign Neglect toward Immigration », *in* Wayne Cornelius *et al.*, *Controlling Immigration*, Stanford, Stanford University Press, 1995, pp. 83-99.

3. Grâce à cette loi, le nombre d'immigrants autorisés à s'installer aux États-Unis passa d'environ 500 000 à près d'un million par an. L'immense majorité d'entre eux (de 60 à 75 %) venait au titre de la réunification familiale. Plus précisément, 853 000 immigrants légaux et illégaux s'installèrent aux États-Unis en 1989, 981 300 en 1990, 1 011 800 en 1991, 1 271 900 en 1993. Voir Peter Schuck, « The Politics of Rapid Legal Change : Immigration Policy in the 1980s », *Studies in American Political Development*, n° 1, 1992, pp. 37-92.

ricaine. Ils constatent, d'abord, que les flux nets d'immigration se sont stabilisés autour d'un million d'immigrants par an à partir de 1989. Ils remarquent, ensuite, que le nombre de résidents américains nés à l'étranger a pratiquement doublé entre 1970 et 1994, comme l'illustre bien le graphique suivant (Fig. 2). Mais le sommet atteint en 1994 (8,7 %) reste très en deçà des paliers atteints au début du siècle (14,7 % en 1910 ; 13,2 % en 1920). Les nouveaux immigrants des années 1990 ne sont plus les « Slavo-Latins » qui inquiétaient tant les partisans de l'*Immigration Restriction League* (voir chapitre 4). Ils appartiennent à des cultures plus « étranges » encore puisqu'ils viennent, pour la plupart, des régions d'Asie ou d'Amérique latine.

Fig. 2 : Résidents américains nés à l'étranger, en pourcentage de la population totale, 1900-1994[1].

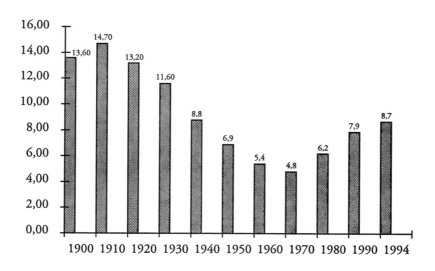

1. Source : Kristin A. Hansen et Amara Bachu, « The Foreign-Born Population : 1994 », Bureau of the Census, U.S. Department of Commerce, *Current Population Reports*, P 20-486, août 1995.

Considérons l'année 1994, pour laquelle nous disposons de données fiables concernant l'ensemble des résidents étrangers, légaux et illégaux. Sur les 22,6 millions d'étrangers recensés aux États-Unis en 1994, 6,3 millions étaient originaires du Mexique, 1 million des Philippines, 805 000 de Cuba, 718 000 du Salvador, 679 000 du Canada, 625 000 d'Allemagne, 565 000 de Chine, 556 000 de la République dominicaine, 533 000 de Corée, 496 000 du Viêt-nam, 494 000 de l'Inde, 243 000 de l'ex-URSS[1]. La vieille Europe était manifestement sous-représentée. D'où l'inquiétude des descendants des « vieux immigrés » débarqués aux États-Unis au XIXᵉ siècle, qui avaient l'impression qu'une certaine Amérique blanche, européenne de souche et protestante était en train de disparaître. Cette inquiétude fut habilement exploitée en Californie par le gouverneur de l'État, Pete Wilson. Deux mois avant sa réélection, celui-ci dénonça le danger d'une « invasion étrangère massive et illégale » et intenta même un procès à l'État fédéral sous le prétexte que le Congrès des États-Unis avait cessé de maîtriser ce dont il avait la charge constitutionnelle : le contrôle de l'immigration[2]. Mais Pete Wilson n'était pas le seul à agir de cette façon. Il disposait d'un puissant allié : un groupe de citoyens du comté d'Orange, au sud de Los Angeles, qui obtinrent les milliers de signatures requises pour lancer un référendum d'initiative populaire consacré à la question des « illégaux ».

La Californie et le vote du référendum « Save Our State »

Ce référendum, officiellement nommé « Proposition 187 », puis habilement rebaptisé « *SOS : Save Our*

---

1. Kristin A. Hansen et Amara Bachu, « The Foreign-Born Population : 1994 », Bureau of the Census, *Current Population Reports*, U.S. Department of Commerce, Washington D.C., août 1995, pp. 1-5 (résultats d'un sondage réalisé en 1994, à partir d'un échantillon national d'étrangers en situation régulière et irrégulière).
2. Dan Bernstein, « Wilson Suit Claims Immigrant "Invasion" », *Sacramento Bee*, 23 septembre 1994.

State » (« SOS : Sauvez notre État ») par ses promoteurs, énonçait deux objectifs distincts : l'arrêt de l'immigration clandestine (en grande partie mexicaine) et la réduction des dépenses publiques de l'État de Californie – à commencer par celles dont bénéficiaient les illégaux. La proposition de loi soumise par référendum aux électeurs de Californie interdisait aux étrangers en situation irrégulière et à leurs enfants tout accès gratuit au système d'enseignement public (du jardin d'enfants aux classes terminales) et aux services hospitaliers de l'État (sauf cas d'urgence), et tout recours aux services sociaux offerts par l'État de Californie telles l'aide au logement, l'aide aux mères célibataires ou aux personnes âgées. En outre, les autorités scolaires et sanitaires étaient tenues de vérifier le « statut légal » des étudiants et des malades, et de signaler aux services d'immigration toute personne suspecte. L'intention déclarée des auteurs du référendum était de chasser les clandestins et de décourager leur retour en éliminant la manne d'un *welfare state* particulièrement généreux. Les tracts électoraux distribués par les partisans du référendum déclaraient ainsi : « Arrêtons dès aujourd'hui l'*invasion des illégaux* », ou encore : « Alors que nos citoyens sont dans le besoin, ceux qui se rendent chez nous *clandestinement* sont traités royalement, au détriment des contribuables de Californie[1]. »

Le texte du référendum fut approuvé par 59 % des électeurs californiens, le 8 novembre 1994. Ce vote, que je qualifierai de « nativiste », n'exprimait pas seulement le ressentiment des « petits Blancs » contre des immigrés clandestins « de couleur », mais aussi l'inquiétude des populations noires et asiatiques face à de nouveaux arrivants qui les concurrençaient sur le marché de l'emploi... On le constate à la lecture d'un sondage de sortie des urnes du *Los Angeles Times* : 63 % des électeurs blancs, mais aussi 47 % des élec-

---

1. Cité dans N. Mills, « Lifeboat Ethics and Immigrant Fears », art. cité, p. 38.

teurs noirs, 47 % des électeurs asiatiques et 23 % des électeurs latinos se prononcèrent en faveur du référendum *Save
Our State*[1]. Ce sondage illustre, une fois de plus, l'éternel
conflit qui n'a cessé d'opposer aux États-Unis les « vieux
immigrés », assimilés, aux « nouveaux immigrants », perçus
comme de dangereux rivaux, coûteux pour la société et, en
fin de compte, inassimilables[2].

Avant de s'interroger sur les effets probables du référendum, il convient d'en expliquer les origines proprement
californiennes. Il n'est pas surprenant que les partisans du
« restrictionnisme » aient été si nombreux en Californie.
C'est là, en effet, qu'affluent le tiers des immigrants entrés
aux États-Unis de manière régulière ou non. Ils représentent
aujourd'hui le quart de la population de l'État le plus peuplé
des États-Unis. En 1996, la population de Californie dépassait les 32 millions d'habitants. Parmi ceux-ci, 7,7 millions
étaient nés à l'étranger, dont environ un million d'« illégaux[3] ».

Le débat sur l'immigration en Californie a d'abord porté,
au début des années 1980, sur ses effets économiques.
L'afflux des immigrants avait-il un effet négatif sur l'emploi
et les salaires des Californiens de souche ? Contribuait-il
à aggraver la récession économique dont souffrait alors
l'État ? Ces questions ne sont toujours pas tranchées ; elles
furent l'objet de vifs débats entre économistes, démographes et urbanistes. Selon certains économistes, les irrégu-

1. *Los Angeles Times*, 11 novembre 1994, p. A5. D'après le même sondage, 77 %
des électeurs latinos, 55 % des électeurs juifs et 21 % des électeurs protestants (toutes
ethnies confondues) votèrent contre le référendum.
2. En 1993, d'après un sondage réalisé auprès d'un échantillon national d'Américains, 64 % des répondants croyaient que « la plupart » des immigrés étaient des
illégaux, 64 % pensaient que les immigrés prenaient des emplois destinés aux Américains de souche, et 59 % estimaient que les immigrés étaient l'une des sources de
l'insécurité et de la criminalité urbaines. Sondage Yankelovich, cité par N. Mills,
« Lifeboat Ethics and Immigrant Fears », art. cité, p. 38.
3. Voir *CQ Researcher*, « Cracking Down on Immigration », n° 5, 1993, pp. 97-
119 ; Peter Hecht, « Foreign-Born Double Share of U.S. Population », *Sacramento
Bee*, 29 août 1994.

liers qui acceptaient des salaires inférieurs au minimum pratiqué dans l'État, déprimaient le marché de l'emploi et créaient de nouveaux chômeurs parmi les membres des minorités noires et chicanos. D'autres économistes, au contraire, mettaient en relief les effets positifs de l'immigration : la création probable de nouvelles entreprises familiales, la présence de nouveaux consommateurs dont les dépenses devaient, à leur tour, créer des revenus et des emplois, et l'acceptation de bas salaires qui devait permettre la survie des entreprises les plus exposées à la concurrence internationale. La reprise de l'économie aidant, ces questions allaient vite être oubliées pour faire place, dans les années 1990, à d'autres interrogations sur le coût social de l'immigration et, plus généralement, sur le rôle de l'État providence dans la société américaine[1].

En 1994, les auteurs du projet de référendum *Save Our State* ne cherchaient à sanctionner les illégaux que dans la mesure où ces derniers imposaient des coûts – jugés prohibitifs – aux contribuables de Californie[2]. L'immigrant s'est ainsi vu transformé en bouc émissaire des excès, ou plutôt des déficits, de l'État providence. Là aussi des questions demeurent : l'immigrant illégal reçoit-il plus d'argent de l'État qu'il ne lui en verse en payant ses impôts et en s'acquittant des taxes à la consommation ? Tout se complique aux États-Unis, car il y a deux sortes d'États : le fédéral et le fédéré. Les chiffres restent discutés et approximatifs.

---

1. Voir Julian Simon, *The Economic Consequences of Immigration*, Oxford, Basil Blackwell, 1989 ; George J. Borjas, *Friends or Strangers : The Impact of Immigrants on the US Economy*, New York, Basic Books, 1990 ; Michael Fix et Jeffrey Passel, *Immigration and Immigrants : Setting the Record Straight*, Washington D.C., Urban Institute, 1994.
2. Le gouverneur Wilson estimait que pour la seule année 1993 les clandestins coûtaient 2,9 milliards de dollars à la Californie, dont 1,7 milliard au titre de l'enseignement public, 0,3 milliard pour les frais médicaux et 0,4 milliard pour les coûts pénitentiaires (emprisonnement de clandestins condamnés par les tribunaux californiens). L'Urban Institute réduisait ces coûts annuels à 1,8 milliard de dollars et précisait que les clandestins versaient 732 millions de dollars d'impôts divers à l'État de Californie. Voir Rebecca Clark *et al.*, *Fiscal Impacts of Undocumented Aliens : Selective Estimates for Seven States*, Washington D.C., Urban Institute, 1994.

Mais les économistes s'accordent au moins sur les grandes tendances : l'État fédéral encaisse les deux tiers des contributions fiscales des irréguliers, tandis que l'État de Californie leur verse plus des deux tiers des aides publiques auxquelles ils ont droit[1]. Le référendum soulevait donc la question plus générale de la répartition des fonds publics entre l'État fédéral et les États fédérés. Il annonçait une véritable partie de bras de fer entre la Californie et Washington.

Quels seront, à terme, les effets du référendum *Save Our State* ? Tout indique qu'il aura peu d'impact sur la vie des immigrés, tant les obstacles pratiques et juridiques à sa mise en œuvre sont nombreux. Considérons, par exemple, la clause du référendum qui interdit l'accès à l'école aux enfants des illégaux. Il existe déjà une décision de la Cour suprême – *Plyler v. Doe* – qui traite d'un cas semblable au Texas. Là, les juges ont estimé qu'on ne pouvait refuser de scolariser des enfants d'illégaux sous peine de mettre en péril les « fondements » mêmes de la démocratie américaine. Car interdire l'école à une catégorie particulière d'immigrés, c'était grever l'avenir en créant une « caste permanente d'étrangers en situation irrégulière[2] », ou, pis encore, de futurs délinquants. Or, l'intégration réussie des immigrés dépend, aux États-Unis comme en France, de cette grande machine à fabriquer les citoyens qu'est l'école publique. Mais s'agissait-il bien de fabriquer des « citoyens » ? Un illégal reste un illégal, sauf s'il est né sur le sol américain. L'école publique ne saurait changer son statut. À cette objection les experts répondent : certes, mais vous oubliez que le Congrès des États-Unis a souvent voté des lois d'amnistie pour régulariser le sort des sans-papiers. L'immigré, même illégal, est toujours un citoyen en puissance.

---

1. Peter Schuck, « The Message of 187 », *American Prospect*, n° 21, 1995, pp. 85-92.
2. *Plyler v. Doe*, 457 U.S. 202 (1982). La Cour appuie sa décision sur la « clause d'égalité » (*Equal protection clause*) du 14ᵉ amendement de la Constitution.

On peut donc s'attendre à une longue bataille juridique qui, après des années d'appels et de recours, pourrait se traduire par l'annulation de la clause de scolarité du référendum *Save Our State*.

Il existe d'autres obstacles à la réalisation des objectifs énoncés par le référendum. Considérons ici la question des contrôles d'identité, essentielle à sa mise en œuvre. Qui se chargera des vérifications ? Comment ? Il faut bien poser ces questions, car les Américains ne disposent pas, à ce jour, de carte d'identité nationale. L'identité du citoyen est une affaire privée échappant au contrôle des autorités publiques. On imagine mal la mise en place d'un système national d'identité dans le seul but de vérifier le « statut » des immigrés. Une telle mesure, si contraire à la tradition politique américaine, ne manquerait pas d'être dénoncée comme liberticide. Il est par ailleurs difficile d'envisager que des instituteurs ou des médecins se transforment en gendarmes pour contrôler l'identité de leurs élèves ou de leurs malades. D'autant que l'article 4 du *Bill of Rights* interdit aux fonctionnaires de s'enquérir de l'identité d'une personne en l'absence d'une « présomption sérieuse » (de culpabilité), solidement « motivée » et fondée sur des faits précis. Le résident étranger, même illégal, a droit à toutes les garanties offertes par la Constitution. On peut donc s'attendre à ce qu'il mobilise à son avantage toutes les ressources du « droit des personnes privées », et on peut craindre que la campagne de vérification d'identité prévue par le référendum ne dégénère en une immense bataille juridique.

Déjà, de nombreux enseignants et médecins ont fait acte de désobéissance civile en refusant de contrôler le statut juridique de leurs élèves et de leurs patients, au moment même où plusieurs tribunaux examinaient la constitutionnalité du référendum *Save Our State*. Pourquoi un texte voté par 59 % des électeurs de Californie serait-il contraire à la Constitution fédérale ? Parce que, d'après la décision récente d'un juge fédéral de Los Angeles, le contrôle des flux d'immigration est une prérogative qui appartient au seul Congrès des États-Unis[1]. Cette décision sera peut-être confirmée par les juges de la Cour suprême, d'ici un à deux ans. Mais, pour l'instant, c'est l'incertitude qui règne...

Dernier obstacle, de taille : le difficile contrôle des employeurs de main-d'œuvre clandestine. Le référendum *Save Our State*, à supposer qu'il soit juridiquement fondé, ne sera pas suivi d'effets tant que les employeurs de clandestins ne seront pas sanctionnés par les autorités publiques. Qui sont-ils ? Des agriculteurs, pour la plupart, dont l'influence politique est considérable, et des sous-traitants d'entreprises du bâtiment et de l'industrie textile. Théoriquement, les fermiers de Californie n'emploient que des travailleurs saisonniers dont le statut est régulier. En réalité, on sait que près d'un saisonnier sur deux est un clandestin, préféré par les patrons parce qu'il est docile, qu'il accepte un salaire inférieur au minimum légal, qu'il fait des heures supplémentaires sans augmentation de salaire et qu'il échappe, bien entendu, à la mainmise des syndicats agricoles. Quant aux 150 000 travailleurs du textile de la région de Los Angeles, le ministère du Travail estime qu'un quart d'entre eux sont en situation irrégulière. La faiblesse des sanctions civiles et pénales prévues contre les propriétaires de *sweatshops*[2], le manque d'inspecteurs du travail (340 pour l'ensemble de la Californie), le cloisonnement et la structure pyramidale des réseaux de sous-traitance protègent ainsi les employeurs « qui violent la loi, parce qu'ils peuvent le faire avec une relative impunité[3] ». En Californie, un couturier qui a pignon sur rue ne peut pas être sanctionné pour avoir

---

1. « Le pouvoir de réglementer l'immigration », d'après la décision du U.S. District Judge, Mariana Pfaelzer, « appartient exclusivement au pouvoir fédéral [Congrès inclus]. Aucun organisme étatique ne dispose du droit d'exercer ce pouvoir ». La décision invalide donc la plupart des clauses du référendum réglementant l'aide médicale, l'accès à l'enseignement public et la mise en place d'un système de contrôle de l'identité des immigrants. Voir *League of United Latin American Citizen v. Pete Wilson*, U.S. Court, Central District of California, 20 novembre 1995.

2. Ateliers de couture clandestins.

3. Lora Jo Foo, « The Vulnerable and Exploitable Immigrant Workforce and

utilisé les services de sous-traitants clandestins. Il n'est légalement responsable que des employés directement engagés
par lui. Les *sweatshops* sont rarement contrôlés, et lorsqu'il
y a sanctions ou menace de sanctions, leurs propriétaires
ferment ou se mettent en faillite pour mieux réapparaître
quelques mois plus tard sous un autre nom et poursuivre
la même activité illégale [1]. On le voit : *Save Our State* est,
pour l'heure, une décision symbolique, un cri d'alarme, une
façon californienne de signaler au Congrès que l'immigration constitue un problème sérieux et qu'elle engage des
dépenses à l'échelle de la nation tout entière.

Les effets nationaux du référendum de Californie

Le référendum *Save Our State* est loin d'avoir épuisé ses
effets, même si son application est problématique pour des
raisons qui, on l'a vu, ne sont pas seulement de nature
juridique.

Un certain nombre d'hommes politiques ont cru bon,
lors des élections présidentielles de 1996, de faire campagne
en prônant l'arrêt brutal de l'immigration et en évoquant
des solutions proches de celles qu'avait choisies la majorité
des électeurs de Californie. Le plus « nativiste » de tous les
candidats fut le représentant de l'aile droite du parti républicain : Pat Buchanan, le partisan véhément d'une « Amérique d'abord » et le grand rival de Bob Dole aux primaires
de 1996. Le projet protectionniste de Buchanan rappelait,
dans son contenu, celui des partisans de l'*Immigration Restriction League* des années 1900. Buchanan défendait en effet
quatre objectifs prioritaires : bloquer l'« invasion » mexicaine en construisant une double barrière infranchissable ;
interdire toute forme d'immigration pendant cinq ans (seuls

---

the Need for Strengthening Worker Protective Legislation », *Yale Law Journal*, n° 8,
1994, p. 2187.
  1. *Ibid.*, pp. 2185-2195.

les femmes et les enfants de citoyens américains seraient admis) ; interdire aux illégaux toute aide publique scolaire ou médicale ; affaiblir la culture hispano-américaine en faisant de l'anglais la langue officielle des États-Unis (puisque la Constitution fédérale est silencieuse sur ce sujet)... Son discours protectionniste n'était pas seulement « musclé » ; il était ouvertement xénophobe et contredisait le point de vue nettement plus modéré de la majorité du parti républicain. Ce dernier point de vue fut défendu avec éloquence à la Convention du parti républicain, à San Diego, en août 1996, par Susan Molinari, la représentante de l'État de New York à la Chambre des représentants, et par le général Colin Powell. La première évoqua en termes émouvants l'arrivée de ses grands-parents italiens dans la banlieue du Queens, en 1904, pour y installer un modeste salon de coiffure et vivre le « rêve américain » ; le second vanta la « diversité » du parti républicain et déclara qu'un immigrant hispanique qui venait d'accéder à la citoyenneté devait être traité avec autant de respect et d'honneur qu'un « descendant du Mayflower [1] ».

Parmi tous les candidats républicains aux élections présidentielles de 1996, un seul – Pete Wilson, le gouverneur de Californie – choisit d'axer sa campagne sur la question de l'immigration. Son échec permet de mieux comprendre les limites du nativisme des années 1990 et les raisons pour lesquelles celui-ci diffère du vieux nativisme du début du siècle. Réélu gouverneur de l'État de Californie en novembre 1994, après avoir très activement soutenu les partisans du référendum *Save Our State*, Pete Wilson tenta de nationaliser le message restrictionniste des électeurs de Californie en portant la bonne parole sur la côte Est des États-Unis. Pour ce faire, il choisit de lancer sa campagne présidentielle à la pointe sud de Manhattan, au Battery Park, le 28 août

---

1. Interventions de Susan Molinari et de Colin Powell à la convention du parti républicain, *New York Times*, 14 août 1996, p. A14.

1995. Le choix du lieu n'était pas anodin : derrière l'estrade du candidat se profilait, à quelques milles nautiques, la statue de la Liberté et l'île des immigrants, Ellis Island, le passage obligé de tous les étrangers qui débarquèrent sur la côte Est entre 1892 et 1924. Le candidat fit d'abord allusion aux origines irlandaises de sa grand-mère maternelle, arrivée aux États-Unis en 1894 et mariée quelques années plus tard à un immigré irlandais de Chicago, policier de son état. Bientôt veuve (son mari fut assassiné par des gangsters), cette femme courageuse avait dû consacrer le reste de sa vie active à nettoyer des chambres d'hôtel pour subvenir aux besoins de sa famille. « J'ai eu le privilège, déclarait Wilson, de vivre le rêve américain, parce que ma grand-mère, Kate Barton Callaghan, n'avait jamais abandonné sa croyance au rêve [...]. Comme des millions d'Américains, elle se sacrifia dans l'espoir que son enfant et ses petits-enfants connaissent une vie meilleure. Cet espoir a été réalisé[1]... » L'histoire était touchante, mais elle détonnait car Pete Wilson était le chef de file des « restrictionnistes » américains. Reprenant à son compte les objectifs du référendum californien, le gouverneur voulait imposer des sanctions sévères à l'encontre des illégaux en leur refusant l'accès aux principaux services sociaux de l'État. D'autre part, il annonçait une refonte complète du code de nationalité, en proposant de mettre fin au *jus soli* – la nationalité acquise automatiquement par naissance sur le sol américain – pour le remplacer par un *jus sanguinis* étranger à la tradition américaine. La nationalité devait désormais être réservée aux enfants de parents ayant déjà acquis la citoyenneté américaine[2]...

En choisissant de poser si complaisamment devant la

---

1. Pete Wilson, cité dans *Sacramento Bee*, 29 août 1995.
2. La question de l'abandon du droit du sol a été débattue devant la Chambre des représentants en décembre 1995. Voir les auditions des professeurs Gerald Neuman, Peter Schuck et Edward Erler devant le Subcommittee on Immigration and Claims, et le Subcommittee on the Constitution du House Committee on the Judiciary, 13 décembre 1995. Le consensus atteint est qu'une telle réforme nécessiterait le vote (peu probable) d'un amendement à la Constitution des États-Unis.

statue de la Liberté, Wilson ne pouvait prétendre ignorer
que *Lady Liberty* avait été érigée pour accueillir le « misé-
rable rebut » de la vieille Europe, les plus pauvres, les moins
libres, les « sans-logis, ballottés par la tempête », selon le
fameux poème d'Emma Lazarus inscrit au pied même du
chef-d'œuvre de Bartholdi[1]. Mais Wilson semblait mécon-
naître cette vénérable tradition. Il était là pour mettre fin
à l'afflux des immigrants illégaux. « Il y a, déclara-t-il, un
bon moyen de venir en Amérique et un mauvais ; l'immigration illégale n'est pas la façon américaine[2]. » Ce faisant,
il oubliait les conditions mêmes de l'émigration de ses ancêtres. En 1894, date d'arrivée de sa grand-mère, il n'y
avait pas, à proprement parler, d'immigration « légale » aux
États-Unis. Tout immigrant qui, selon une loi de 1882,
n'était ni « fou, ni idiot, ni incapable de subvenir à ses
besoins, ni une charge publique » était accepté les bras
ouverts. La seule exception concernait, comme on l'a vu
dans le chapitre précédent, les Asiatiques. Les règles
d'admission étaient peu nombreuses et un nombre infime
d'immigrants – un pour cent environ – furent effectivement
refoulés entre 1892 et 1910[3]. La statue de la Liberté incarnait
bien, alors, l'idéal grandiose d'une immigration ouverte,
généreuse et libératrice.

La réaction des médias et de la classe politique new-
yorkaise, tous partis confondus, fut très défavorable à la
candidature d'un Californien qui n'avait manifestement

---

1. « *Give me your tired, your poor, / Your huddled masses yearning to breathe free,
/ The wretched refuse of your teeming shore, / Send these, the homeless, tempest-tost to
me, / I lift my lamp beside the golden door !* » Intitulé « The American Colossus » et
rédigé par Emma Lazarus trois ans avant l'inauguration de la Statue, en 1886, le
poème avait servi à lancer une souscription publique pour financer sa construction.
Emma Lazarus avait été sensibilisée par le sort des rescapés juifs des pogroms russes
de 1881. Sur cet épisode de l'histoire américaine, voir John Higham, *Strangers in
the Land*, 2ᵉ éd., New Brunswick, Rutgers University Press, 1988, pp. 23 et 63.
2. Pete Wilson, cité dans le *San Francisco Chronicle*, 29 août 1995.
3. N. Green, *Et ils peuplèrent l'Amérique, op. cit.*, p. 50. Les seules causes de
refoulement des émigrants d'origine européenne étaient les maladies contagieuses,
le handicap mental, l'indigence ou l'existence d'un passé criminel. Voir aussi, du
même auteur, « L'immigration en France et aux États-Unis », art. cité, pp. 67-82.

rien compris à la situation politique de la côte Est. Pour l'ancien gouverneur de New York, Mario Cuomo, lui aussi petit-fils d'immigrés, Pete Wilson n'avait le sens ni de la mesure ni de l'histoire : « Il faut de la *chutzpah* [du culot] pour utiliser ainsi la statue de la Liberté afin de sanctifier une candidature fondée sur la proposition la plus négative du moment[1]. » Le *New York Times* réagit tout aussi violemment en dénonçant l'« insulte à Mademoiselle Liberté » et l'utilisation abusive et cynique de l'une des « icônes les plus chéries » des habitants de la ville par un Californien assoiffé de pouvoir. « La grande fierté des New-Yorkais, notait encore ce journal, est que leur ville servit de lieu d'accueil à ces grands flux d'immigrés qui furent, alors, aussi méprisés qu'ils le sont aujourd'hui[2]. » Quant au maire républicain de New York, Rudolph Giuliani, il expliqua que la tentative d'appliquer à l'est des États-Unis la « solution californienne » ne pouvait avoir que des effets catastrophiques. Interdire l'école aux enfants d'illégaux, comme le proposaient Wilson et les électeurs de son État, ce serait jeter dans les rues de Manhattan quelque 60 000 jeunes, avec pour conséquence prévisible l'augmentation de la délinquance et de l'insécurité. Or, les immigrants, affirma Giuliani, n'enlèvent pas d'emplois aux Américains de souche. Bien au contraire, ils sont des sources d'emplois, comme l'atteste la revitalisation des banlieues de Queens et de Flushing Meadows, transformées en moins d'une décennie par l'afflux des immigrés chinois, indiens et coréens[3].

On comprend donc, dans ce contexte, pourquoi la tentative de nationaliser le débat sur l'immigration, spectaculairement lancé par l'annonce de la candidature du gouver-

1. Mario Cuomo, cité dans le *San Francisco Chronicle*, 28 août 1995.
2. *New York Times*, « An Insult to Miss Liberty », éditorial non signé du 29 août 1995.
3. David Firestone, « Giuliani Criticizes Crackdown By Congress on Illegal Aliens », *New York Times*, 23 août 1995. Sur la transformation de Queens, on lira l'excellent ouvrage de Hsiang-Shui Chen, *Chinatown No More. Taiwan Immigrants in Contemporary New York*, Ithaca, Cornell University Press, 1992.

neur de Californie devant la statue de la Liberté, tourna court. Deux mois plus tard, forcé de constater, au vu des sondages, que son programme n'allait pas rallier la majorité des suffrages du parti républicain, Wilson déclarait forfait.

D'un nativisme à l'autre

L'échec du gouverneur de Californie met bien en évidence l'écart qui sépare le nativisme des années 1920 de celui des années 1990. Au lendemain de la Première Guerre mondiale, la dénonciation des nouveaux immigrants était un phénomène de portée nationale dont le principal résultat – les lois restrictionnistes de 1921 et 1924 – eut un impact durable, sur une période de quarante ans. En 1996, cette dénonciation est un sujet qui n'intéresse que certains Américains de souche : ceux qui habitent la Floride, le Texas ou la Californie – là où affluent les immigrés, là aussi où la concurrence est la plus vive sur le marché de l'emploi. Le nativisme des années 1990 est donc un mouvement politique qui reste géographiquement circonscrit et qui n'a « triomphé » qu'en Californie.

Le succès limité du nativisme des années 1990 tient aussi aux profondes divisions politiques qui traversent les deux grands partis politiques. Côté démocrate, la majorité réunie autour du président Clinton est plutôt favorable au libre-échange et à l'ouverture des frontières, alors que la « gauche » syndicaliste défend les thèses inverses : des restrictions à l'immigration légale pour limiter le chômage et préserver les acquis sociaux et salariaux des travailleurs américains. Côté républicain, les divisions entre libéraux et restrictionnistes sont plus marquées encore. Les premiers regroupent en effet un ensemble disparate d'idéologues libertaires (dans la tradition de Hayek et de Milton Friedman) et d'industriels représentant des entreprises high-tech comme Boeing, Hewlett-Packard ou Microsoft. Dans la perspective libérale, les immigrants constituent une main-d'œuvre idéale, docile, disciplinée, *hard-working* et, à terme, parfaitement assimilable[1]. Les restrictionnistes, en revanche, regroupent des « *America Firsters* », des partisans de l'« Amérique d'abord » situés à l'extrême droite du parti républicain ; des conservateurs qui acceptent les thèses du gouverneur de Californie et une nébuleuse d'associations proches du parti, comme la Federation for American Immigration Reform (FAIR) ou la Carrying Capacity Network (CCN).

Partagé entre une droite restrictionniste et une gauche libérale, Bob Dole, le candidat à la présidence du parti républicain, tergiversa. Il opta d'abord pour la solution californienne, en soutenant ouvertement la mesure la plus restrictive énoncée par le référendum *Save Our State* : l'interdiction de scolariser les enfants d'immigrés illégaux. Puis il se ravisa et rallia le camp des modérés. Il refusa, en particulier, d'exiger la réduction des quotas d'immigration à 500 000 par an (au lieu d'un million), comme le proposait le sénateur Alan Simpson, l'auteur du projet de loi le plus restrictionniste. En choisissant Jack Kemp comme candidat à la vice-présidence, Bob Dole ralliait en fait l'aile libérale de son parti et misait sur l'apport du « vote hispanique ». Pourquoi aurions-nous peur des immigrants, écrivaient Jack Kemp et William Bennett (l'ancien ministre de l'Éducation de Ronald Reagan) dans le *Wall Street Journal* ? Ils sont mexicains, pour la plupart, c'est-à-dire des électeurs républicains en puissance, sinon même des « républicains naturels » qui incarneraient de façon innée les vraies vertus républicaines : l'esprit d'entreprise, le sens de la discipline,

---

1. Dans une lettre au Congrès, les présidents de Hewlett-Packard, Microsoft, Sun-Microsystems, Texas Instruments et Intel, affirmaient : « L'existence d'un nombre satisfaisant d'ingénieurs, d'informaticiens et de programmeurs est essentielle au succès de nos entreprises [...]. Tout retard au niveau de la conception, de la recherche et de la production se traduirait par des pertes irremplaçables de parts de marché. » C'est un argument de poids quand on sait que 12 % de l'ensemble des ingénieurs et des scientifiques (et jusqu'à 50 % des détenteurs de Ph.D. en informatique) recensés aux États-Unis en 1990 sont des étrangers. Voir Jurek Martin, « Rejected by Statue of Liberty », *Financial Times*, 7 octobre 1995, et *Migration News*, n° 11, 1995, pp. 3-4.

l'esprit de famille et un goût prononcé pour le traditionalisme, fondé sur leur attachement à l'Église catholique.
L'adoption par les républicains de thèses nativistes, selon
Kemp et Bennett, ne pouvait que servir le parti démocrate,
en lui livrant sans combat et sans raison un bloc électoral
en pleine expansion démographique [1].

◆

Le Congrès, en fin de compte, n'a pas suivi la voie tracée
par des restrictionnistes comme Pat Buchanan ou Pete Wilson. La nouvelle loi d'immigration adoptée en septembre 1996 est un texte de compromis qui ne remet pas en
cause les grandes réformes des années 1960. Les seuils
d'immigration légale restent pratiquement les mêmes. Le
principe du regroupement des familles n'est pas rediscuté
et la mesure la plus controversée, l'interdiction de l'accès
aux écoles publiques pour les enfants d'illégaux, a été retirée
du projet de loi, sous la pression de la Maison Blanche [2].
Mais la loi renforce les mesures destinées à limiter l'immigration clandestine et prévoit, par exemple, le doublement
des patrouilles de gardes-frontières et l'expulsion des immigrés condamnés par la justice américaine. La prudence du

1. William Bennett et Jack Kemp, « The Fortress Party ? », *Wall Street Journal*,
21 octobre 1994.
2. La proposition de loi sur l'immigration a été adoptée par le Congrès le 30 septembre 1996. Elle rend la réunification familiale plus difficile en exigeant des immigrés qui veulent faire venir leurs proches (parents, frères et sœurs, enfants adultes)
des revenus égaux ou supérieurs au double du seuil légal de pauvreté. Voir William
Branigin, « Immigration Bill Attracts Broader Range of Opponents », *Washington
Post*, 28 septembre 1996, et Eric Schmitt, « Bill Tries to Balance Concerns on
Immigration », *New York Times*, 29 septembre 1996. Paradoxalement, ce n'est pas
la loi d'immigration qui sanctionne le plus durement les immigrés, mais la loi sur
le *welfare*, votée le 22 août 1996. Celle-ci supprime certains acquis sociaux dont
bénéficiaient les immigrés légaux, dont les « bons d'alimentation » (*food stamps*) et
les « revenus supplémentaires » (*supplemental security incomes*) réservés aux chômeurs, aux personnes âgées dans le besoin et aux handicapés. Voir, sur ce sujet, Sam
Verhovek, « Texas Immigrants Worry as Cuts in Welfare Loom », *New York Times*,
4 septembre 1996, et George Soros, « Immigrants' Burden », *New York Times*, 2 octobre 1996.

législateur montre bien les limites d'un mouvement nativiste de rejet de l'immigrant, qui commença en Californie mais ne réussit pas à « enflammer » le pays, comme le fit le vieux nativisme des années 1920.

Comment l'immigrant réagit-il face aux pressions des mouvements restrictionnistes ? Au lendemain de la Première Guerre mondiale, les choix étaient limités : l'étranger pouvait préserver la culture de son pays d'origine en choisissant de vivre dans l'un des nombreux ghettos urbains ; il pouvait dénoncer la politique des nativistes, mais à ses risques et périls (il risquait la déportation), ou bien il cédait aux pressions des « américanisateurs » et devenait, plus vite que prévu, un « Américain à cent pour cent ». Aujourd'hui, l'immigrant, même illégal, n'a pas grand-chose à craindre des autorités publiques : les contrôles d'identité, on l'a vu, sont inexistants, les employeurs de clandestins sont rarement sanctionnés et la croissance de l'économie américaine lui garantit, très probablement, un emploi (mal rémunéré).

Mais les résultats du référendum de Californie et le débat national qu'a suscité cette mesure eurent un effet inattendu – celui de mobiliser la grande masse, réputée apathique, des immigrants légaux. Ceux-ci, en effet, ont eu l'impression que les mesures restrictionnistes réclamées par la majorité des électeurs de Californie et certains candidats aux élections présidentielles viseraient bientôt l'ensemble des immigrants légaux et illégaux. Conscients de la précarité de leur situation, de nombreux résidents permanents se sont inscrits aux cours de citoyenneté, d'ailleurs obligatoires, en vue de préparer l'examen civique qui ouvre la porte à la naturalisation. Dans le seul district scolaire de Los Angeles, les inscriptions aux cours d'instruction civique ont été multipliées par trois, en l'espace d'un an, pour atteindre 30 000 pour l'année 1994-1995. D'après les meilleures prédictions, près de deux millions de résidents hispaniques de l'État de Californie deviendront dans quelques années des citoyens à part entière et donc des électeurs. C'est dire que le nativisme des uns a produit le civisme (intéressé) des autres et que la nation américaine est bien, pour les nouveaux immigrants, une « nation civique » dont ils entendent utiliser tous les droits reconnus pour défendre leurs intérêts, préserver leurs acquis sociaux et peser de tout leur poids sur la politique de leur État d'adoption [1].

---

1. Gregory Rodriguez, « The Browning of California », *New Republic*, 2 septembre 1996. En Californie, deux millions de résidents légaux, d'origine mexicaine, n'ont pas encore le droit de vote, faute d'avoir fait les démarches nécessaires pour acquérir la citoyenneté. Traditionnellement, selon Rodriguez, les 2/5 des électeurs hispaniques s'inscrivent sur les listes du parti républicain. Mais, depuis le passage du référendum *Save Our State* et les campagnes nativistes de Pete Wilson et de Pat Buchanan, ces préférences ont changé. Près de 70 % des nouveaux électeurs latinos s'inscrivent, aujourd'hui, sur les listes du parti démocrate.

Chapitre 6

PENSER LE MELTING-POT

Les phénomènes d'assimilation aux États-Unis sont difficiles à décrire, en raison de leur diversité. À chaque nouvelle vague d'immigration correspond une autre définition du « véritable Américain », que traduit un vocabulaire imagé d'une étonnante variété. L'immigrant est tantôt « républicanisé », tantôt « américanisé », tantôt encore « anglo-saxonnisé », « assimilé », « acculturé », « régénéré » ou même « fondu » dans un métaphorique chaudron : le *melting pot*. *The Melting-Pot*, c'est d'abord le nom d'une pièce de théâtre, introduite aux États-Unis en 1908 par un visiteur de marque, l'écrivain juif anglais Israel Zangwill. L'immense succès de cette pièce est inséparable d'une certaine narration de l'histoire américaine, qui ne cessa de vanter les mérites de l'hybridité, de l'enchevêtrement et du mélange des races et des ethnies dans une nation qui ne fut jamais entièrement composée de *White Anglo Saxon Protestants* (WASP), quoiqu'en aient dit les défenseurs du royaume mythique de l'« anglo-saxonnie ». L'idée même du melting-pot est antérieure à l'introduction du terme. Elle évoque, dans sa première formulation, le résultat d'une immigration réussie : l'assimilation parfaite de l'étranger.

Une nation instrumentale : « ubi panis ibi patrias »

Nombreux sont les grands Américains qui doutèrent des possibilités d'une assimilation réussie. Benjamin Franklin, on l'a déjà constaté, exprimait une certaine perplexité quant aux capacités d'assimilation des Allemands de Pennsylvanie, car leurs mœurs, affirmait-il, étaient « dissonantes ». Plus tard, après l'Indépendance, Franklin oubliera ses préjugés pour donner une autre définition des caractéristiques de l'immigration réussie. Peu importent les coutumes des nouveaux venus – leur langue, leur religion ou leur statut social –, le seul critère valable était leur capacité de travail. « Un Américain de souche, écrivait-il dans son *Information to Those Who Would Remove to America*, ne posera jamais à un étranger la question "Qui êtes-vous ?" mais bien plutôt "Que faites-vous ?" S'il a un métier utile, il est le bienvenu ; et s'il l'exerce et se comporte bien, il sera respecté par tous ceux qui feront sa connaissance [1]... » Cette conception instrumentale du « bon Américain » fut partagée, à la même époque, par un célèbre « cultivateur » français, établi au nord de l'État de New York, dans le comté d'Orange, Michel-Guillaume Jean de Crèvecœur :

> Quel attachement peut donc avoir un pauvre Européen pour un pays où il n'avait rien, où il ne possédait rien ? La connaissance de la langue, son amour pour des parents aussi pauvres que lui, étaient sans doute les uniques liens qui l'arrêtaient ; l'impérieuse nécessité, la cruelle faim, les lui fait briser. Sa patrie nouvelle est donc nécessairement devenue celle qui lui procure de la terre et du pain, et la

---

1. Benjamin Franklin, *Information to Those Who Would Remove to America* [1782], in *The Autobiography and Other Writings* (présenté et édité par Kenneth Silverman), Harmondsworth, Penguin Books, 1986, p. 240, souligné dans le texte. Franklin promit à l'émigrant une naturalisation rapide : « une résidence d'un ou deux ans lui donnera tous les Droits de Citoyen » (p. 241). La loi de naturalisation de 1802 fixa la période d'attente à cinq ans.

protection des lois : *ubi panis et libertas, ibi patria.* Telle est la devise de tous les émigrants qui arrivent ici[1].

Mais Crèvecœur, peut-être parce qu'il fut lui-même un « mauvais » patriote soupçonné de loyalisme et contraint de s'exiler en Angleterre après avoir abandonné femme et enfants, ajouta à la définition classique du travailleur vertueux un élément neuf : l'allégeance politique. « L'Américain, précisait-il, est l'homme qui, après avoir été adopté par notre mère patrie, abandonne la plupart de ses anciens préjugés, qui, devenu conscient de son bonheur, remplit son cœur de reconnaissance envers Dieu, envers sa patrie adoptive, qui devient actif et laborieux ; tel est le véritable Américain. Tel doit être l'homme qui mérite le titre de citoyen, et le bonheur qui y est attaché[2]. » L'émigrant est donc un « *new man*[3] », une « nouvelle espèce d'hommes [qui] s'est trouvée régénérée, par le souffle vivifiant de nos lois, par de nouvelles mœurs, un nouveau travail, un nouveau système social[4] ». Sa réussite n'est complète qu'à partir

1. *Lettres d'un cultivateur américain, écrites à W.S. Ecuyer, depuis l'année 1770, jusqu'à 1781, traduites de l'anglois par ***,* fac-similé de l'édition de 1785, Genève, Slatkine reprints (préface de G. Bertier de Sauvigny), 1979, t. II, p. 276 (l'édition originale est de 1784, adaptée de la première édition anglaise de 1782). J'ai ici modernisé l'orthographe de Crèvecœur. La « patrie » dont parle Crèvecœur en 1782 est celle d'une colonie anglaise d'Amérique du Nord, le New York. Il est en fait devenu un sujet de Sa Majesté britannique et se plaindra amèrement des excès de la guerre d'Indépendance qu'il vit comme une véritable guerre civile. Revenu en France en 1782, après un séjour d'un an à Londres, il modifie son texte et la « patrie » du cultivateur est devenue indistincte : elle est sans doute celle de l'Amérique indépendante... Il reviendra à New York en 1783, comme consul de France (et donc citoyen français). Sur la complexité et la période loyaliste de sa vie, voir Dennis D. Moore (éd.), *More Letters from the American Farmer. An Edition of the Essays in English Left Unpublished by Crèvecœur,* Athens, The University of Georgia Press, 1995, Introduction, pp. XVII-XVIII et XLVIII-LI. Dans la lettre intitulée « The Grotto », le narrateur s'identifie à un « vrai patriote anglais » qui chante *Rule Britannia* avec un groupe de loyalistes cachés dans une grotte et dénonce « les fastes déplaisants d'une Indépendance prématurée » (p. 299).

2. *Ibid.,* pp. 276-277.

3. J. Hector St. John de Crèvecœur [le pseudonyme anglicisé de Crèvecœur], *Letters from an American Farmer* [1782], Harmondsworth, Penguin Books, 1981, p. 70.

4. *Lettres d'un cultivateur américain, op. cit.,* p. 274. Ici, Crèvecœur traduit mot à mot la version anglaise de 1782.

du moment où il « mérite » la citoyenneté de son pays d'adoption, ce qui entraîne une nouvelle obligation : « aimer son pays beaucoup plus que celui où soi-même ou ses ancêtres sont nés[1] ».

L'argument de Crèvecœur est à la croisée du politique et du religieux : l'Américain est un « converti » qui a choisi librement sa nouvelle patrie et qui en accepte les lois et les traditions déjà constituées. Sa « conversion » est tout à la fois un enrichissement – il découvre une politique nouvelle, d'autres pratiques sociales – et un appauvrissement librement consenti : il « oublie », ou doit oublier, sa nation d'origine. Le travail – d'aucuns diraient l'éthique protestante – est au cœur de ce processus de conversion. Dans cette logique, l'oisif, le mendiant ou le courtisan n'ont pas leur place aux États-Unis. Crèvecœur rejoint ici la pensée de Franklin : le bon Américain est d'abord et avant tout un « homme industrieux », et l'Amérique « le pays du travail », c'est-à-dire le contraire de ce que « les Anglais appellent le *Lubberland*, et les Français le *Pays de Cocagne*, où les rues seraient pavées de pains, les toits recouverts de crêpes, et les volailles sur le point d'être rôties pousseraient ce cri : *venez me manger*[2] ! »

Pour les *Know-nothing* de la première moitié du XIXe siècle, on l'a vu dans le chapitre 3, le « véritable » Américain est l'immigrant qui a rompu tout lien avec Rome et le papisme pour se convertir au républicanisme anglo-protestant. D'où la dénonciation des jésuites et autres missionnaires, d'où aussi l'importance primordiale accordée à l'école publique et à l'enseignement civique. L'immigrant idéal, dans cette perspective, « se convertit » à la nation en oubliant, non pas son origine ethnique, mais sa religion. Mais à la même époque, George Bancroft, le plus prolixe

---

1. *Letters from an American Farmer, op. cit.*, p. 70. Ce passage important est omis de la la traduction française.
2. B. Franklin, *Information to Those Who Would Remove to America, op. cit.*, p. 241.

et le plus influent des historiens américains, propose un autre modèle d'intégration moins exigeant parce que plus syncrétique. L'Amérique, déclare Bancroft en 1834, est le pays de la religion universelle, la « république de l'humanité » où se retrouvent les hommes de tous les pays. Cette république d'un nouveau genre, manifestement inspirée des idées saint-simoniennes, est la nation du monde la plus facile à intégrer, car elle est à l'image du monde. L'immigrant pourra se sentir chez lui parce qu'il retrouvera en Amérique le meilleur de lui-même, à commencer par ces « grandes idées » importées d'Europe, d'Asie et du Moyen-Orient, sans lesquelles son pays d'adoption ne serait encore qu'une contrée barbare :

> Qu'on supprime la contribution d'une seule nation influente du monde et notre destinée ne serait plus la même. L'Italie et l'Espagne, grâce aux personnalités de Colomb et d'Isabelle, conjuguèrent leurs forces pour réaliser la grande découverte qui ouvrit l'Amérique au commerce et à l'émigration ; la France contribua à notre indépendance ; les recherches sur les origines de notre langue nous conduisent en Inde ; notre religion trouve ses sources en Palestine ; les hymnes chantés dans nos églises furent d'abord entendus en Italie, dans les déserts d'Arabie ou sur les bords de l'Euphrate ; nos arts viennent de la Grèce, notre jurisprudence de Rome, nos codes maritimes de Russie ; l'Angleterre nous a apporté le système du gouvernement représentatif ; la noble République des Provinces-Unies nous a transmis, dans le domaine de la pensée, l'idée grandiose de la tolérance de toutes les opinions, et dans le domaine de l'action, le merveilleux principe d'une union fédérale. *Notre pays incarne donc, plus que tout autre, la réalisation de l'unité de la race*[1].

La métaphore du « creuset » n'est pas encore utilisée, mais son idée est déjà exprimée : l'Amérique est le réceptacle des

---

1. George Bancroft, « Oration delivered before the New York Historical Society », 20 novembre 1834, cité dans Liah Greenfeld, *Nationalism. Five Roads to Modernity*, Cambridge (Mass.), Harvard University Press, 1992, pp. 446-447. L'œuvre de Bancroft s'étend sur quarante ans. Il n'a pas encore subi l'influence du darwinisme social, et ne conçoit pas, à cette étape de sa carrière, l'idée d'une hiérarchie des races dominée par la supériorité teutonne. Sur cette période et cette tradition humaniste et républicaine, on lira la thèse de Naomi Wulf, *L'Idée de démocratie aux États-Unis de 1828 à 1844, à travers les écrits d'Orestes A. Brownson*, Thèse de Doctorat, Université Paris-VII, décembre 1995, 2 vol., non publiée.

grandes idées du monde, le lieu du meilleur mélange possible d'une « race » qui est l'humanité tout entière. C'est à Ralph Waldo Emerson, poète, essayiste et philosophe, que l'on doit la meilleure description du « mélange américain » et la première référence explicite au « creuset » (*smelting pot*[1]) qu'il invoque, en 1845, pour illustrer les progrès de l'histoire humaine et dénoncer la xénophobie des *Know-nothing* :

Je hais l'étroitesse d'esprit du parti des Américains de souche [...]. L'homme est la plus composite de toutes les créatures [...]. Ainsi, lors de l'incendie du Temple de Corinthe, la fusion et le mélange de l'or, de l'argent et d'autres métaux produisit un nouvel alliage, plus précieux encore, le bronze de Corinthe. Il en est [aujourd'hui] de même, sur ce continent, asile de toutes les nations : l'énergie des Irlandais, des Allemands, des Suédois, des Polonais et des Cosaques, et de toutes les tribus d'Europe, ainsi que des Africains et des Polynésiens, va produire une nouvelle race, une nouvelle religion, un nouvel État, une nouvelle littérature, qui seront aussi robustes que ceux de l'Europe naissante sortie du creuset [*smelting pot*] du Moyen Âge, ou encore de celle qui fut produite par les barbares étrusques et pélagiens. *La Nature aime les croisements*[2].

1. Le *smelting pot* est un creuset utilisé pour extraire un métal de son minerai ou pour procéder à son affinage. Son synonyme, le *melting pot*, est aussi un pot, un chaudron ou une chaudière à fusion utilisés pour fondre des métaux ou créer des alliages. Cette dernière expression, d'après *The Oxford English Dictionary*, est souvent utilisée figurativement pour décrire une « refonte » d'idées ou d'institutions, ou plus généralement encore une remise en question.
2. Ralph Waldo Emerson, *The Journals and Miscellaneous Notebooks*, Cambridge (Mass.), Harvard University Press, 1971, t. IX, pp. 299-300, cité dans Werner Sollors, *Beyond Ethnicity. Consent and Descent in American Culture*, New York, Oxford University Press, 1986, p. 95, souligné (en français) dans le texte. Huit années plus tard, deux auteurs américains d'origine allemande décrivent les États-Unis comme une république qui a pour vocation d'« absorber » tous les peuples de la terre, pour constituer un « creuset [*crucible*] au sein duquel les nationalités et les particularités européennes, asiatiques et africaines seront fondues [*smelted*] en un tout unique » (Theodore Poesche et Charles Goepp, *The New Rome ; or, the United States of the World*, New York, G. B. Putnam, 1853, p. 47, cité dans W. Sollors, *op. cit.*, p. 95). Le grand historien de la frontière, Frederick Jackson Turner, conçoit celle-ci comme un « creuset » (*crucible*) où « les immigrants étaient américanisés, libérés et fusionnés dans une race mixte, dont la nationalité ou les caractéristiques n'avaient rien d'anglais » (*The Frontier in American History* [1920], cité dans Arthur Mann, *The One and the Many. Reflections on the American Identity*, Chicago, University of Chicago Press, 1979, p. 118). « L'Amérique du Nord », observe en France Christophe Allard, l'auteur d'une *Promenade au Canada et aux États-Unis* publiée en 1878, « est comme un cratère de volcan dans lequel bouillent les éléments les plus dissem-

Le *smelting pot* d'Emerson est un lieu commun de l'historiographie européenne du Moyen Âge. La même idée, les mêmes images du « mélange » sont utilisées par Ernest Renan dans sa fameuse conférence de 1882, *Qu'est-ce qu'une Nation ?* : « Or le type qu'on appelle très improprement la race anglo-saxonne n'est ni le Breton du temps de César, ni l'Anglo-Saxon de Hengist, ni le Danois de Knut, ni le Normand de Guillaume le Conquérant ; c'est la résultante de tout cela. Le Français n'est ni un Gaulois, ni un Franc, ni un Burgonde. Il est sorti de la *grande chaudière*, où sous la présidence du roi de France ont fermenté ensemble les éléments les plus divers [1]. »

Parler de *smelting pot* ou de « grande chaudière », c'est nier, comme l'écrit encore Renan, le « fait de la race », c'est refuser de réduire le fait national aux « fluctuations » approximatives d'une science qui dresserait l'inventaire des « caractères anthropologiques [2] ». Or, les tenants de cette « science », très en vogue en Europe comme aux États-Unis, ne peuvent accepter l'apologie du mélange ethnique et culturel. De quelle « science » s'agit-il ? De ce qu'on appellera aux États-Unis le « néodarwinisme », c'est-à-dire l'américanisation des thèses eugéniques d'abord défendues en Angleterre par le cousin de Charles Darwin, Francis Galton, avant d'être popularisées en France par Vacher de Lapouge et diffusées aux États-Unis par des historiens comme Madison Grant ou des psychologues comme Henry Goddard et Carl Brigham [3].

---

blables. C'est un creuset dans lequel s'opère la fusion des métaux les plus divers. Langue, nationalité, patriotisme, tout s'américanise, jusqu'aux noms propres » (cité dans Jacques Portes, *Une fascination réticente. Les États-Unis dans l'opinion française*, Nancy, Presses Universitaires de Nancy, p. 308).

1. Ernest Renan, *Qu'est-ce qu'une Nation ? et autres essais politiques*, textes choisis et présentés par Joël Roman, Paris, Presses Pocket, 1992, p. 48, souligné par moi.

2. *Ibid.*, pp. 48-49. Renan précise : « Le fait de la race, capital à l'origine, va donc toujours perdant de son importance. L'histoire humaine diffère essentiellement de la zoologie. La race n'y est pas tout, comme chez les rongeurs ou les félins, et on n'a pas le droit d'aller par le monde tâter le crâne des gens, puis les prendre à la gorge en leur disant : "tu es notre sang ; tu nous appartiens !" »

3. Voir Francis Galton, *Inquiries into Human Faculty and its Development*, Lon-

La nation organique

Pour les « néodarwiniens » et autres partisans du « racisme scientifique », la vision de l'Amérique proposée par Emerson est en effet contraire à l'idéal d'une nation organique, forte et « virile », parce que génétiquement homogène. Prôner le mélange ne peut, à leurs yeux, conduire qu'à une dangereuse « féminisation » de la race américaine. C'est ce que s'efforce de démontrer Louis Agassiz, le grand naturaliste suisse, disciple de Cuvier, installé à Harvard dans les années 1840 pour y fonder le Musée de zoologie comparée. « La production de métis, écrit-il, est un péché contre la nature, au même titre que l'inceste dans une société civilisée. » Permettre l'assimilation des immigrés par le biais de l'union ou du mariage entre Blancs, Noirs et Indiens, ce serait compromettre sans retour l'avenir des institutions républicaines. Que se passerait-il « si les États-Unis, au lieu d'être peuplés par les virils descendants d'une même famille de nations, l'étaient par la progéniture efféminée du mélange des races – à moitié indienne, à moitié noire, [le tout] mâtiné de sang blanc » ? Le savant naturaliste en « frémit d'horreur rien que d'y penser[1] ».

---

dres, Macmillan, 1883, et *Natural Inheritance*, Londres, Macmillan, 1889 ; Georges Vacher de Lapouge, *L'Aryen. Son rôle social*, Paris, A. Fontemoing, 1899 ; Madison Grant, *The Passing of the Great Race*, New York, Charles Scribner's Sons, 1916 ; Henry H. Goddard, *Feeble-mindedness : Its Causes and Consequences*, New York, MacMillan, 1914 ; Carl C. Brigham, *A Study of American Intelligence*, Princeton, Princeton, New Jersey, 1923. Sur ces auteurs et la diffusion de leurs idées, on lira Stephen Jay Gould, *The Mismeasure of Man* [1981], New York, Norton, 1993 (trad. fr. *La Malmesure de l'homme*, Paris, le Livre de poche, 1986) ; Richard Hofstadter, *Social Darwinism in American Thought*, Boston, The Beacon Press, 1955 (éd. révisée) et, en français, l'excellent ouvrage de Pierre-André Taguieff, *La Force du préjugé. Essai sur le racisme et ses doubles*, Paris, La Découverte, 1987.

1. Correspondance de Louis Agassiz du 9 et du 10 août 1863, cité dans S. J. Gould, *The Mismeasure of Man*, op. cit., pp. 48-49. « Aucun savant, selon Gould, n'eut autant d'influence qu'Agassiz pour établir et développer la biologie aux États-Unis au XIXᵉ siècle » (p. 43). Sur la « hantise du métissage », voir P.-A. Taguieff, *La Force du préjugé, op. cit.*, pp. 338-354.

D'autres éminents scientifiques, tel le biologiste et paléontologue E. D. Cope, développeront le même argument à la fin du XIXᵉ siècle, en des termes tout aussi apocalyptiques : « La plus grande race d'hommes ne peut se permettre de perdre ou de compromettre les avantages acquis après des centaines de siècles d'épreuves et de labeur en mêlant son sang à celui des [races] les plus inférieures [1]... » La solution prônée est la stricte séparation des races et des ethnies et, dans le cas des Noirs américains, l'interdiction absolue de leur migration vers le nord des États-Unis, avec une préférence marquée pour leur rapatriement en Afrique.

On comprend dès lors qu'une commission nommée par le Congrès en 1907, la Commission de l'immigration, ait cru nécessaire de dresser une hiérarchie des races en publiant, parmi ses quarante et un volumes d'enquête, un étonnant *Dictionnaire des races*. Il est vrai, cependant, que les membres de la Commission n'excluaient pas totalement le mélange des races. Seulement, ils privilégiaient l'assimilation des « vieux immigrants » – ce curieux assemblage de Teutons, de Celtes et d'Anglo-Saxons qu'on appellera plus tard par dérision (et par erreur) des *White Anglo Saxon Protestants* (WASP). Les « nouveaux immigrants » asiatiques, « hébreux » et « slavo-latins » étaient jugés difficilement assimilables. D'où le fameux « examen de lecture » recommandé par la Commission et, plus tard, les lois restrictionnistes de 1921 et de 1924, favorables aux seuls « Américains de souche » recensés en 1890, et dont les effets devaient se prolonger jusqu'au milieu des années 1960 (voir chapitres 4 et 5) [2].

Theodore Roosevelt, l'ancien président des États-Unis

---

1. E. D. Cope, « Two perils of the Indo-European » [1890], cité dans S. J. Gould, *The Mismeasure of Man, op. cit.*, p. 49. Cope était l'auteur de *The Origin of the Fittest*, New York, Macmillan, 1887.

2. Voir Maldwyn Allen Jones, *American Immigration*, Chicago, University of Chicago Press, 1992, pp. 152-156 et 230-231.

(1901-1909) devenu le leader du parti progressiste en 1912 et le défenseur d'un « nouveau nationalisme », fondé sur un programme de justice sociale particulièrement favorable aux femmes et aux travailleurs, partageait les idées exprimées par la Commission de l'immigration. Il acceptait la distinction entre « vieux » et « nouveaux » immigrants et trouvait préférable d'encourager les premiers plutôt que les seconds. Au sommet de sa hiérarchie toute personnelle des immigrants non anglophones, Roosevelt plaçait, par ordre d'importance, les huguenots, les Hollandais et les Allemands. Cependant, il n'excluait *a priori* aucune mixité, convaincu qu'il était des vertus du « mélange des sangs » d'où émergeait, aux États-Unis, un « nouveau type ethnique » et même, prétendait-il, une « race d'un type nouveau [1] ». Roosevelt redécouvrait ainsi, à sa façon, l'idée du *smelting pot* chère au poète Emerson. Le creuset était pour lui le cercle vertueux du « véritable américanisme » au sein duquel il proposait d'incorporer tous les peuples et toutes les ethnies – exception faite des « criminels, des crétins et des miséreux », qualifiés par lui d'inassimilables ou d'*un-Americans*.

L'état social du « véritable américanisme » imaginé par Roosevelt devait être un état de tolérance absolue, interdisant toute discrimination fondée sur l'origine raciale ou

---

1. Theodore Roosevelt, *Thomas Hart Benton* (1887), et Lettre à Edward Grey (18 décembre 1906), cité dans Thomas G. Dyer, *Theodore Roosevelt and the Idea of Race*, Baton Rouge, Louisiana State University Press, 1980, p. 131. Roosevelt excluait la possibilité d'assimiler les Noirs et les Orientaux, même s'il considérait ces derniers comme « moins étrangers » que les Slaves des Balkans convertis à l'islam (p. 136). Il était donc, pour reprendre la typologie de Pierre-André Taguieff, un « mixophile modéré ». Voir P.-A. Taguieff, *La Force du préjugé, op. cit.*, pp. 339-340. Formé à Harvard, passionné d'histoire et d'ornithologie, héros de la guerre hispano-américaine de 1898 (il est le second en chef d'un régiment de volontaires, les *Rough Riders*), Roosevelt fut élu gouverneur de New York avant d'être nommé à la vice-présidence en 1900. Il succéda à McKinley, assassiné en 1901. Il devint ainsi le plus jeune président des États-Unis à l'âge de 42 ans. Facilement élu à la présidence en 1904, il interrompra sa carrière politique pendant quatre ans, de 1909 à 1912, avant de prendre la tête d'un nouveau parti politique, issu d'une scission du parti républicain, le New Progressive Party. Il obtint, lors des élections présidentielles de 1912, 27,4 % des voix, contre 41,9 % au candidat démocrate (Wilson) et 23,2 % au candidat du parti républicain (Taft).

religieuse. Theodore Roosevelt était là-dessus très net :
« L'américanisme est une question d'esprit, de conviction
et d'engagement et n'a rien à voir avec les croyances ou le
lieu de naissance[1]. » Sa définition rappelait donc celle de
Renan : « Une Nation est une âme, un principe spirituel
[...], un plébiscite de tous les jours[2]. » Dans cette perspective, la nation américaine était une construction volontaire,
une affaire de principe. Or, qu'est-ce que le « véritable américanisme » ? C'est, selon Roosevelt, l'acceptation du principe de l'« américanisation » des nouveaux venus, qui, pour
être complète, doit comprendre trois éléments essentiels et
indissociables : la pratique de l'anglais ; l'acceptation des
idées politiques du pays ; le respect absolu du principe de
séparation de l'Église et de l'État.

> Nous exigeons que tout citoyen – protestant, catholique, juif ou
> païen – soit traité de façon équitable en toute chose, et qu'il dispose
> de la garantie de ses droits. C'est pourquoi [...] nous affirmons qu'il
> est scandaleux d'élire un homme pour une fonction quelconque,
> étatique ou fédérale, en tenant compte de sa foi religieuse, la seule
> condition étant qu'il soit un bon Américain. Lorsque les membres
> d'une société secrète comme l'*American Protective Association* [...]
> cherchent à proscrire les catholiques de la vie sociale et politique, ils
> se révèlent aussi étrangers à notre école de pensée, aussi *un-American*
> que les pires des immigrants qui débarquent sur nos côtes[3].

Qu'est-ce qu'un bon Américain ? C'est l'étranger qui
n'hésite pas « à porter le nom d'Américain comme le plus
honorable des titres », qui révère le drapeau américain et
sait qu'il faut « commémorer l'anniversaire de Washington,
plutôt que celui de la Reine ou du Kaiser et le 4 juillet plutôt
que le jour de la Saint-Patrick ». L'individu « complètement
américanisé » doit donc cesser de se comporter en Euro-

---

1. Theodore Roosevelt, « True Americanism », *The Forum*, avril 1894, reproduit
dans id., *American Ideals and Others Essays, Social and Political*, New York, G. P. Putnam's Sons, 1897, pp. 27 et 30.
2. E. Renan, *Qu'est-ce qu'une Nation ?*, *op. cit.*, pp. 54-55.
3. Th. Roosevelt, « True Americanism », art. cité, pp. 25-26.

péen[1]. Le mauvais Américain, en revanche, est celui qui se prétendrait encore Français ou Anglais et qui ne serait, en réalité, qu'une « imitation de deuxième classe du Français ou de l'Anglais ». L'immigrant mal américanisé a perdu toutes ses racines ; il n'est même plus un Européen ; « il n'est plus rien [...] s'il essaie de préserver sa langue, [car] elle deviendra en quelques années un jargon barbare et, s'il s'attache à son vieux mode de vie et à ses vieilles coutumes, il deviendra, en l'espace de quelques générations, un rustre grossier. Il s'est coupé du Vieux Monde et ne peut préserver ses liens avec lui. S'il veut réussir, il devra se lancer corps et âme, et sans la moindre réserve, dans la nouvelle vie qu'il est venu trouver [ici] ». Enfin, Roosevelt n'hésite pas à ranger aussi parmi les « mauvais Américains » les nativistes et les partisans des *Know-nothing*. Or, « rien n'est moins américain (*un-American*) que le *Know-nothingism* sous toutes ses formes[2] ».

Pour bien montrer que ces principes n'étaient pas vains, Theodore Roosevelt, une fois élu président en 1904, prendra l'initiative de s'entourer de conseillers noirs, de catholiques d'origine allemande, hongroise et irlandaise et de réserver, pour la première fois dans l'histoire des États-Unis, un poste ministériel – celui du Commerce et du Travail – à un juif, l'avocat Oscar Straus, frère du fondateur de Macy's, la célèbre chaîne de grands magasins. Contrairement aux partisans de la Ligue de l'immigration, Theodore Roosevelt continuera d'encourager l'arrivée de « nouveaux immigrants » originaires d'Europe du Sud et de l'Est, et il fera tout pour faciliter l'installation de réfugiés « hébreux » fuyant les pogroms de la Russie tsariste. Il donnait ainsi l'exemple d'un « nouveau nationalisme » inclusif, ouvert aux citoyens de toute race, de toute religion et de toute origine nationale.

1. *Ibid.*, pp. 25-26 et 28.
2. *Ibid.*, pp. 21, 27 et 30.

Israel Zangwill ou le projet assimilationniste d'un sioniste

On comprend donc pourquoi Israel Zangwill a pu dédier sa pièce de théâtre, *The Melting-Pot*, à Theodore Roosevelt, après une représentation triomphale à Washington D.C. en 1908, en présence du Président. Mais, pour bien saisir la portée de cette dédicace et la signification du concept de melting-pot, il convient de replacer la pièce et son auteur dans le contexte politique de l'époque.

Essayiste, romancier, auteur de pièces à succès, Israel Zangwill est né à Londres en 1864. Ses parents étaient des émigrés juifs russo-polonais d'origine très modeste. Élevé dans le quartier ouvrier de Whitechapel, dans l'East End (un quartier qui fut peuplé de réfugiés huguenots jusqu'au début du XIX⁰ siècle)[1], Zangwill, écrit Marie-Brunette Spire, est « à la fois un vrai enfant du ghetto et un écrivain anglais », l'un des plus grands, et aussi « l'un des pionniers de la fierté juive ». Sa réputation fut celle d'un « Dickens du ghetto », capable de reconstruire la grandeur et la misère des quartiers yiddishophones de l'East End pour ses lecteurs qui découvrirent ainsi un monde proche du *shtetl*, archaïque et pittoresque, jusque-là insoupçonné. Ami personnel de Theodor Herzl, Zangwill fut aussi une grande figure du mouvement sioniste et le leader de l'une des factions du Congrès sioniste de Bâle (1905)[2].

---

1. De nombreuses rues de l'ancien ghetto juif ont gardé des noms de provinces françaises ou de familles calvinistes, comme les rues Poncelet, Fournier, Calvin, Palissy, Navarre, Chambord, Fleur-de-lis, etc. Des ateliers de soyeux huguenots, construits en briques rouges à la fin du XVIII⁰ siècle, sont toujours visibles, rue Fournier par exemple. Mais ce quartier huguenot, puis juif, a perdu toute trace de ses populations d'origine. C'est aujourd'hui un quartier d'immigrés asiatiques, bengalis pour la plupart. Signe des temps qui changent, l'ancien temple huguenot de Brick Lane, construit en 1743, fut transformé en synagogue à la fin du XIX⁰ siècle, avant de devenir une mosquée à partir des années 1980. Seule survivance visible du ghetto juif : un marchand de bagels au n⁰ 159, Brick Lane. (Notes personnelles de l'auteur, Londres, novembre 1995.) Sur le congrès de Bâle, voir la note 2, p. 208.
2. Marie-Brunette Spire, préface à Israel Zangwill, *Les Comédies du Ghetto*, Paris,

Le thème central du *Melting-Pot* ne pouvait que séduire un public d'Américains : David, le Juif, le survivant du pogrom de Kishinev, rencontre la belle Vera, orthodoxe et slave, fille du baron noir, le bourreau de Kishinev. De cette union contre nature, du « creuset » d'un amour fou et purificateur, symbole de la réconciliation de toutes les races et de toutes les religions, allait naître un « nouvel homme » : l'Américain.

La pièce de Zangwill étonna ceux qui connaissaient ses activités sionistes. Pourquoi le partisan d'un État juif, le défenseur de *toutes* les traditions juives – linguistiques, culturelles et religieuses – prônerait-il la disparition des Juifs en les faisant fondre pour ainsi dire dans une Amérique homogénéisée par les effets foudroyants d'un « creuset » génétique ? L'explication courante se veut psychologique. Zangwill serait un original, un romancier, un artiste qui aimait à cultiver le paradoxe. Il était tout à la fois sioniste et assimilationniste, humaniste et traditionaliste, un esprit libre qui se jouait des contraintes de la société et jonglait avec les concepts et les stéréotypes. Sa vie privée serait à l'image de ses écrits contradictoires. Élevé dans la plus stricte orthodoxie par son père, Zangwill était un rebelle et un *misfit*. La preuve : sa femme, Edith Ayrton, était chrétienne ; leur fils n'était pas circoncis ni baptisé[1]...

L'explication me semble trop simple, trop psychologiquement réductrice pour être convaincante. Certes, Zangwill n'était pas pratiquant ; mais il a toujours pris la défense des traditions et des particularismes religieux de ses coreligionnaires, comme le démontre sa correspondance privée avec des assimilationnistes américains[2]. Qu'attendait-il des

---

10/18, 1984, pp. 7-29. De Zangwill, on lira en traduction française *Le Roi des Schnorrers*, Paris, Autrement-Littératures, 1994 (Postface de M.-B. Spire) et *Les Tragédies du Ghetto*, Paris, 10/18, 1984. C'est son roman *The Children of the Ghetto* (1892) qui le rendit célèbre en Grande-Bretagne. Ses admirateurs français, André Spire et Charles Péguy, contribuèrent à faire connaître son œuvre.

1. Par exemple : A. Mann, *The One and the Many*, *op. cit.*, pp. 102-106.

2. Voir Bernard Marinbach, *Galveston : Ellis Island of the West*, Albany, State University of New York Press, 1983, pp. 10, 28-30 et 120-122.

émigrés juifs de Russie, futurs Juifs-Américains ? Qu'ils reconstituent aux États-Unis une communauté juive puissante, protégée, suffisamment nombreuse pour peser sur le résultat des élections et pour exercer « ses droits à l'auto-défense, sous le contrôle de la libre Constitution américaine et grâce à l'influence de leaders et d'enseignants juifs[1] ». L'apparent paradoxe d'un écrivain qui serait tout à la fois sioniste et assimilationniste apparaît donc moins psychologique que politique.

Aussi n'est-ce pas un hasard si la première du *Melting-Pot* fut jouée à Washington D.C., en 1908. Washington n'a jamais été la capitale du théâtre américain. C'était à New York et à Chicago que se faisaient et se défaisaient les carrières des dramaturges. Mais Washington était la capitale de l'Union et la ville du gouvernement : c'était là que se déterminait le sort des immigrants et des réfugiés politiques. *The Melting-Pot* était en fait une œuvre de circonstance, et sans doute même un acte de *lobbying*, qui s'inscrivait dans un projet politique bien particulier. Zangwill, il ne faut jamais l'oublier, était un homme d'action[2], un disciple de Herzl, qui souhaitait trouver le plus rapidement possible un pays d'accueil pour les survivants des pogroms russes du début du siècle. Mais son sionisme avait ceci de particulier qu'il n'était pas fixé sur la Palestine. Zangwill ne voyait pas dans la Palestine ottomane, pauvre, ravagée par la famine, habitée essentiellement par des Arabes, un refuge idéal pour les immigrants juifs de Russie. L'urgence de la situation, l'extrême détresse des victimes des pogroms exigeaient un compromis pratique, une solution « territoriale » : l'installation des victimes dans un refuge démocratique, ouvert à l'émigration juive et suffisamment tolérant pour que les nouveaux arrivants puissent sauvegarder leur identité cultu-

---

1. Israel Zangwill, « A Land of Refuge », discours prononcé le 8 décembre 1907 à l'hippodrome de Manchester devant des membres de l'ITO, *Speeches, Articles and Letters*, sélectionné et édité par Maurice Simon, Londres, Soncino Press, 1937, p. 254.
2. M.-B. Spire, « Préface » aux *Comédies du Ghetto, op. cit.*, p. 26.

relle et religieuse. « Sion » n'était pas à ses yeux un lieu géographique prédéterminé, mais l'endroit où le Juif pourrait enfin « construire sa propre nationalité » et révéler son authentique personnalité, un Juif qui pourrait enfin affirmer au reste du monde : « Non, je ne porterai plus désormais de masque. Je porterai mon véritable visage, le visage juif[1]. »

Idéalement, le territoire recherché devait être un État juif disposant d'une complète autonomie politique. Pour satisfaire cet objectif ambitieux, Israel Zangwill accepta de prendre la tête de la Jewish Territorial Organization (ITO), dont la Commission géographique était chargée de déterminer le territoire idéal, appelé provisoirement « *ITOland*[2] ». Son projet d'un sionisme sans Sion trouva un écho favorable aux États-Unis où le président Theodore Roosevelt, Oscar Straus, ministre du Commerce chargé des questions d'immigration, et Jacob Schiff, le grand banquier et philanthrope juif, souhaitaient intervenir en faveur des survivants des pogroms.

Qu'est-ce qui a sensibilisé les élites politiques américaines au sort des réfugiés politiques juifs ? La presse américaine, sans doute, qui dénonça la cruauté des pogroms, mais aussi les sociétés de secours juives (on ne parlait pas encore de lobby juif), qui surent trouver en la personne de Roosevelt

1. I. Zangwill, « A Land of Refuge », art. cité, p. 241. Je remercie Marie-Brunette Spire d'avoir attiré mon attention sur ce texte capital. Sur les idées de Herzl, qui ont si manifestement influencé Zangwill, on lira tout particulièrement Alain Dieckhoff, *L'Invention d'une nation. Israël et la modernité politique*, Paris, Gallimard, 1993, pp. 29-70.
2. Créée en 1905, l'ITO fut le résultat de la scission du congrès sioniste de Bâle de 1905. La majorité des délégués n'envisageait qu'un seul lieu d'immigration, la Palestine ottomane. À cette solution « pragmatique » mais risquée, une minorité opposait une solution « politique » plus sûre : une terre d'asile qui ne serait pas la vraie Sion, mais qui offrirait des droits et des garanties politiques aux immigrés juifs. D'où ces propos d'Israel Zangwill à la conférence de Derby Hall (Manchester, 1905) : « La Palestine sans Charte [constitutionnelle] n'offre aucune garantie d'accès à la propriété, aucun moyen de devenir propriétaire. Sion sans le sionisme est une vaste plaisanterie... Non, mieux vaut le sionisme sans Sion que Sion sans le sionisme » (cité dans B. Marinbach, *Galveston : Ellis Island of the West*, op. cit., p. 8). À noter que les initiales ITO correspondent à l'écriture phonétique du yiddish pour « Jewish Territorial Organization » (« I » se prononce [j]).

un allié de poids, dès le début du siècle. Le Président utilisa d'abord la voie diplomatique et tenta d'obtenir des précisions sur les violences commises contre les juifs de Kishinev en Bessarabie (avril 1903). Il n'hésita pas à exprimer le mécontentement du gouvernement américain. Les moyens choisis, il est vrai, étaient timides : une demande d'explication transmise par le ministère des Affaires étrangères et l'envoi, par le même canal, d'une pétition rédigée par des Juifs-Américains. Et les résultats furent décevants puisque les autorités russes nièrent la réalité du pogrom de Kishinev et ignorèrent la pétition qui leur avait été soumise. Résultat modeste, mais hautement symbolique : John Hay, le ministre des Affaires étrangères, rendit publique la pétition pour sensibiliser l'opinion américaine. Il s'agissait là, écrivit Oscar Straus au président Roosevelt, d'un acte digne « de la plus haute diplomatie, la diplomatie de l'humanité [1] ».

Theodore Roosevelt ne fut pas l'inventeur d'une politique américaine des droits de l'homme, mais il fut le premier à prendre pour cible la Russie tsariste et à s'intéresser à la question de l'émigration juive. Sa politique eut des effets concrets grâce à la mise en place du « plan de Galveston », un projet d'accueil des victimes de pogroms.

Le « plan de Galveston »

Theodore Roosevelt et ses ministres John Hay et Oscar Straus devaient faire face à l'hostilité du Congrès et à la virulence du courant nativiste mobilisé par l'Immigration Restriction League. Ils savaient que l'arrivée massive de juifs russes à New York pourrait apparaître comme une provocation aux yeux des nativistes les plus xénophobes, pour qui le Lower East Side de Manhattan était déjà « infesté »

---

1. Cité dans Howard M. Sachar, *A History of The Jews in America*, New York, Knopf, 1992, p. 225. L'ouvrage définitif sur la question est celui de Bernard Marinbach, déjà cité.

de juifs d'Europe centrale. Pour échapper aux critiques les plus malveillantes, ils proposèrent l'adoption du projet de Jacob Schiff : accueillir les nouveaux immigrants à Galveston au Texas, pour les disperser ensuite dans les villes les plus dynamiques de l'ouest des États-Unis et « décongestionner » ainsi les grands ports de la côte Est[1]. Pourquoi Galveston plutôt que La Nouvelle-Orléans ? Ce choix était délibéré : il fallait éviter de reconstituer au sud des États-Unis les quartiers insalubres des grands ports d'immigration de la côte Est. La Nouvelle-Orléans était une ville prospère qui risquait de devenir un pôle d'attraction comme Manhattan. Galveston, en revanche, n'était qu'un port, un lieu de passage sans industries ni habitants. Le choix de Galveston répondait donc aux préférences politiques des autorités américaines : il facilitait la « diversion spontanée » de la grande masse des nouveaux immigrants vers les villes « saines » des régions de l'Ouest[2].

C'est ainsi que prit naissance le « plan de Galveston ». Schiff écrivit à Zangwill en lui demandant de prendre en charge la partie européenne de son projet. L'ITO créa donc à Kiev une « Jewish Emigration Society » chargée de recruter les candidats au voyage, et obtint la collaboration active de la grande organisation philanthropique juive allemande, le Hilfsverein der deutschen Juden, pour faciliter le transport des réfugiés russes à travers l'Allemagne vers le port de Brême d'où ils devaient embarquer pour Galveston. Tout était prévu pour le confort des réfugiés : un centre d'accueil à Brême, disposant d'une salle de lecture et d'une synagogue, et, raffinement suprême pour l'époque, l'installation de cuisines casher au sein des steamers utilisés pour la traversée de l'Atlantique par la North German-Lloyd Shipping Company[3]. Le transport à l'intérieur des États-

---

1. *Ibid.*, pp. 221-225.
2. I. Zangwill, « A Land of Refuge » et « The Third Birthday of the ITO » (Londres, août 1908), *Speeches and Articles, op. cit.*, pp. 254 et 289 respectivement.
3. I. Zangwill, « A Land of Refuge », art. cité, pp. 256-257. La réalité fut moins

Unis, l'accueil, le logement et l'aide sociale devaient être pris en charge par des organisations juives américaines, à commencer par le Jewish Immigrant's Information Bureau de Galveston, géré par un administrateur de l'Industrial Removal Office, Morris D. Waldman, et un rabbin texan, Henry Cohen. Les branches régionales de l'Industrial Removal Office et les loges régionales du B'nai B'rith reçurent la tâche de faciliter la dispersion des nouveaux immigrés en leur trouvant des emplois et en mobilisant les communautés juives locales[1]. Comme prévu, les premiers pionniers juifs arrivèrent à Galveston, en juillet 1907. Ils y furent accueillis personnellement par le rabbin Cohen et par le maire de la ville, lequel tenait à serrer la main de chacun d'entre eux pour leur souhaiter la bienvenue. Mais Galveston était la première étape vers un second voyage à destination des villes « saines » de l'Ouest et du Midwest. Parmi ces villes : Des Moines, Cedar Rapids et Sioux City dans l'Iowa ; Dallas, Houston, Fort Worth et Comanche au Texas ; Saint Paul dans le Minnesota ; Topeka, Kansas City et Wichita dans le Kansas ; Omaha dans le Nebraska... soit au total plus de cent villes, réparties dans vingt-cinq États différents.

Les nouveaux immigrants, dispersés, certes, mais accueillis et pris en charge par des communautés juives locales, disposeraient-ils d'une certaine autonomie politique ? Tenteraient-ils, à l'exemple des mormons, de coloniser à l'Ouest un territoire qui deviendrait le leur ? On pouvait

---

glorieuse : de nombreux passagers se plaignaient de l'inconfort du voyage, de la médiocrité de la nourriture, et de la rudesse et de l'antisémitisme des stewards allemands. Voir B. Marinbach, *Galveston : Ellis Island of the West, op. cit.*, pp. 21-43 et 142-147.

1. Créé en 1901, grâce au financement du baron de Hirsch Fund de New York, l'Industrial Removal Office était en fait un bureau national d'emploi qui plaçait des annonces dans la presse yiddish. Le baron Maurice de Hirsch, banquier et constructeur de chemins de fer européens, légua toute sa fortune pour des activités philanthropiques dont la plus fameuse fut sans doute la Jewish Colonization Association, destinée à créer des colonies agricoles juives à travers le monde. Voir H. Sachar, *A History of American Jews in America, op. cit.*, pp. 136-139 et surtout B. Marinbach, *Galveston : Ellis Island of the West, op. cit.*, pp. 1-20.

le croire, étant donné les objectifs politiques de l'ITO. Mais Jacob Schiff, qui n'avait aucune sympathie particulière pour le projet itoïste, fit connaître d'emblée son opposition catégorique au « sionisme politique » défendu par Zangwill, qui prévoyait la mise en place, en dehors de Sion, de communautés juives structurées, organisées pour la défense d'une authentique culture juive. Pour empêcher tout dérapage idéologique, il refusa à Zangwill la possibilité de contrôler la branche américaine du plan de Galveston[1]. Au projet zangwillien de création d'un territoire juif autonome, Jacob Schiff opposa la solution d'un assimilationnisme à l'américaine, et, pour montrer le sérieux de son engagement, il offrit 500 000 dollars à la Jewish Territorial Organization pour lancer la partie américaine du projet. Les dirigeants de l'ITO, après maintes hésitations et de vifs débats internes, acceptèrent finalement l'offre du grand philanthrope américain[2]...

Le contexte politique permet de mieux comprendre le paradoxe apparent d'un écrivain sioniste, partisan d'un territoire juif autonome, qui prônait en même temps les merveilles de l'assimilation intégrale dans sa pièce bientôt célèbre, *The Melting-Pot*. Israel Zangwill travaillait dans l'urgence. Pour ne pas envenimer les choses, il s'efforça de donner des gages à ses bienfaiteurs américains ; il réussit à les convaincre, et il démontra de façon magistrale qu'il ne cherchait pas à jeter le trouble en imposant aux États-Unis sa solution préférée, le « territorialisme ». L'*ITOland* rêvé

---

1. Analysant la correspondance privée de Jacob Schiff, Bernard Marinbach précise que « Schiff craignait que Zangwill ne tente de créer un territoire autonome à l'Ouest [des États-Unis] ». Voir B. Marinbach, *Galveston : Ellis Island of the West*, *op. cit.*, pp. 10 et 120-121.
2. *Ibid.*, pp. 10-11. Inventeur du projet de Galveston, fondateur de l'Industrial Removal Office, le banquier Jacob Schiff (qui contrôla l'une des plus grandes banques d'investissement américaine, Kuhn, Loeb & Co.) était président du comité directeur du Jewish Immigrants' Information Bureau, surnommé le « comité de Galveston ». Schiff s'était intéressé aux projets de colonisation du baron Maurice de Hirsch en 1891 et avait, dès cette époque, proposé les États de l'Ouest américain comme territoire d'accueil possible (pp. 4-5).

serait réservé à une autre région du globe, encore indéterminée. En acceptant la solution proposée par Jacob Schiff, Zangwill faisait preuve de réalisme, tout en préservant son utopie. Il savait que le « futur État juif » ne verrait pas le jour aux États-Unis, et que le plan de Galveston ne serait qu'un pis-aller ; une solution d'attente avant la localisation définitive de la Nouvelle Sion... Seule l'urgence de la situation justifiait le choix d'un pays qui reconnaissait, certes, « sur le papier » l'égalité absolue des citoyens mais qui pratiquait, hélas, une forme douce de l'antisémitisme : l'ostracisme « social » des élites juives américaines[1]. Le plan de Galveston constituait, à ses yeux, le meilleur moyen de ne pas enflammer les passions xénophobes des partisans de l'Immigration Restriction League. L'Amérique n'offrait donc à Zangwill qu'une solution provisoire dictée par l'urgence : une « *second best solution*[2] ».

Quant à la pièce de théâtre, elle démontrait que les nouveaux immigrants russes seraient bientôt transformés en vrais Américains, à l'image de David et de Vera...

La fin du « plan de Galveston »

Mal organisée, impuissante à convaincre les réfugiés de s'installer à Galveston plutôt qu'à New York, la Jewish Territorial Organization n'a pas tenu ses promesses, malgré l'importance des sommes engagées par les philanthropes américains. Les mégapoles de la côte Est et du Midwest, comme New York et Chicago, offraient tous les attraits de véritables villes juives, avec leurs écoles hébraïques, leurs journaux et leurs théâtres yiddish, leurs boucheries casher, leurs sociétés de bienfaisance (*Landsmanschaften*), leurs cercles de travailleurs juifs (*Yiddisher Arbeiter Ring*) et surtout

---

1. I. Zangwill, « A Land of Refuge », art. cité, p. 259.
2. *Ibid.*

la variété des cultes disponibles, de l'orthodoxie la plus rigoureuse au réformisme le plus libéral. Une telle richesse, un tel environnement, une telle *Yiddishkeit* ne pouvaient, à l'évidence, exister dans les petites communautés juives de l'Ouest, même si certaines d'entre elles furent revivifiées par la présence et le dynamisme des immigrés de Galveston[1]. « Pour la grande masse des immigrants, écrit Bernard Marinbach, New York restait la « véritable Amérique » [...] et l'Amérique sans New York était un peu comme le sionisme sans Sion, un mouvement privé de sa principale attraction[2]. » Si bien que sur les 803 000 immigrés juifs qui s'installèrent aux États-Unis entre 1907 et 1914, moins de 10 000 choisirent « la route de l'Ouest[3] ».

Il est vrai que le plan de Galveston se heurta à des difficultés imprévues : la crise économique et financière de l'automne de 1907, l'inconfort et la durée du voyage, et surtout le durcissement des contrôles administratifs imposés par un Bureau d'immigration de plus en plus restrictionniste, sous les présidences de Taft et de Wilson. La publicité négative faite autour des déportations d'immigrants juifs de Galveston, pour des raisons médicales souvent vagues et injustifiées, incita Jacob Schiff, en accord avec Zangwill, à mettre fin au plan de Galveston quelques mois avant le début de la Première Guerre mondiale. Peu de temps après, la déclaration Balfour de 1917 devait donner le coup de grâce au projet zangwillien d'un sionisme sans Sion : les juifs disposaient désormais d'un *Homeland* en Palestine,

---

1. Bernard Marinbach observe ainsi que la petite communauté juive de Sioux City, fondée en 1869 dans l'Iowa, fut transformée par l'arrivée d'environ un millier de « galvestoniens ». En 1910, la communauté juive locale disposait de cinq synagogues (dont quatre orthodoxes), de cinq boucheries casher, de plusieurs clubs littéraires, de sociétés caritatives... Chaque famille lisait au moins un journal yiddish, le *Jewish Daily Courier* ou le *Jewish Daily Forward*... Voir B. Marinbach, *Galveston : Ellis Island of the West, op. cit.*, pp. 187-190.

2. *Ibid.*, p. 184.

3. Calculé d'après Leonard Dinnerstein et David Reimers, *Ethnic Americans*, 3e éd., New York, Harper Collins, 1988, Tableau A2, « Jewish Immigration to the United States, 1881-1884 », p. 214.

théoriquement protégé par le gouvernement de Sa Majesté britannique [1].

Le melting-pot au théâtre

L'exceptionnel succès de scène du dramaturge Israel Zangwill a fait oublier les échecs du fondateur de l'itoïsme. Qui se souvient encore aux États-Unis des ambitions territorialistes de ce « sioniste paradoxal » ? Pour la postérité, Zangwill est demeuré l'inventeur de la forme la plus radicale de l'assimilationnisme « à l'américaine ». Sa pièce ne laissait rien transparaître de ses idées politiques. Elle était l'œuvre d'un humaniste anglais qui racontait à des Américains la plus belle histoire d'immigration du monde : la leur. Ne serait-ce qu'à ce titre, elle mérite qu'on s'y attarde quelque peu. Zangwill réussissait en effet à décrire l'essence de l'Amérique moderne ; il trouvait dans le chaos des expériences migratoires les principes mêmes d'une assimilation vertueuse, d'une religion de l'humanité, entrevue par Ralph Waldo Emerson et George Bancroft, et conduisant à une extraordinaire apothéose de tous les brassages et de toutes les réconciliations possibles et imaginables. L'Américain, ce « nouvel homme » pensé par Zangwill, était le nouvel Adam, l'être indifférencié d'une humanité enfin en paix avec elle-même, purifiée par les flammes d'un chaudron symbolique installé sur le sol de l'Amérique par une bienveillante Providence.

◆

1. B. Marinbach, *Galveston : Ellis Island of the West*, *op. cit.*, pp. 166-180. L'échec n'était que relatif, puisque, sur une période de sept ans, 9 000 immigrants arrivèrent à Galveston sur un total prévu de 17 500 – soit un taux de succès de 51 %. L'ITO mettra fin à ses fonctions en 1925.

Premier acte. Le décor est une modeste maison d'un quartier de New York. Une mezouza clouée sur la porte d'entrée, des livres en hébreu disposés sur des rayonnages, une photographie du mur des Lamentations, des chandeliers..., autant d'éléments typiques qui voisinent toutefois avec quelques objets plus inattendus, dénotant une certaine ouverture sur le monde : des portraits de Wagner, de Lincoln et de Christophe Colomb ; une bible accolée à un ouvrage de Nietzsche et, côte à côte, des poèmes de Shelley, de Tennyson et une *Histoire des Juifs.* Sur une porte, un drapeau américain[1]...

Les occupants de la maison sont le musicien Mendel Quixano[2], qui porte une kippa noire, et Frau Quixano, sa mère. Mendel maîtrise bien l'anglais, mais sa mère ne connaît que le yiddish. Elle est manifestement mal adaptée à son pays d'accueil et ne cesse de maudire la source de son malheur, l'inventeur de l'Amérique, Christophe Colomb : « *A Klog zu Columbessen !* » est son juron préféré. David, le neveu de Mendel, est l'espoir de la famille : c'est un violoniste doué qui vivote, comme son oncle, en donnant des leçons de musique et des concerts occasionnels. Il est jeune, rayonnant, du « plus beau type russo-juif ». La bonne, Kathleen O'Reilly, s'exprime avec un fort accent irlandais. Elle est stupide, entêtée, et ne cesse de faire des remarques antisémites plus drôles les unes que les autres. Elle croit, par exemple, que les juifs mangent du *bacon,* « à condition

---

1. I. Zangwill, *The Melting-Pot. Drama in Four Acts* [1909], New York, Arno Press, 1975, fac-similé de l'édition révisée de 1932, pp. 1 et 19.
2. Ce nom n'a pas été choisi au hasard. Il évoque la diaspora des juifs d'Espagne, mais aussi les aventures de Don Quichotte et la fin d'un cycle de guerres et de folies. *Alonso Quixano le Bon* est le vrai nom de Don Quichotte, celui qu'il révèle sur son lit de mort, après son retour au village de ses origines, dans le dernier chapitre du roman de Cervantes : « Messieurs, repartit alors don Quichotte, je vous en prie, n'allons pas si vite [...]. Je fus fou, et maintenant je suis sage. Je fus don Quichotte de la Manche, et je suis maintenant, comme j'ai dit, Alonso Quixano le Bon. Que ma repentance et ma sincérité me rendent votre estime » (Cervantès, *L'Ingénieux Hidalgo Don Quichotte de la Manche* [1605-1615], trad. de César Oudin et François Rosset, revue et corrigée par Jean Cassou, Paris, Gallimard, « Bibliothèque de la Pléiade », 1934, p. 865).

qu'il soit tué casher »! Son rôle essentiel est de faire rire l'audience aux dépens des Irlandais[1].

Arrive de façon inopinée la belle Vera Revendal, russe elle aussi, mais chrétienne et issue d'un milieu aristocratique. Elle éprouve un goût prononcé pour la musique, et déclare avoir suivi les cours de piano du conservatoire de Saint-Pétersbourg. Elle est venue inviter David à participer à un concert destiné aux « Hollandais et Grecs, Polonais et Norvégiens, Gallois et Arméniens » du Foyer des immigrés, le *Spirit of the Settlement*, dont elle gère les activités. Bien sûr, David est d'accord : il jouera du violon bénévolement, pour la plus grande joie des nouveaux arrivés. À cette occasion, il confie à Vera ce rêve étonnant : se rendre à Ellis Island pour y voir débarquer les Européens, s'identifier à eux en communion d'esprit et revivre les sensations de sa propre arrivée, « quand l'Amérique étendit vers moi son immense main maternelle ! » Et il avoue sa grande ambition : composer une « symphonie américaine » qui expliquerait enfin le sens de l'Amérique[2].

> VERA. – Donc vous trouvez votre inspiration en Amérique ?
> DAVID. – Oui, dans le bouillonnement du Creuset [*Crucible*].
> VERA. – Le Creuset ? Je ne comprends pas.
> DAVID. – Vous ne comprenez pas ! Et pourtant, vous venez bien du *Spirit of the Settlement* [le Foyer des immigrés] ! Vous ne comprenez pas que l'Amérique est le Creuset de Dieu [*God's Crucible*], le grand *Melting-Pot* où toutes les races d'Europe sont fondues et remodelées ! Vous voilà arrivés, braves gens, suis-je amené à penser lorsque je les vois à Ellis Island. Vous êtes là avec vos cinquante groupes, vos cinquante langues, vos cinquante traditions, vos rivalités et vos haines sanguinaires. Mais pas pour longtemps, mes frères, car vous vous êtes jetés dans le feu divin [...]. Fi des bagarres et des vendettas ! Allemands et Français, Irlandais et Anglais, Juifs et Russes, – allez, tous dans le Creuset ! Dieu est en train de fabriquer l'Américain[3].

1. I. Zangwill, *The Melting-Pot, op. cit.*, pp. 6, 22 et 27.
2. *Ibid.*, pp. 30-32.
3. *Ibid.*, p. 33.

Pourtant, s'interroge l'oncle Mendel, l'Américain n'est-il pas déjà formé ? N'y a-t-il pas déjà 80 millions d'Américains ? Poursuivant son rêve eschatologique, David s'écrie : « Non, mon oncle ! Le véritable Américain n'est pas encore né. Il est dans le Creuset. En vérité, je vous le dis, il sera le produit de la fusion de toutes les races et peut-être même le nouveau surhomme[1]. » Et de conclure que tout cela ferait un admirable finale pour son projet de symphonie.

David découvre les origines russes de Vera. Elle est née à Kishinev, comme lui ! Surprise, joie et pleurs. Hélas ! Cette coïncidence réveille en lui de terribles souvenirs : c'est à Kishinev qu'il assista au massacre de ses parents, de ses sœurs et du petit dernier de la famille, « un bébé dont le crâne fut fracassé par le talon d'un hooligan ». David, blessé, abandonné et tenu pour mort, est bien le survivant, « l'orphelin du pogrom[2] », comme tous ces réfugiés juifs qui débarquent encore alors aux États-Unis, en partie grâce au plan de Galveston. Mais de cela Zangwill ne dit mot dans sa pièce.

◆

Deuxième acte. Même lieu, un mois plus tard. David a presque terminé la composition de sa « symphonie américaine ». Il est en train d'en réécrire le finale. Arrive Vera, accompagnée d'un ami richissime, Quincy Davenport, un philanthrope passionné de musique qui vient d'engager pour satisfaire ses caprices de millionnaire le grand chef d'orchestre allemand Herr Pappelmeister. Le maître lit la partition de David. Enthousiasmé, il propose d'en diriger la première, pour la plus grande gloire du compositeur et de son généreux *sponsor*. Le génie de David Quixano est

---

1. *Ibid.*, p. 34.
2. *Ibid.*, p. 37.

enfin reconnu à sa juste valeur. Mais un désaccord profond apparaît bientôt entre le pauvre immigré juif et le riche héritier, oisif, arrogant, antisémite, volage, obsédé par l'Europe et ses aristocrates, méprisant à l'égard du peuple américain qu'il juge inculte. David refuse la renommée qu'on lui propose. Il ne sera pas la « créature » d'un millionnaire qui, au fond, préfère l'Europe décadente à l'Amérique de l'avenir. La « symphonie américaine » n'est pas destinée aux amis d'un individu qui « n'a pas gagné l'argent qu'il dépense » et qui, de surcroît, courtise la belle Vera, alors qu'il est un homme marié[1].

> QUINCY. – Ah ! Ah ! Oh ! Oh ! Vous ne m'aviez jamais dit que votre écrivassier juif était un socialiste !
> DAVID. – Je ne suis qu'un simple artiste. Mais je viens d'Europe et j'en suis l'une des victimes. Je sais qu'elle est un échec, que ses palais et ses titres nobiliaires ne sont que les restes usagés [d'une époque révolue] de l'esprit humain, et que le seul espoir de l'humanité est dans un monde nouveau. Et, ici même, dans le pays de l'avenir [the land of to-morrow], vous essayez de faire revivre la vieille Europe !
> QUINCY. – Si je le pouvais !
> DAVID. – L'Europe [...] avec ses pompes et ses chevaleries, sorties d'un bourbier de crimes et de misères[2]...

La rupture est consommée entre David et Quincy. Le millionnaire, furieux, quitte la scène. La symphonie ne sera pas jouée. David s'excuse de son intransigeance auprès de Vera, qui lui pardonne et tombe dans ses bras. L'amour sera ici la consolation du projet avorté et la promesse d'un avenir meilleur. Mais Vera doit partir. L'oncle Mendel essaie de raisonner son neveu : jamais un baron russe n'acceptera que sa fille épouse un juif, même aux États-Unis. Le jeune homme s'entête, le dialogue tourne court et David se voit finalement renié par son oncle au nom d'une tradition immémoriale dont il se veut le gardien. L'oncle Mendel lui

1. *Ibid.*, p. 83.
2. *Ibid.*, p. 87.

reproche d'avoir oublié sa « race » et le « Dieu de nos pères ». Délire assimilationniste de David qui vante les splendeurs de l'Amérique, cette « nouvelle république laïque ». Il proclame sa foi dans l'Amérique et exprime son allégeance au « drapeau de notre grande République[1] ».

◆

Troisième acte. Quincy Davenport, le baron Revendal et sa nouvelle épouse (la mère de Vera est décédée) viennent rendre visite à Vera, au Foyer des immigrés. Quincy, bien que marié, a l'intention d'épouser la jeune fille. C'est lui qui a fait venir de Russie les Revendal, en les transportant depuis Odessa sur son yacht privé. Il leur explique que le divorce est chose facile aux États-Unis et leur révèle les mauvaises fréquentations de leur fille : elle sort, dit-il, avec un violoneux de cabaret, un juif immigré. Le baron est furieux. Il avoue sa passion pour le tsar et dit partager son antisémitisme viscéral : les juifs, explique-t-il, sont les « ennemis mortels de notre sainte autocratie et de la véritable Église orthodoxe » ; il faut les détruire avant qu'ils ne prolifèrent. Attention à cette « vermine [...] grouillante et rampante [...] qui ruine notre paysannerie avec ses prêts et ses débits de boissons, détruit notre armée avec sa propagande révolutionnaire et ruine nos élites professionnelles en s'emparant de tous les prix d'excellence et de tous les postes de professeurs[2] »...

Sur ces entrefaites apparaît Vera, surprise et ravie de voir son père. On comprend enfin les raisons de son exil : des activités révolutionnaires contre la dictature tsariste et la menace d'un séjour en Sibérie. Son père lui pardonne ses excès de jeunesse. La baronne est scandalisée de ses fréquen-

1. *Ibid.*, pp. 97-98.
2. *Ibid.*, pp. 110-111.

tations. Pourquoi n'épouserait-elle pas « l'adorable Monsieur Davenport... qui marie si parfaitement les manières européennes avec les millions de l'Amérique ? » Le baron est révolté d'apprendre que sa fille envisage sérieusement d'épouser « un chien non baptisé ». Il est prêt, cependant, à lui pardonner si, comme elle l'affirme, David est un juif d'exception – un nouveau Rubinstein. Et voici qu'apparaît David lui-même. C'est le moment le plus dramatique de la pièce. Le jeune homme reconnaît sous les traits du baron la face honnie du commandant de l'Escadron Noir qui mena la charge contre les juifs de Kishinev et laissa perpétrer les pires massacres. Effondré, il réalise alors que Vera est « la fille du boucher » de Kishinev et qu'il est désormais séparé d'elle par « une rivière de sang[1] ».

◆

Quatrième acte. Le décor représente le toit du Foyer des immigrés, un 4 juillet, le jour de l'Indépendance. David contemple le coucher de soleil sur le port de Manhattan. Ellis Island et la statue de la Liberté sont clairement visibles. On vient de jouer la première de sa *Symphonie américaine* sous la direction du grand chef d'orchestre allemand Pappelmeister. Sa carrière est faite : Pappelmeister l'a engagé comme compositeur et premier violon de son nouvel orchestre new-yorkais. Son oncle et sa grand-mère chez qui il est retourné sont ravis : ce fut un triomphe. Sa musique est accessible à tous, des critiques les plus sophistiqués jusqu'à « l'âme simple » des immigrés. Mais derrière le succès se profile le terrible drame de sa rupture avec Vera. Le « creuset » américain pourra-t-il jamais effacer l'héritage du passé et les haines religieuses et raciales ? sera-t-il capable de « boire tout ce sang » ? David en doute ; il est désespéré,

1. *Ibid.*, pp. 122 et 155-158.

son idéal n'est qu'une folle utopie. Mais Vera est là, pure et innocente. Elle a bien renié son monstre de père, en présence de David, et celui-ci qui croyait leur amour à jamais perdu le redécouvre. Il sait désormais que « les péchés du père ne rejaillissent pas sur la tête de ses enfants ». Un baiser de paix, « à la russe », scelle leur ultime réconciliation, alors que le soleil couchant colore le ciel d'un rouge sanglant, qui ne figure plus les massacres de Kishinev, mais bien plutôt le feu écarlate et glorieux du grand Melting-Pot.

David croit entendre le bouillonnement du creuset « dans ce port où des milliers de gigantesques cargos déversent leur fret humain, [...] des Celtes et des Latins, des Slaves et des Teutons, des Grecs et des Syriens, des Noirs et des Jaunes ». « Des Juifs et des Gentils », ajoute doucement la belle Vera, serrée dans ses bras. « Oui, conclut David, c'est ainsi que le grand Alchimiste fusionne l'Est et l'Ouest, le Nord et le Sud, le palmier et le pin, le pôle et l'équateur, le croissant et la croix, dans sa flamme purificatrice. C'est ici qu'ils seront tous réunis pour construire la République de l'Homme et le Royaume de Dieu[1]. »

Entre l'enthousiasme et la critique

On doit la première réaction enthousiaste au président Theodore Roosevelt qui, le soir même de la première, s'exclama en public : « C'est une grande pièce, monsieur Zangwill ! » L'exclamation suscita immédiatement la moquerie des journalistes : Roosevelt, après avoir tâté de la vie de cow-boy, de chasseur de fauves, de héros de la guerre hispano-américaine, d'escrimeur et de pratiquant de jiu-jitsu, se prétendait maintenant critique de théâtre[2]... D'ailleurs, l'enthousiasme un peu rustique du Président ne pou-

---

1. *Ibid.*, pp. 184-185.
2. La caricature de Roosevelt par Donahey, intitulée « une nouvelle photo dans la collection de photographies du Président », représente un président fort satisfait,

vait pas davantage satisfaire l'auteur de la pièce. Roosevelt, en effet, aurait cru flatter l'épouse du dramaturge en lui déclarant fièrement : « Je n'ai pas grand goût pour Bernard Shaw ou pour Ibsen, mais *ça*, madame Zangwill, c'est du théâtre ! »... « Pauvre Israel, ironisa celle-ci, j'ai dû la lui répéter [la formule du Président] pour le rendre modeste[1]. »

Zangwill offrit néanmoins de dédier la première édition de sa pièce à Theodore Roosevelt. Le Président accepta, mais à une condition : que l'auteur retranche quelques lignes, jugées insultantes, sur la corruption générale des hommes politiques américains et sur la prolifération des divorces aux États-Unis. Ces passages, qui faisaient rire l'audience, expliquait le Président à Zangwill, provoquaient chez lui « un sens de révolte et d'indignation ». Zangwill effaça obligeamment les lignes incriminées et fut, en retour, chaleureusement remercié par Roosevelt qui déclarait n'avoir jamais été « aussi ému par une pièce de théâtre[2] ».

La pièce tint l'affiche pendant deux mois à Chicago et plus de deux ans à New York. Elle fut représentée dans une douzaine d'autres villes américaines, avant même sa première londonienne, en 1914. C'était la pièce préférée des troupes d'amateurs. Le succès fut tel que *The Melting-Pot* connut sept réimpressions successives entre 1909 et 1917. Toutefois, la réaction des critiques fut plus mitigée que celle des spectateurs. Pour les uns, la pièce illustrait à merveille l'avenir d'une Amérique régénérée par l'arrivée de nouveaux immigrants, elle constituait presque une nouvelle

face à des photos de lui-même déguisé en cow-boy, en chasseur de fauves... et en critique de théâtre. *New York Times*, 12 octobre 1908, archives de la Theodore Roosevelt Collection, Houghton Library, Harvard University.

1. « I'm not a Bernard Shaw man or an Ibsen man, Mrs. Zangwill. No, *this* is the stuff », lettre d'Edith Zangwill à Mᵐᵉ Yorks, 7 octobre 1908, cité par Arthur Mann, « The Melting Pot », *in* Richard L. Bushman *et al.*, (éd.), *Uprooted Americans. Essays to Honor Oscar Handlin*, Boston, Little Brown, 1979, p. 315.

2. Lettre de Theodore Roosevelt à Israel Zangwill, 15 octobre 1908, *in* Elting E. Morison *et al.* (éd.), *The Letters of Theodore Roosevelt*, Cambridge (Mass.), Harvard University Press, 1952, pp. 1288-1289. Dès le 12 octobre, le *New York Times* annonçait que Zangwill s'était engagé à modifier sa pièce si le Président le lui demandait (archives de la Theodore Roosevelt Collection).

Déclaration d'indépendance. Pour d'autres, ce n'était qu'un mélodrame flattant les bas instincts d'un public inculte avec ses ridicules extases musicales, ses références absurdes et passionnées au Creuset divin, à Ellis Island, aux bras accueillants de la statue de la Liberté. Bref, c'était du « verbiage romantique », tout sauf une œuvre d'art[1]. D'autres, enfin, tel le critique de l'*Independent*, estimaient que l'auteur en faisait trop, tout en exprimant une certaine admiration :

> *The Melting-Pot*, rédigé par un Hébreux-Anglais, est [une œuvre] américaine, plus américaine que les Américains, car, même un 4 juillet, nous n'oserions pas faire preuve d'un optimisme aussi radical sur l'avenir du pays, d'un enthousiasme aussi échevelé sur notre grande expérience d'amalgamation. Mais cela nous fait du bien de nous voir comme on nous voit et d'apprendre comment l'aimable Déesse de la Liberté est perçue par ceux qu'elle protège et qui ont fui les pogroms de Russie[2].

Si l'action mélodramatique déplaisait particulièrement aux critiques anglais, c'est l'apologie même du creuset ethnoracial qui mettait en rage les chroniqueurs de la presse juive américaine. Ceux-ci voulaient préserver leur identité au nom d'une tradition immémoriale nourrie par « les chants des prophètes et le sang des martyrs[3] ». Leur credo était anti-assimilationniste : tout sauf le melting-pot.

Conscient des polémiques qu'il avait suscitées, Zangwill répondit à ses critiques dans la postface de la deuxième édition du *Melting-Pot*. Les Anglais qui dénonçaient ses exagérations et sa vulgarité, rétorquait-il, feraient mieux de quitter les « fauteuils de leurs clubs » et de visiter les rues d'un ghetto pour y entendre les « bruits » de la foule et y découvrir de vraies tragédies humaines. Quant aux critiques juifs, qui dénonçaient les méfaits d'une assimilation complète, ils avaient tort de généraliser. Sa théorie du

---

1. Telle était l'opinion du critique dramatique du *Times* de Londres, A. B. Walkley, cité dans A. Mann, *The One and the Many*, *op. cit.*, pp. 109-110.
2. *Independent*, 21 octobre 1909, cité dans *ibid*, p. 111.
3. *American Hebrew*, cité, sans date, dans A. Mann, *ibid*, p. 113.

melting-pot, expliquait Zangwill, n'était pas la panacée. Le Juif qui se voulait inassimilable et souhaitait préserver intacte son identité avait toujours la possibilité de s'installer ailleurs qu'aux États-Unis pour y construire « un territoire juif séparé ». La solution américaine n'était pas parfaite, mais elle avait l'avantage d'exister[1]. De toute manière, le melting-pot n'était pas, comme d'aucuns semblaient le redouter, une machine à détruire les identités. D'abord, parce que le creuset n'impliquait pas nécessairement la généralisation du mariage mixte : « le Juif peut être américanisé et l'Américain judaïsé », sans qu'il y ait entre eux de « relations charnelles[2] ». Ensuite, parce que l'immigré juif, même assimilé, disposait d'un privilège unique : celui d'appartenir à une république sans religion d'État, fondée sur des principes de justice et d'égalité, « identiques à ceux de la Loi mosaïque, qui inspira les Pères Puritains ». Conclusion : l'Amérique était bien ce pays exceptionnel où le Juif, après avoir quitté Sion pour entreprendre un long « voyage circulaire », rejoignait la Nouvelle Jérusalem, les États-Unis, et « se retrouv[ait] lui-même[3] ». Pris à son propre jeu, et déçu sans doute de l'échec de son projet sioniste, Zangwill ne semblait plus considérer les États-Unis, en 1914, comme un pis-aller, une *second best solution*[4], mais comme le meilleur des choix.

---

1. I. Zangwill, Postface de l'édition révisée du *Melting-Pot*, *op. cit.*, pp. 200 et 208 (janvier 1914). Dans la pièce, Mendel Quixano déplore l'américanisation de son neveu David et le fait qu'il fréquente une chrétienne. Celui-ci, excédé, répond : « Pourquoi êtes-vous venu en Amérique ? Pourquoi n'avez-vous pas travaillé pour un territoire juif ? Vous n'êtes même pas sioniste ! » (p. 42).

2. *Ibid.*, p. 207.

3. *Ibid.*, p. 208.

4. I. Zangwill, « A Land of Refuge » (1907), art. cité, p. 259. En 1907, la meilleure solution était, pour Zangwill, l'ITO et le sionisme. L'Amérique était un pis-aller, parce qu'elle n'offrait pas de solution satisfaisante au double problème du respect du sabbat et de la préservation d'une « Kultur » (*sic*) authentiquement juive. Voir ci-dessus p. 208.

De l'assimilation douce à la manière forte :
dispositifs d'américanisation

En faisant de l'héroïne de sa pièce la responsable d'un foyer d'immigrés, Zangwill révélait sa bonne connaissance des courants « progressistes » de la société américaine. Vera était manifestement l'émule de ces travailleurs sociaux d'un genre nouveau qui cherchaient à améliorer les conditions de vie des immigrés en leur offrant des cours du soir, les rudiments d'un métier et des activités culturelles et récréatives. Les foyers d'immigrés, nombreux à partir du début du siècle, n'étaient pas des logements sociaux, mais de véritables laboratoires d'expérimentation sociale dont le modèle fut sans doute Hull-House, fondé en 1889 dans un quartier pauvre de Chicago par Jane Addams, la grande pionnière du mouvement de réforme urbaine. Hull-House était une résidence réservée à des jeunes gens de bonne famille, prêts à agir « sur le terrain » au nom d'une nouvelle éthique de la citoyenneté responsable. Leur mission était claire : contrer les effets pervers de l'« industrialisme » en incitant les immigrés à puiser dans leurs réserves une « énergie sociale [1] » jusque-là insoupçonnée. Les résidents de Hull-House, auxquels se joignirent des philosophes connus comme George Herbert Mead et John Dewey, étaient donc des « fabricateurs » de lien social, des mobilisateurs d'énergie, des « progressistes » au sens plein du terme. Leurs activités philanthropiques reposaient sur une forme nouvelle d'intervention sociale : l'enquête de terrain. En observant les conditions de vie, souvent sordides, des nouveaux immigrés, en en donnant une description aussi précise et réaliste que possible, ils pouvaient espérer atteindre trois objectifs :

---

1. Jane Addams, *Twenty Years at Hull-House* (1910), cité dans Dennis Smith, *The Chicago School. A Liberal Critique of Capitalism*, New York, St. Martin's Press, 1988, p. 63.

susciter la compassion du public, entraîner l'intervention salvatrice des autorités municipales et, surtout, responsabiliser les immigrés eux-mêmes. C'est à partir de ces premières expériences que des chercheurs de l'université de Chicago développèrent leurs protocoles d'enquêtes, au nom d'une science nouvelle, la « sociologie urbaine [1] ».

La multiplication des expériences sociales inspirées de Hull-House servait de contrepoint à la propagande xénophobe des nativistes. Elle démontrait que les nouveaux immigrés étaient dignes de leurs prédécesseurs, puisqu'ils pouvaient s'organiser eux-mêmes pour lutter contre les fléaux conjoints de la délinquance urbaine, du chômage et de la surpopulation. Ils donnaient le meilleur d'eux-mêmes en exploitant leurs « dons naturels » et en prenant conscience de la richesse de leurs cultures « étrangères [2] ». Le mouvement de réforme progressiste n'était donc pas brutalement assimilateur. Il prônait une intégration douce, fondée sur l'autodétermination, la tolérance et le respect des valeurs ancestrales. La nation, dans cette perspective, apparaît comme un tout composite, d'autant plus harmonieux qu'il absorbe ce que les peuples immigrés produisent de « meilleur et de plus caractéristique [3] ». L'assimilation n'est donc pas à sens unique : l'étranger fait don à la nation de son talent, et il reçoit, en retour, les bienfaits de l'*American way of life* ainsi que la protection d'un État républicain.

Optimiste, ouverte et tolérante, la conception « progressiste » du nationalisme américain allait bientôt disparaître

---

1. *Ibid.*, pp. 62-66 ; Dorothy Ross, *The Origins of American Social Science*, New York, Cambridge University Press, 1992, pp. 226-229.

2. Dans une anecdote rapportée par Olivier Zunz, Jane Addams déplora le suicide d'un brillant orfèvre originaire de Bohème, dont personne ne soupçonnait le talent et qui avait dû « pendant vingt-cinq ans en Amérique enfourner du charbon dans les hauts-fourneaux des grandes usines... ». L'immigration, sans réforme sociale, n'était donc qu'une machine à briser des vies et des talents. Olivier Zunz, *Naissance de l'Amérique industrielle. Detroit, 1880-1920*, Paris, Aubier, 1983, p. 61.

3. Telle est la conception de la nation défendue par John Dewey, selon John Higham, *Strangers in the Land. Patterns of American Nativism, 1860-1925* [1955], 2ᵉ éd., New Brunswick, Rutgers University Press, 1988, p. 251.

avec la Première Guerre mondiale, pour être remplacée par des conceptions plus autoritaires de l'intégration nationale. L'utilisation désormais fréquente du mot « américanisation » traduisait bien la nature du changement. L'américanisation, écrit Frances Kellor, est une « nécessité de la guerre » provoquée par la montée d'une forte « pulsion nationaliste[1] ». C'est un phénomène complexe de déracinement et de ré-enracinement, explique Emory Bogardus, qui conduit l'immigré à abandonner certains attachements précieux pour des formes de loyauté encore nouvelles et inconnues. C'est, en d'autres termes, un passage obligé, un moment douloureux dans la vie de l'immigré qui doit aboutir au « réajustement » de sa vie mentale et sociale[2]. Pour dramatiser ce moment et lui donner toute la solennité voulue, de grandes manifestations collectives – les cérémonies de naturalisation – furent organisées dans une centaine de villes, à partir de 1915. Des milliers de nouveaux citoyens étaient réunis dans un stade, un parc ou un hôtel de ville, devant un juge et des personnalités politiques, pour faire publiquement acte d'allégeance à la nation, le « jour de l'américanisation » (le plus souvent un 4 juillet)[3]. Mais c'est au sein de l'école publique que le « réajustement mental » devait être le plus fort et le plus perceptible. Mary Antin, une immigrée juive d'origine russe, en donne une description émouvante dans son autobiographie :

> Combien de temps dirais-tu qu'il faille, sagace lecteur, pour faire un Américain ? Vers le milieu de ma deuxième année d'école, j'entrai

1. Frances A. Kellor, « What is Americanization ? », *Yale Review*, t. VIII, n° 2, 1919, p. 282.
2. Emory Bogardus, *Essentials of Americanization* [1922], cité par W. Sollors, *Beyond Ethnicity, op. cit.*, p. 87. Fondateur du département de sociologie de USC (University of Southern California), Bogardus et ses étudiants participèrent activement aux programmes d'américanisation développés par l'État de Californie. Leurs travaux rappellent ceux de l'École de Chicago.
3. Imaginée par le United States Bureau of Naturalization, la première grande cérémonie de naturalisation, avec plusieurs milliers de participants, eut lieu à Philadelphie, le 10 mai 1915, en présence du président Wilson. Voir J. Higham, *Strangers in the Land, op. cit.*, pp. 242-243.

en sixième. Quand, après les vacances de Noël, nous commençâmes l'étude de la vie de George Washington par un résumé de la révolution et des débuts de la république, j'eus l'impression que toutes mes lectures et leçons antérieures avaient été futiles. [...] Pendant la lecture des élèves, lorsque venait mon tour, ma voix vacillait et le livre tremblait dans mes mains. Je ne parvenais pas à prononcer le nom de George Washington sans marquer une pause. Jamais je n'avais prié, jamais je n'avais chanté les psaumes de David, jamais je n'avais imploré l'Éternel avec une révérence et une vénération aussi profondes que lorsque je répétais les phrases toutes simples de mon histoire pour enfant du grand patriote. Je contemplais avec une telle adoration les portraits de George et de Martha Washington que je finissais par les voir les yeux fermés [...]. Ce George Washington, mort bien avant ma naissance, était l'égal d'un roi par sa grandeur, et lui et moi étions « concitoyens ». [...] La soudaine dignité qui s'était abattue sur moi faisait vibrer mon cœur ; et en même temps, elle m'incitait à la pondération, comme si j'avais saisi le sens de mes responsabilités. Je m'efforçais de me conduire comme il sied à un concitoyen [1]...

L'entrée en guerre des États-Unis n'a pas seulement renforcé la volonté des « américanisateurs », elle a également polarisé le débat politique. Il fallait désormais prendre parti pour les Anglais et les Français, contre les Allemands et leurs alliés austro-hongrois. D'où la position inconfortable des Germano-Américains, obligés d'effacer les restes de leur germanité (voir chapitre 4). D'où aussi les critiques adressées contre les Irlando-Américains, accusés de financer le Sinn Féin, l'Irish Republican Army et une organisation plus secrète et plus révolutionnaire encore, le Clan na Gael [2]. La

1. Mary Antin, *The Promised Land* (1912), cité dans Nancy Green, *Et ils peuplèrent l'Amérique*, Paris, Gallimard, coll. « Découvertes », 1994, pp. 126-127. Sur l'influence de Mary Antin, voir W. Sollors, *Beyond Ethnicity*, *op. cit.*, pp. 32, 45 et 64-65. Sollors analyse le nouveau genre littéraire de la « conversion » à l'américanité et cite des ouvrages typiques comme *From Plotzk to Boston* (Mary Antin, 1899), *The Making of an American* (Jacob Riis, 1901), *From Alien to Citizen* (Edward Steiner, 1914), etc.
2. Plus de 800 000 Irlando-Américains participèrent aux activités de sociétés patriotiques favorables à l'indépendance de l'Irlande, entre 1916 et 1921. Leurs contributions directes au Sinn Féin et à l'IRA dépassèrent les 10 millions de dollars. Les plus fanatiques, les dirigeants américains du Clan na Gael, envoyèrent en 1914 un message de sympathie au Kaiser. On peut donc comprendre les critiques du président Wilson et son refus de soutenir la rébellion irlandaise de 1916. Mais cette

Grande Guerre ouvrait ainsi l'ère du soupçon : qui étaient ces étrangers récemment débarqués à Ellis Island ? N'y avait-il pas chez eux « une main prête à [vous] poignarder le soir et des lèvres qui [vous] trahissent par un baiser ? » se demandait en 1916 l'auteur de *La Grande Marée des immigrants*[1]. D'où la nécessité, fortement encouragée par des sociétés patriotiques comme les Filles de la révolution américaine, la Ligue de défense nationale ou la Commission nationale pour l'américanisation, de créer une nouvelle race d'Américains, plus sûrs et plus loyaux : des « Américains à cent pour cent ».

Un parfait citoyen : l'« Américain à cent pour cent »

Le « cent pour cent » est un immigré zélé, loyal et productif. Il apprend l'anglais le soir après le travail ; il fait tout ce qu'on attend de lui pour obtenir une naturalisation rapide ; il est respectueux des autorités en place ; il évite de fréquenter des « Rouges », des révolutionnaires et autres « suspects » ; il se plie à toutes les difficultés du travail industriel, sans se plaindre ; il ne fait pas grève par patriotisme et ne réclame pas de hausse de salaire ; il oublie tout de son pays d'origine, de ses ancêtres et de ses traditions pour mieux se fondre dans la nation américaine. En bref, il est l'homme d'une seule foi et d'un seul slogan : *America First*, « l'Amérique d'abord ». D'innombrables associations patriotiques sont là pour lui rappeler ses devoirs et lui fournir les moyens d'accélérer sa naturalisation : cours du soir

---

dernière décision lui coûta cher : la perte du vote irlandais contrôlé par les grandes « machines » démocratiques de Boston, New York et Chicago, lors des élections présidentielles de 1916. Voir Kerby A. Miller, « The Case of Irish-American Ethnicity », *in* Virginia Yans-McLaughlin (éd.), *Immigration Reconsidered*, New York, Oxford University Press, 1990, p. 116, et M. Jones, *American Immigration*, *op. cit.*, pp. 206-208.

1. Frank Julian Warne, *The Tide of Immigration* (1916), cité dans J. Higham, *Strangers in the Land*, *op. cit.*, p. 242.

d'anglais, d'histoire et de culture civique, leçons d'hygiène et de morale, chants et cérémonies patriotiques, allégeance au drapeau, symphonies « américaines » et autres instruments d'acculturation. Sa vie privée n'échappe plus aux regards inquisiteurs des patriotes, des philanthropes et des travailleurs sociaux. À New York, à Chicago ou à Los Angeles, des enseignants, dûment mandatés par l'État, ne se privent pas d'apporter la bonne parole à domicile, pour faciliter le changement de mœurs exigé par une américanisation bien entendue.

Un exemple parmi d'autres, admirablement documenté par l'historien George Sanchez, fut la campagne d'américanisation lancée en Californie en 1913 à l'initiative du gouverneur Hiram Johnson. Son principal relais était un organisme financé par l'État, la Commission de l'immigration et du logement. Celle-ci avait la tâche de coordonner les activités des « américanisateurs », un groupe hétérogène d'universitaires de l'État, d'instituteurs et de travailleurs sociaux auxquels se joignirent des membres de sociétés bénévoles comme les Filles de la révolution américaine. Les américanisateurs avaient manifestement subi l'influence des tenants laïques d'un mouvement de réforme protestante, « l'Évangile social » (*Social Gospel*). Ils voulaient améliorer le sort des immigrés tout en reconnaissant leurs dons et leurs talents spécifiques. Leurs intentions étaient louables, mais les nécessités de la guerre durcirent les positions. L'américanisation n'était plus construite sur le mode du don : j'apporte mon talent, le meilleur de mes traditions, et je reçois en échange les avantages (réels ou imaginaires) de l'*American way of life* ; elle excluait l'échange et la symétrie ; elle devait conduire, sans détour, à l'assimilation pure et simple des immigrés [1].

Qu'est-ce que l'assimilation ? C'est, écrivait en 1909

---

1. George J. Sanchez, *Becoming Mexican American. Ethnicity, Culture and Identity in Chicano Los Angeles, 1900-1945*, Berkeley, University of California Press, 1993, pp. 87-107.

Ellwood Cubberley, professeur des sciences de l'éducation à l'université Stanford, un processus mental, artificiellement induit. L'éducateur avait pour rôle « d'implanter chez les enfants [des migrants] les conceptions anglo-saxonnes de la rectitude de conduite [*righteousness*], de la loi, de l'ordre et de la démocratie » afin de faciliter leur « amalgame » au sein d'une « race américaine » qui excluait les Orientaux, décrétés inassimilables[1]. Pour être efficace, l'éducateur devait s'immiscer dans les familles pour mieux influencer les choix des parents et de leur progéniture. Car c'est là que se recruteraient les futurs « Américains à cent pour cent ». Pour ce faire, l'État de Californie mit en place un corps d'« instituteurs à domicile », chargés de s'introduire chez leurs élèves « pour leur inculquer certains rudiments scolaires [...], sanitaires et ménagers [...], pour leur enseigner l'anglais ainsi que les droits et devoirs du citoyen[2] ». L'instituteur à domicile était donc un agent de modernisation, dont la mission avait pour but d'inciter le paysan immigré, peu au fait de la vie industrielle moderne, à devenir un travailleur modèle, productif et discipliné.

Les femmes n'étaient pas non plus oubliées. On attendait d'elles un perfectionnisme ménager correspondant aux critères d'une science nouvelle, la *home economics*. La bonne ménagère était celle qui rationalisait sa vie domestique en trouvant le meilleur équilibre possible entre les activités de ménage, de couture, de cuisine, de lessive, de diététique et l'éducation des enfants. La *home economics* était doublement utile : pour l'immigrée, dont elle annonçait la « régénération morale » ; et pour l'Américaine de souche, qui pourrait bientôt trouver en celle-là toutes les vertus d'une employée de maison stylée. Il n'était plus question de mettre en avant ces fameux « talents d'immigrés » (*immigrant gifts*) décou-

---

1. Ellwood P. Cubberley, *Changing Conceptions of Education* (1909), cité dans *ibid.*, p. 95.
2. D'après le texte d'une loi adoptée en 1915 par le parlement de Californie (*Home Teacher Act*), cité dans *ibid.*, p. 99.

verts au début du siècle par les travailleurs sociaux de Hull-House[1]. L'américanisation ainsi conçue ne se voulait pas libératrice ; elle reposait sur la coercition et annonçait, au mieux, une « citoyenneté de deuxième classe[2] ».

Le chant était une méthode d'enseignement privilégiée par les instituteurs à domicile pour encourager l'acculturation des femmes de travailleurs immigrés. Il permettait d'inculquer tout à la fois l'apprentissage de l'anglais et une ébauche d'éthique protestante. Un manuel d'instruction pédagogique, publié par la Commission de l'immigration et du logement, recommandait la mémorisation de ces quelques strophes, à prononcer sur l'air de *Tramp, Tramp, Tramp, the Boys are marching* :

> *We are working every day,*
> *So our boys and girls can play.*
> *We are working for our homes and country, too ;*
> *We like to wash, to sew, to cook,*
> *We like to write, or read a book,*
> *We are working, working, working every day.*
> *Work, work, work,*
> *We are always working,*
> *Working for our boys and girls,*
> *Working for our boys and girls,*
> *For our homes and country, too*
> *We are working, working, working every day*[3].

On ne sait quels furent les résultats de cette pédagogie musicale, mais le message était clair : point d'américanisation sans travail acharné, ce qui renvoyait à une conception particulièrement idéalisée des vertus anglo-saxonnes.

---

1. J. Higham, *Strangers in the Land, op. cit.*, pp. 121 et 251 ; G. Sanchez, *Becoming Mexican American, op. cit.*, pp. 101-102.
2. G. Sanchez, *ibid.*, p. 105.
3. Commission on Immigration and Housing, *Primer for Foreign-Speaking Women* (1917), cité dans *ibid.*, pp. 100-101.

Rien n'échappait donc aux américanisateurs zélés, pas même les pratiques culinaires les plus anciennes et les mieux acceptées. Les *home teachers* conseillaient ainsi à la ménagère mexicaine de renoncer à son alimentation traditionnelle. Si les Mexicains sont petits et malingres, expliquaient-ils, c'est que leur alimentation n'est pas suffisamment saine. La modernité et l'hygiène exigent d'eux un remède radical, mais simple : qu'ils remplacent les vieilles recettes par de la diététique moderne, la *tortilla* par du pain blanc, les haricots secs par la laitue et l'huile fumante par la chaleur sèche d'un four électrique[1]...

Les campagnes d'américanisation déformaient ainsi le sens premier du melting-pot. L'assimilation n'était plus un choix librement consenti, un plaisir de l'hybridité ou une histoire d'amour, comme l'imaginait Zangwill, mais un conformisme brutalement imposé par ceux qui croyaient détenir la vérité de l'Amérique. L'américanisation « à cent pour cent » brisait les barrières de la vie privée au nom d'une conception anglo-saxonne du travail efficace, de la rectitude morale et de la modernité.

Qu'est-ce que la (bonne) américanisation ?

Réfléchissant à son expérience d'organisatrice de campagnes d'américanisation, Frances Kellor tenta d'en définir le sens dans un article important paru en 1919 sous le titre *What is Americanization*[2] ? Frances Kellor se représentait

---

1. Voir Pearl Idelia Ellis, *Americanization through Homemaking* (1929), cité et discuté dans *ibid.*, p. 102.
2. F. Kellor, « What is Americanization ? », art. cité, pp. 282-299. Comme Jane Addams, Frances Kellor est une grande pionnière du mouvement de réforme sociale. Elle fit des études de droit à l'université Cornell et de sociologie à l'université de Chicago, avant de réaliser l'une des premières enquêtes de terrain auprès des immigrés de Manhattan, dont elle dénonça la misère et l'exploitation industrielle. Militante du parti progressiste de Theodore Roosevelt, elle participa activement à la campagne d'américanisation lancée au niveau fédéral par le Bureau of Education. Elle fonda à New York, en 1914, le Committee for Immigrants in America et le

d'abord les États-Unis comme un « laboratoire » vivant destiné à assimiler « 35 races différentes parlant 54 langues, comprenant 13 000 000 individus nés à l'étranger ». Le tiers de la population américaine, constatait-elle, restait attaché à d'autres pays et à d'autres valeurs. L'auteur admettait que les passions nationalistes déclenchées par la guerre avaient eu des effets néfastes sur les résidents du « laboratoire », qu'ils fussent des immigrants récents ou des Américains de souche. Les premiers parce qu'ils furent très vite soupçonnés de déloyauté à l'égard de leur nouvelle patrie, les seconds parce qu'ils se révélèrent disposés à maintenir, à la surprise de tous, « des attachements physiques et psychologiques » avec la vieille Europe [1].

> Quand le pays tenta, en 1915, d'américaniser sa population étrangère, notre tâche, apparemment très simple, consistait à mêler ensemble les Américains de souche et les étrangers. Nous pensions que tout le reste en découlerait. Nous crûmes ainsi que si nous pouvions tous parler la même langue, notre unité serait réalisée et plus rien ne pourrait diviser des citoyens unis sous un même drapeau. Mais la guerre vint, intensifiant le sentiment nationaliste de toutes les races du monde. C'est alors qu'on trouva des ennemis en puissance chez des Américains de souche, nés de parents immigrés, et que l'on découvrit même, chez des citoyens naturalisés, de vieilles passions profondément enracinées. [Ceux-ci] souhaitaient participer au conflit mondial, non pas en tant qu'Américains, mais comme des Yougoslaves ou des Tchécoslovaques [2]...

L'américanisation, selon Frances Kellor, était un sujet qui prêtait à confusion, parce qu'il avait été trop souvent traité de façon réductrice ou caricaturale. Pour certains, il s'agissait simplement d'imposer la maîtrise de l'anglais ; pour d'autres, c'était un simple processus de naturalisation, ou bien une question de mœurs : il suffisait, pensaient-ils,

---

National Americanization Committee, qui prôna, à partir de 1916, un système d'assimilation « pure et dure ». Voir J. Higham, *Strangers in the Land*, *op. cit.*, pp. 242-245 et 249.
1. F. Kellor, « What is Americanization ? », art. cité, pp. 282-283.
2. *Ibid.*, p. 283.

d'adopter des manières ou de porter des vêtements américains pour devenir américain ; pour d'autres, enfin, il suffisait de faire acte d'allégeance en entonnant le *Star Spangled Banner*[1] à l'unisson avec des Américains de souche. Or rien de tout cela n'était satisfaisant. L'américanisation bien pensée ne pouvait reposer sur des campagnes de propagande, des actes symboliques sans grande portée comme les cérémonies de naturalisation, ou sur des comités d'américanisation déversant des « tonnes de littérature » sur la tête des immigrés dont ils ignoraient les traditions et les conditions de vie.

La véritable américanisation était à l'image des nations modernes. Elle devait reposer sur un « processus délibératif » qui échapperait « au hasard des successions dynastiques, de la géographie et de l'économie[2] ». Elle nécessitait, en fait, une réforme profonde de la société américaine, esquissée par Frances Kellor à partir de six objectifs prioritaires : garantir à tout individu, qu'il soit immigré ou né de parents immigrés, les droits fondamentaux de la Constitution des États-Unis ; susciter un véritable attachement au sol américain, en facilitant l'accès à la propriété privée et en multipliant les parcs nationaux ouverts au public ; mettre fin à la « brutalité industrielle » du pays, en améliorant les méthodes de gestion, en augmentant les salaires des ouvriers, en développant leurs loisirs et en leur permettant de participer aux décisions industrielles, en bref, « raccourcir la distance qui sépare la Constitution de l'atelier d'usine » ; américaniser les villes et les écoles en améliorant la qualité des services municipaux, en supprimant toute ségrégation par l'habitat et en incitant les immigrés à « gouverner leurs propres communautés » ; inciter les parlements et les tribunaux des États à traiter les étrangers impartialement, dans le respect de la plus stricte égalité, comme s'ils étaient des Américains de

1. C'est l'hymne national des États-Unis, adopté par l'armée américaine au cours de la Première Guerre mondiale. L'hymne avait été rédigé un siècle plus tôt.
2. F. Kellor, « What is Americanization ? », art. cité, pp. 284-290.

souche ; enfin, permettre aux immigrés d'exprimer leur culture sous toutes ses formes, politiques, religieuses, littéraires et artistiques, en évitant par exemple que les Italiens, amoureux du beau, n'en soient réduits à faire des travaux de voirie [1].

La réalisation de ces objectifs devait permettre de renoncer une fois pour toute à l'imagerie naïve d'un melting-pot de carton-pâte dans lequel on introduirait « par le haut » des « paysans d'Ellis Island », avant d'expulser « par le bas », après brassage, des « citoyens revêtus d'habits américains. » L'américanisation bien entendue devait être cette « science des relations raciales » qui produirait un état parfait d'assimilation : une fusion des races, tellement solide et équitable, tellement dénuée de « faveurs » ou d'« infériorité alléguée » qu'il serait « impossible, une fois la fusion obtenue, d'en dissocier les éléments constitutifs [2] ».

Le manifeste de Frances Kellor fut rédigé à la veille d'une campagne nationale de dénonciation des « Rouges » orchestrée par le ministre de la Justice A. Mitchell Palmer. Il devait rester sans écho. L'américanisation, comme elle le craignait, avait été superficielle. Les nouveaux immigrants, mal intégrés au sein de la nation américaine, allaient devenir la cible des courants xénophobes et nativistes, désormais dominants au lendemain de la Première Guerre mondiale. L'assimilation des étrangers n'était plus l'objectif premier des américanisateurs. Il leur fallait d'abord trier les nouveaux venus afin d'expulser ceux qui n'étaient pas certifiés « loyaux ». C'est cette nouvelle logique du tri humain qui incita le Congrès, quelques années plus tard, à voter les lois d'immigration les plus restrictives de l'histoire des États-Unis (voir chapitre 5).

1. *Ibid.*, pp. 290-299.
2. *Ibid.*, pp. 285 et 288.

L'instrumentalisation du melting-pot

L'idée zangwillienne du melting-pot, réduite à son expression la plus simple, sera utilisée par des chefs d'entreprise pour motiver les nouveaux travailleurs étrangers et leur inculquer des rudiments d'américanisation. La « cérémonie du melting-pot » de l'usine des automobiles Ford est à cet égard exemplaire. Mais il convient de la replacer dans son contexte pour en saisir la signification.

Henry Ford, l'un des patrons américains les plus antisémites, était confronté à un problème grave : l'exceptionnel taux d'absentéisme des ouvriers de ses chaînes de montage. Il devait, en moyenne, engager 52 000 ouvriers dans l'espoir d'en garder durablement 13 600 ! Manifestement, les immigrés qui fournissaient l'essentiel de la main-d'œuvre étaient peu habitués à la discipline industrielle. Ils étaient donc mal américanisés... Les cadres des usines Ford décidèrent alors de lancer une véritable « révolution culturelle ». Ils promirent une hausse de salaire : « la journée à cinq dollars ». Mais cet objectif, satisfaisant pour l'époque, fut accompagné de mesures coercitives : les agents du département de sociologie de l'entreprise se réservaient le droit de visiter les ouvriers à leur domicile pour enquêter sur leur moralité, s'assurer de leur « sobriété » et de leur « sens de l'épargne », faute de quoi ils ne mériteraient pas leur nouveau salaire... La Ford Motor Company disposait donc, comme les américanisateurs de l'État de Californie, de ses propres « instituteurs à domicile », des « sociologues » en l'occurrence, chargés de répandre l'*ethos* industriel de la compagnie au cœur même des foyers immigrés[1]. Comme les nouvelles recrues parlaient mal l'anglais, l'entreprise instaura des

---

1. John Bodnar, *The Transplanted. A History of Immigrants in Urban America.* Bloomington, Indiana University Press, 1985, pp. 97-98.

cours obligatoires. Tout fut fait pour accélérer leur assimilation. À peine entré en classe, l'élève devait apprendre à prononcer les mots fatidiques : *I am a good American.*

Pour joindre le geste à la parole, les immigrés qui avaient réussi leur examen de passage étaient invités en fin d'année à participer, devant deux mille spectateurs, à un grandiose tableau vivant. Sur la scène, un immense creuset où s'inscrivait en lettres majuscules : *FORD ENGLISH SCHOOL MELTING POT.* Au fond du creuset, à l'arrière-plan, brillait l'inscription latine : *E PLURIBUS UNUM* [1]. Un steamer en carton-pâte s'approchait du chaudron, et un matelot s'écriait : « Envoie la marchandise, on verra ce que le melting-pot fera d'eux ! » Descendaient alors des étrangers en tenue bigarrée, chacun tenant un petit balluchon et une pancarte sur laquelle figurait le nom de son pays d'origine. Des instructeurs de la Ford English School faisaient leur entrée, tenant d'immenses cuillères. On leur criait : « Mélangez, mélangez ! » Bientôt s'élevaient du creuset, brandissant le drapeau national, un, deux, trois Américains... tous impeccablement vêtus de costumes gris, taillés dans le plus pur style américain. Décrivant ce tableau vivant, le rédacteur du journal de l'entreprise s'interrogeait malicieusement : « Quelle est leur nationalité ? Italo-américaine ? Polono-américaine ?... » Eh bien non ! répondait-il. « "Américaine" est la bonne réponse, car les élèves de l'École Ford ont bien appris que le trait d'union est un signe de valeur négative [2]. » La rentabilité industrielle excluait donc l'assimilation partielle. Il n'y aurait pas, dans les usines Ford, d'Américains à trait d'union...

◆

---

1. W. Sollors, *Beyond Ethnicity, op. cit.,* pp. 89-90 ; J. Higham, *Strangers in the Land, op. cit.,* p. 248.
2. « The Making of New Americans », *Ford Times* (novembre 1916), cité dans W. Sollors, *ibid.,* p. 91.

Penser le melting-pot, c'est décliner tous les modes d'intégration de l'étranger aux États-Unis, de la fusion des races volontaire et quasi mystique, prônée par Zangwill, à l'assimilation coercitive défendue par les organisateurs des campagnes d'américanisation à « cent pour cent », en passant par des formes plus douces d'assimilation, imaginées par des historiens, des poètes ou des hommes politiques tels George Bancroft, Ralph Waldo Emerson et Theodore Roosevelt. La notoriété d'Israel Zangwill reste amplement justifiée, car il sut, mieux que tout autre, donner une dimension humaine à une idée abstraite, et ce dans une pièce de théâtre qui restituait très fidèlement le climat de réforme sociale du début du siècle. Sous les apparences d'une fiction dramatique, *The Melting-Pot* était à, double titre, une œuvre engagée. D'abord parce qu'elle dénonçait des événements réels (le pogrom de Kishinev), ensuite parce qu'elle servait une cause politique trop longtemps ignorée ou sous-estimée par les historiens américains : le plan d'immigration de Galveston. L'exaltation nationaliste provoquée par la Première Guerre mondiale et la « chasse aux Rouges » de l'immédiat après-guerre devaient durcir un peu plus l'intransigeance des nativistes. En l'espace de douze ans, l'idée du melting-pot avait perdu l'essentiel de sa force allégorique. Les quotas d'immigration votés en 1924 ne servaient qu'un seul objectif : maintenir la supériorité démographique des vieux Anglo-Saxons (ou de ceux que l'on croyait tels) au détriment des peuples décrétés inférieurs : les Asiatiques, les Slavo-Latins et les Hébreux... Et pourtant, comme le démontrent les statistiques des mariages exogames examinées dans le dernier chapitre, la logique du melting-pot n'a jamais cessé de fonctionner. La mixité n'est pas seulement « intraraciale » (un Juif épouse une Irlandaise, un Germano-Américain épouse une Italo-Américaine...), mais aussi et, de plus en plus, une réalité « interraciale » (un Anglo-Américain épouse une Asiatique, un Noir épouse une Blanche...). Le rêve mystique d'Israel

Zangwill était prémonitoire : il décrivait bien l'avenir d'une Amérique métisse gouvernée, selon les paroles mémorables de David Quixano, par un « grand Alchimiste ».

Chapitre 7

DU « MELTING POT » AU « SALAD BOWL »

Le 12 septembre 1995, les futurs enseignants inscrits au programme de maîtrise des sciences de l'éducation de l'université du Pacifique à Forest Grove, dans l'Oregon, suivent la séance hebdomadaire du cours intitulé « Enseignement culturellement responsable pour une société globale ». L'invitée du jour, le professeur Nancy Meltzoff, se propose de décrire l'histoire de l'« enseignement multiculturel » aux États-Unis. Pour illustrer son discours, le professeur Meltzoff fait circuler parmi les étudiants un immense saladier rempli de légumes variés : carottes, laitue, petits pois, brocolis, etc. Elle explique que le *salad bowl* (« saladier ») est la métaphore la plus adéquate pour décrire l'Amérique moderne et que le vieux concept de *melting pot* ne correspond plus à une réalité tangible. Aucun effort n'est fait pour définir les termes de « melting-pot », de « saladier » ou de « salade composée », ou pour les mettre en perspective historique. L'école de l'Amérique est et sera un *salad bowl* à l'image du peuple américain. Telle est l'évidence indiscutable, l'image du présent et de l'avenir, le symbole de l'Amérique de l'an 2000 à laquelle se prépare une nouvelle génération de professeurs.

Les étudiants sont perplexes. Tout cela est un peu trop simple : suis-je vraiment une « carotte » et mon voisin un « brocoli » ? se demandent-ils entre eux ironiquement, sans oser contester de front les vérités assenées par le professeur invité[1]. L'histoire serait amusante si elle n'était représentative de la façon, hélas fréquente, d'inciter des étudiants américains à penser la diversité culturelle de leur société. La nation américaine ne serait plus qu'un pot-pourri de peuples vivant côte à côte, une « fédération légumière » d'entités juxtaposées au hasard, un différentialisme radical et absolu, justifié au nom d'irréductibles « fiertés ethniques » interdisant toute forme de fusion, d'assimilation ou d'intégration.

Le melting-pot est mort. Il n'a même jamais existé, affirment en 1995 les auteurs d'un éloquent traité de « police multiculturelle » (*Multicultural Law Enforcement*). Car les Africains introduits de force au Nouveau Monde, les Chinois, les Amérindiens... ne furent jamais que des exclus du melting-pot. Quant aux immigrés européens débarqués à Ellis Island au tournant du siècle, ils auraient eux aussi raté leur assimilation. Involontairement cantonnés dans les ghettos ethniques des grandes villes, ils surent « résister » à toutes les tentatives d'américanisation des Anglo-Saxons... « L'histoire, affirment nos auteurs, n'a *jamais* justifié la métaphore du melting-pot[2]. » D'ailleurs, prétendent-ils, la pièce d'Israel Zangwill est dénuée d'intérêt puisqu'elle exclut les non-Européens. Zangwill n'a-t-il pas écrit que l'Amérique est « le Creuset de Dieu, le grand Melting-Pot où toutes les races d'*Europe* sont fondues et remodelées[3] » ? Autant dire qu'il n'a rien compris à la diversité de l'Amérique moderne. Son Amérique est celle de la « minorité »

1. Entretien avec Elisa Ruegg (*Rubicon Bay*, Californie, décembre 1995), qui suivait à l'époque un cours intitulé « Culturally Responsive Teaching for a Global Society [EDUC 550] » à la Pacific University School of Education, Forest Grove, Oregon.
2. Robert M. Shusta, Deena R. Levine, Philip R. Harris et Herbert Z. Wong, *Multicultural Law Enforcement. Strategies for Peacekeeping in a Diverse Society*, Englewood Cliffs, Prentice Hall, 1995, pp. 5-6 (souligné dans le texte).
3. Si la phrase citée est bien de Zangwill, les auteurs du traité de « police multiculturelle » oubliaient de préciser que le même Zangwill faisait entrer dans son « Creuset » des « Celtes et des Latins, des Slaves et des Teutons, des Grecs et des Syriens, des Noirs et des Jaunes [...] des Juifs et des Gentils ». Voir chapitre 6, p. 222.

européenne, bientôt noyée dans un océan multiracial composé d'Hispaniques, de Noirs et d'Asiatiques. Le melting-pot, concluent les auteurs de *Multicultural Law Enforcement*, « n'a jamais fonctionné pour l'ensemble des Américains ». C'est un mythe inutile qui dissimule une évidence : l'Amérique est le pays de la diversité. Aussi la mission des éducateurs peut-elle se résumer à une formule empruntée à un juge californien : « apprendre à valoriser la richesse et la beauté de notre héritage diversement racial, ethnique et culturel[1] ».

On trouve ici, en raccourci, tous les éléments de la pensée multiculturelle : une métaphore suggestive, le saladier ; un ennemi à abattre, le melting-pot, cette horrible invention européenne ; et des alliés à courtiser, les peuples de couleur « victimisés » par les Euro-Américains. La pédagogie du *salad bowl* consiste à vanter les mérites des victimes, à préserver ou à retrouver leur héritage culturel et à défendre leurs intérêts contre l'« hégémonie » politico-culturelle des Euro-Américains. La fréquence de l'échec scolaire des minorités ethniques, d'après les auteurs d'un manuel destiné aux enseignants, n'est qu'une illusion, le résultat de normes imposées par le groupe dominant. Tout écart par rapport aux normes serait la manifestation de l'« infériorité intellectuelle » des groupes dominés. Comme ces normes sont d'origine européenne, fortement marquées par la philosophie des Lumières et la spécificité d'une « culture de classe moyenne, anglo-américaine et protestante », les groupes dominés n'auraient qu'une seule option : résister à un système d'assimilation qui cherche « à détruire les derniers vestiges de leur identité et de leur solidarité de groupe[2] ». Cette résistance, dans les cas extrêmes, pourrait conduire les élèves à rejeter toute forme de « coopération » avec le personnel enseignant, de peur de donner à leurs pairs

---

1. R. Shusta *et al.*, *Multicultural Law Enforcement, op. cit.*, pp. 6-13.
2. Steven Tozer, Paul Violas et Guy Senese, *School and Society. Educational Practice as Social Expression*, New York, McGraw-Hill, 1993, pp. 308-314.

l'impression de « capituler en face d'une culture étrangère » qui attend d'eux, comme rançon du succès, des comportements « d'Oncle Tom »... On trouverait là les vraies raisons de l'absentéisme scolaire : « pris entre deux cultures [antagonistes], les jeunes Africains-Américains ont tendance à abandonner le lycée [...] et à se livrer à des activités de résistance autodestructrices[1] ».

L'école idéale de l'Amérique multiculturelle exige donc une profonde réforme des méthodes d'enseignement : l'abandon de la prétendue neutralité des enseignants, la reconnaissance que le « groupe dominant » exerce une scandaleuse « hégémonie culturelle », le rejet d'un système d'assimilation imposé par des Anglo-Européens à des peuples de couleur. L'enseignant moderne, insistent encore les auteurs du manuel, doit faire preuve de « sensibilité » face aux intérêts complexes et contradictoires des groupes dont il a la charge ; il doit évacuer tous les vieux préjugés attachés aux différences ethniques, linguistiques, culturelles et sexuelles de ses élèves ; il doit comprendre les raisons profondes des comportements autodestructeurs ; il doit enfin et surtout « célébrer les différences », quelles qu'en soient la nature, l'origine ou les conséquences[2].

« Assimilationnistes » contre « multiculturalistes »

Selon les auteurs de classiques de la pédagogie multiculturelle, James Banks, Christine Sleeter et Carl Grant, deux écoles s'affrontent : celle des « assimilationnistes » et celle des « multiculturalistes critiques » ou « criticalistes ». Les

---

1. *Ibid.*, p. 312.
2. *Ibid.*, p. 315. Pour des applications pratiques des « stratégies de promotion de l'enseignement multiculturel » et des exemples concrets du « processus de multiculturisation », voir Leonard Davidman, *Teaching with a Multicultural Perspective : A Practical Guide*, White Plains, Longman, 1994, et Patricia A. Richard-Amato et Marguerite Ann Snow (éd.), *The Multicultural Classroom : Readings for Content-Area Teachers*, White Plains, Longman, 1992.

premiers se représentent la société américaine comme « fondamentalement juste et bonne ». Ils reconnaissent les insuffisances du concept de melting-pot et admettent volontiers que les peuples de couleur n'ont pas tous réussi à se fondre dans la société américaine. Ils proposent de faciliter l'intégration des minorités ethniques en leur donnant les moyens de surmonter leurs handicaps : une discipline plus stricte, l'enseignement exclusif des matières fondamentales, des cours de rattrapage, de meilleurs rapports avec les parents d'élèves, etc. L'objectif central demeure ancré dans la tradition : l'acceptation des valeurs d'une société dominée par des Euro-Américains pour mieux remplir les rôles et les emplois sécrétés par *mainstream America*[1].

Les « multiculturalistes critiques », en revanche, ont abandonné toute idée de conformer leur enseignement à un étalon culturel imposé par des « Blancs ». Il ne suffit pas à leurs yeux de tolérer ou de glorifier la diversité culturelle ; il faut encore utiliser les cultures des groupes défavorisés pour transformer non seulement les méthodes d'enseignement mais surtout la société tout entière. Toutes les matières enseignées doivent être modifiées en fonction des principes les plus radicaux du « pluralisme culturel ». D'où cette façon nouvelle d'enseigner, par exemple, la littérature : la « bonne littérature » n'est pas produite par des « hommes blancs », mais bien plutôt par des femmes ou des Africains-Américains... Chaque sexe, masculin ou féminin, et chaque ethnie dispose de sa grande littérature. Le rôle de l'enseignant se borne alors à mettre en évidence la « diversité des points de vue » concernant la production d'une « bonne littérature[2] ». Mais l'enseignant ne doit pas se contenter de déconstruire les canons les plus solides de la grande littéra-

---

1. James Banks, *Multicultural Education : Theory and Practice*, Boston, Allyn and Bacon, 1981, p. 66, et « Transforming the Mainstream Curriculum », *Educational Leadership*, mai 1994, pp. 4-8 ; Christine E. Sleeter et Carl A. Grant, *Making Choices for Multicultural Education. Five Approaches to Race, Class, and Gender* [1988], 2ᵉ éd., Englewood Cliffs, Prentice Hall, 1994, pp. 41 et 77.
2. *Ibid.*, p. 179.

ture américaine (ou occidentale) ; il a en outre le devoir
d'inciter ses élèves à agir dans et sur la société pour mieux
la transformer, dans une perspective de « pédagogie critique » qui doit autant aux écrits « libérateurs » de l'éducateur
brésilien Paulo Freire qu'aux sociologues de l'école de
Francfort ou à des penseurs français comme Henri Le-
febvre, Jacques Derrida et Michel Foucault. Le résultat est
un étonnant pot-pourri multiculturel, d'ailleurs essentiellement occidental dans ses sources d'inspiration, malgré le
rejet proclamé des valeurs de l'Occident.

L'enseignement multiculturel est ainsi défini comme
« une tentative de remise en cause de l'ordre historique
établi, au moyen d'une série d'articulations anti-hégémoni-
ques, de contre-mythes et de contre-narrations existant au
sein d'une matrice de discontinuités et de ruptures pédagogiques ». Les « criticalistes » ne croient pas à la possibilité
d'un enseignement neutre, purgé de tout jugement de
valeur. Ils savent que la pédagogie est « infiltrée » par des
valeurs qui servent les « intérêts particuliers » de certains
« régimes de vérité ». Ils prônent donc « la reformulation et
le ré-enchantement des pratiques idéologiques et discursives
au sein desquelles sont produites les subjectivités ». Celles-ci
correspondent, en fait, aux « dispositifs de domination dis-
cursive qui invitent les agents à commettre l'erreur de se
croire les sujets de leur propre identité, occultant ainsi les
relations matérielles du [système] de production capita-
liste [1] ». Le multiculturalisme bien compris transforme ainsi
le maître et ses élèves en « individus critiques », capables de
développer ensemble une « pédagogie de transformation et
de justice sociale », grâce à l'acquisition d'une véritable
praxis, proche du degré ultime d'autoréflexion critique,
dit de « *consciencization* », pour adopter le vocabulaire du

---

1. Christine Sleeter et Peter McLaren, « Introduction : Exploring Connections
to Build a Critical Multiculturalism », *in* Ch. Sleeter et P. McLaren (éd.), *Multicultural Education, Critical Pedagogy, and the Politics of Difference*, New York, State
University of New York Press, 1995, pp. 18-19.

fondateur de la pédagogie critico-multiculturelle, Paulo Freire[1].

Le jargon dont je viens de donner un bref échantillon n'est pas neuf et on comprend qu'il ait excédé des penseurs comme Allan Bloom, Dinesh D'Souza ou David Bromwich[2]. Quel est, en effet, le résultat probable d'une éducation tout adonnée aux « régimes de vérité » des partisans du multiculturalisme critique ? C'est d'abord l'ignorance profonde, l'ignorance acquise si l'on peut dire, des systèmes de pensée occidentaux, une connaissance toute superficielle des cultures « alternatives », quelques « bonnes actions » à caractère social, mais surtout l'oubli que la mission première de l'enseignant est la recherche d'une conception du bien ou de la justice qui transcende tous les vieux enracinements culturels, quelle que soit la qualité des émotions qui y restent encore attachées. Tel est le dilemme : l'école est-elle encore capable de produire de véritables « Américains », dont « les goûts, les connaissances et le caractère servent de support à la démocratie » ? La tâche était simple pour les éducateurs des années 1940 ou 1950. Il leur suffisait de démontrer que les fondements de la citoyenneté résidaient dans les droits naturels de l'homme. Tout ce qui était source de division ethnique, religieuse ou culturelle disparaissait devant l'affirmation de « droits » inscrits dans les textes fondateurs de la démocratie américaine. « L'immigrant, écrit Allan Bloom, n'abandonnait pas nécessairement ses vieilles habitudes quotidiennes ou sa religion [mais] il les subordonnait à de nouveaux principes » découverts sur les bancs

---

1. *Ibid.*, pp. 19-20. Paulo Freire est l'auteur, notamment, de *Pedagogy of the Oppressed* (New York, Continuum, 1970). Son influence sur les éducateurs américains est analysée par Joel Spring, dans son *American Education*, 6ᵉ éd., New York, McGraw-Hill, 1994, pp. 247-250.

2. Allan Bloom, *The Closing of the American Mind*, New York, Simon and Schuster, 1987 (trad. fr., *L'Âme désarmée*, Paris, Julliard, 1987) ; Dinesh D'Souza, *Illiberal Education : The Politics of Race and Sex on Campus*, New York, Free Press, 1991 (trad. fr., *L'Éducation contre les libertés*, Paris, Gallimard, 1992) ; David Bromwich, *Politics by Other Means. Higher Education and Group Thinking*, New Haven, Yale University Press, 1992.

de l'école[1]... Pour les éducateurs des années 1980, la tâche est devenue extraordinairement compliquée. Toutes les cultures et tous les enracinements sont déclarés intrinsèquement bons et dignes de respect. Les références aux droits de l'homme ou aux fondateurs du régime politique américain sont ignorées, sous prétexte de travers sexistes (« tous des hommes »), ethniques (« tous des Anglo-Saxons ») ou racistes (« tous des propriétaires d'esclaves ») qui enlèveraient toute crédibilité à leur philosophie comme à leurs institutions libérales. L'enseignement multiculturel, observe encore Allan Bloom, est trop souvent relativiste, ouvert à toutes les cultures et à toutes les vérités. Il interdit donc de penser le lien social et met en jeu l'avenir même de l'Amérique, sa cohérence et le système politique qui constitue son originalité[2].

Vers un « multiculturalisme civique »

Pourtant, les éducateurs américains n'ont pas tous abandonné l'idée de développer une culture civique adaptée à la pluralité ethnique de l'Amérique moderne. Rejetant les positions extrêmes des « assimilationnistes » et des « multiculturalistes critiques », certains universitaires ont cru trouver une troisième voie qui serait à la fois multiculturelle et unitaire, capable de donner toute leur place aux cultures ethniques, tout en respectant les principes fondamentaux d'une « nation politique ». Cette nouvelle approche pédagogique a pour point de départ une réalité banale : l'évolution démographique des écoles publiques américaines. Plus des deux tiers des élèves des écoles de New York, de Houston, de Baltimore, de San Francisco et de Cleveland et plus des trois quarts des élèves de Los Angeles, de Chicago, de

---

1. A. Bloom, *The Closing of the American Mind, op. cit.,* pp. 26-27.
2. *Ibid.,* pp. 27-43.

Philadelphie, de Washington... sont des Noirs, des Asiatiques ou des Hispaniques[1]. Les programmes scolaires, pourtant déjà révisés à la fin des années 1960, tenaient insuffisamment compte du point de vue des minorités ethniques, en particulier dans leurs aspects historique et sociologique. Il était donc nécessaire d'entreprendre une réforme générale qui donne toute leur place aux groupes qui « forment et définissent la culture américaine », afin de préparer les élèves à « vivre et à travailler avec ceux qui sont différents d'eux-mêmes ». Il fallait, en bref, incorporer le multiculturalisme dans les programmes[2]. Cette réforme fut entreprise avec succès, au milieu des années 1980, dans plusieurs États américains dont ceux de Californie et de New York.

Qu'est-ce qu'un programme d'enseignement multiculturel ? D'après Diane Ravitch, coauteur du « programme d'histoire et de science sociale pour les écoles publiques de Californie, du jardin d'enfants à la classe terminale », le multiculturalisme bien pensé comprend trois éléments indissociables. L'analyse, d'abord, des différentes cultures d'origine auxquelles se rattachent les « minorités » américaines, trop souvent négligées dans les manuels scolaires. La description, ensuite, des formes d'interaction entre cultures et de leurs effets probables : le conflit, la violence raciale, mais aussi la coopération et la création de nouvelles cultures hybrides. La recherche enfin – et Diane Ravitch insiste particulièrement sur ce point qu'elle qualifie de « grand défi multiculturel » – de liens communautaires, de valeurs communes qui transcendent les particularismes ethniques et rendent possible la vie commune dans une nation unitaire[3].

---

1. Gary B. Nash, « The Great Multicultural Debate », *Contention : Debates in Society, Culture and Science*, n° 3, 1992, pp. 6-7. À Los Angeles, par exemple, le pourcentage d'étudiants hispaniques a progréssé de 20 % à 51 % en l'espace de quinze ans (de 1970 à 1985), alors que le pourcentage d'étudiants asiatiques a doublé pour atteindre 8 %. Voir Lawrence H. Fuchs, *The American Kaleidoscope*, Hanover, Wesleyan University Press, 1990, pp. 312-316.

2. Diane Ravitch, « In the Multicultural Trenches », *Contention*, n° 3, 1992, pp. 29-34.

3. *Ibid.*, pp. 34-36. Diane Ravitch, historienne de formation, a d'abord enseigné

Dans la même veine, l'historien Gary Nash, coauteur de neuf manuels scolaires destinés aux écoles californiennes, explique que le vrai multiculturalisme est inséparable d'un « certain consensus sur ce qui constitue le fondement de la culture américaine », sans lequel il n'y aurait plus qu'un « pluralisme de promiscuité, donnant à toute chose un poids égal et conduisant à un relativisme moral absolu[1] ». Ce consensus correspond à l'*unum* de la devise *E pluribus unum* ; il renvoie à des valeurs politiques et morales inscrites dans les institutions politiques américaines, et constitue un « héritage précieux » qu'il serait aussi absurde que vain de rejeter. Car c'est au nom de ces valeurs politiques fondatrices que tous les groupes ethniques américains, y compris les plus défavorisés, ont pu mener et poursuivre un combat libérateur[2].

Cette nouvelle dialectique de l'un et du multiple fut officialisée par les autorités scolaires de Californie lorsqu'elles adoptèrent, en juillet 1987, le programme d'histoire pour les écoles publiques conçu par un collectif de vingt professeurs et rédigé par Diane Ravitch et Charlotte Crabtree. Ce programme recommandait l'adoption d'un point de vue résolument multiculturel, tout en mettant l'accent sur les capacités démontrées par la société américaine à intégrer des groupes ethniquement, religieusement et culturellement divers. L'histoire de l'Amérique y était décrite comme une « histoire complexe », fondée sur l'interaction d'une idée nationale et de « plusieurs peuples », une sorte d'*E pluribus*

---

l'histoire de l'enseignement à Teachers College, Université Columbia, avant de rejoindre la Brookings Institution en 1992. Elle était, en 1990-1992, l'adjointe du ministre de l'Éducation. Elle a récemment publié *National Standards in American Education. A Citizen's Guide*, Washington D.C., Brookings Institution, 1995.

1. G. B. Nash, « The Great Multicultural Debate », art. cité, p. 24. Professeur d'histoire à UCLA, et ancien président de l'Organization of American Historians, Gary Nash est, par réputation, un historien progressiste et l'auteur d'une étude importante consacrée aux premières minorités ethniques américaines : *Red, White and Black : The Peoples of Early America* [1974], Englewood Cliffs, Prentice Hall, 1991. Il est aussi l'auteur de *Forging Freedom : The Formation of Philadelphia's Black Community, 1720-1840*, Cambridge (Mass.), Harvard University Press, 1988.

2. G. B. Nash, « The Great Multicultural Debate », art. cité, p. 25.

unum vivant, qui n'aurait pas encore épuisé les promesses inscrites dans la Déclaration d'indépendance (« la vie, la liberté et la recherche du bonheur ») et le préambule de la Constitution (« le bien-être général »)[1]. Le programme recommandé constituait, en fait, un véritable cours d'instruction civique qui mettait en valeur le caractère cohérent et unitaire de la nation américaine, malgré l'extrême diversité de ses éléments constitutifs.

Ainsi, les auteurs du programme s'attendaient à ce que des élèves de septième fussent pleinement familiarisés avec les textes fondateurs du « credo américain » : la Déclaration d'indépendance, la Constitution de 1787 et les dix amendements du *Bill of Rights* de 1791. Les élèves devaient comprendre que le pluralisme ethnoculturel est ce qui constitue la force de l'Amérique. Ils devaient, par ailleurs, maîtriser le sens de quelques symboles importants comme la statue de la Liberté et la devise latine *E pluribus unum.*

Des élèves de terminale, on exigeait de même une bonne compréhension de la philosophie des Pères fondateurs et la connaissance approfondie des quelques textes clés déjà mentionnés, ainsi que des extraits des *Federalist Papers* (1787), rédigés par Alexander Hamilton, John Jay et James Madison. Le rôle des tribunaux ainsi que le fonctionnement de l'État fédéral et des États fédérés devaient aussi être discutés. Il était enfin recommandé de donner une place importante aux principes unificateurs de la nation américaine : le principe d'égalité (énoncé dans la Déclaration d'indépendance et inscrit dans le 14ᵉ amendement), la liberté d'expression, la séparation de l'Église et de l'État (1ᵉʳ amendement), et certaines décisions juridiques comme l'arrêt *Brown* (1954),

---

1. California State Board of Education, *History-Social Science Framework for California Public Schools : Kindergarten through Grade Twelve*, California Department of Education, 1987, p. 5. Ce rapport, commandé en 1985 par Bill Honig, le State Superintendent of Public Instruction, fut adopté en juillet 1987, l'année du bicentenaire de la Constitution des États-Unis. Ses principaux auteurs étaient Diane Ravitch, alors professeur d'histoire à Columbia, et Charlotte Crabtree, professeur d'éducation à UCLA.

qui mit fin à la ségrégation raciale. L'utilisation de textes illustratifs était vivement conseillée, à commencer par les discours les plus célèbres de George Washington, Patrick Henry, Abraham Lincoln, Frederick Douglass, Susan B. Anthony, Franklin D. Roosevelt et Martin Luther King Jr.[1].

Le « multiculturalisme civique » prôné par des historiens modérés comme Diane Ravitch, ou progressistes comme Gary Nash, n'a pas posé de problème particulier au niveau de la formulation des programmes d'enseignement. Le consensus atteint évitait la controverse puisqu'il introduisait dans les programmes une bonne dose de multiculturalisme, tout en respectant la prééminence de certaines valeurs universelles. C'est bien pourquoi le programme d'histoire et de science sociale adopté par le California State Board of Education reçut facilement l'approbation des quelque mille sept cents enseignants consultés par les autorités de l'État. Mais sa mise en application souleva de graves difficultés, liées à un curieux phénomène de surenchère ethnique.

Le cercle vicieux de la surenchère ethnique

Les recommandations du California State Board of Education étaient facultatives. Il appartenait aux enseignants de produire de nouveaux manuels d'histoire et de les soumettre aux commissions d'enseignement des villes et des districts scolaires de l'État. L'accord des *School Boards* ne fut pas toujours acquis, ainsi que l'a établi le sociologue Todd Gitlin à partir de l'exemple des neuf manuels d'histoire rédigés pour les écoles de Californie, publiés par Houghton Mifflin et soumis à la commission scolaire d'Oakland. Le choix d'Oakland était un bon test, vu la diversité ethnique de la ville. À l'époque, 47 % des élèves étaient noirs, 19 %

1. *Ibid.*, pp. 103-105 et 117.

asiatiques, 15 % hispaniques et 19 % blancs. Gary Nash, le plus connu des quatre coauteurs de ces manuels scolaires, était chargé d'en défendre le contenu et d'en justifier l'approche multiculturelle. Professeur à UCLA, il avait la réputation d'un progressiste, partisan de la « nouvelle histoire » et fort attentif au sort des minorités raciales, des travailleurs, du « petit peuple » et autres oubliés de l'histoire... Malgré (ou à cause de) sa réputation, il fut, à sa grande surprise, violemment pris à partie par les membres du *School Board* d'Oakland, qui dénoncèrent le contenu « raciste » des manuels, leur « arrogance eurocentrique », leur « banalisation » de l'esclavage et surtout deux omissions jugées gravissimes : ni Martin Luther King, ni Malcolm X n'étaient mentionnés dans un ouvrage qui, pourtant, s'arrêtait à la fin du XIXᵉ siècle [1]...

Par effet de surenchère, les critiques des *Asian-Americans* s'ajoutèrent aux attaques des *African-Americans* d'Oakland. Une enseignante d'origine japonaise estima ainsi que l'un des manuels négligeait la condition des 120 000 Japonais de Californie internés dans des camps lors de la Seconde Guerre mondiale, bien que l'« injustice » des camps eût été spécifiquement mentionnée. À court d'argument, elle s'écria : « Nous voulons que notre histoire soit écrite par notre peuple [2] ! » Des Chinois-Américains se plaignirent à leur tour du trop petit nombre de pages réservé à la triste saga des *coolies* de Californie... Gary Nash tenta de se défendre en avançant qu'il était impossible de tout inclure et de mettre l'accent *à la fois* sur les Chinois de San Francisco, les Arméniens de Fresno, les Portugais de San Pablo, les Italiens du quartier de North Beach à San Francisco et les Coréens de Los Angeles. « Vous ne pouvez pas écrire l'histoire de tous les groupes ethniques de Californie. Vous

---

1. Todd Gitlin, *The Twilight of Common Dreams. Why America is Wracked by Culture Wars*, New York, Henry Holt, 1995, pp. 14-24. Voir aussi David L. Kirp, « Textbooks and Tribalism in California », *Public Interest*, n° 104, 1991, pp. 20-36.
2. Cité dans T. Gitlin, *The Twilight of Common Dreams, op. cit.*, p. 19.

ne pouvez certainement pas le faire pour le pays tout entier[1]. »

La décision finale du *School Board* d'Oakland fut prise le 5 juin 1991 : les élèves des écoles publiques de la ville n'auraient pas le droit de lire les manuels nouvellement imprimés par Houghton Mifflin. Ils continueraient à utiliser les « vieux » manuels des années 1960 – pourtant bourrés de préjugés racistes, comme le fit remarquer un professeur d'Oakland[2]. Trop de multiculturalisme tuait le multiculturalisme, et c'est ainsi que l'on perpétua dans la ville d'Oakland les vieux schémas de pensée hérités du passé.

On l'a compris : l'histoire multiculturelle des États-Unis est une difficile gageure. Elle ne peut être qu'insultante pour les multiculturalistes « purs et durs », et décevante pour les plus modérés. En fin de compte, elle ne peut offrir, pour parer aux critiques des uns et des autres, qu'une légende dorée américaine : une insipide collection de « belles histoires » ethniques, un tissu de célébrations identitaires dénuées d'esprit critique, en bref, de la *feel good history* (de l'histoire à l'eau de rose).

À New York, à la fin des années 1980, les défenseurs du multiculturalisme civique subirent les assauts délirants des inventeurs de la pédagogie « afrocentriste ». Invitée à commenter le contenu d'un rapport consacré aux programmes d'enseignement de l'État de New York, Diane Ravitch put mesurer ce qu'il en coûtait de prendre son travail au sérieux. Elle critiqua d'abord les insuffisances d'un texte dénonçant l'eurocentrisme d'historiens coupables d'avoir cherché à

---

1. Entretien de Gary Nash avec Todd Gitlin, cité dans *ibid.* Voir aussi, sur le même sujet, Benjamin Barber, *L'Excellence et l'égalité. De l'éducation en Amérique*, trad. fr., Paris, Belin, 1993, pp. 146-173. Barber dénonce avec raison les excès de l'« hyperpluralisme » et souligne que le multiculturalisme a des « origines monoculturelles », puisque c'est un « idéal qui s'est épanoui essentiellement en Occident » (p. 170).

2. On notera, cependant, que la plupart des districts scolaires de Californie adoptèrent les manuels recommandés, soit un marché chiffré à 200 millions de dollars par l'éditeur Houghton Mifflin, qui avait investi 20 millions de dollars dans l'affaire. Voir D. L. Kirp, « Textbooks and Tribalism in California », art. cité, p. 21.

imposer, envers et contre tous, l'hégémonie d'un « pouvoir blanc ». Elle crut bon de contester – dans ses commentaires destinés aux autorités scolaires de l'État (*Board of Regents*) – les excès d'un point de vue qui rendait les « Blancs » responsables de tous les dérapages d'un système politique qui fut, en son temps, raciste, mais qui contribua aussi à l'abolition de l'esclavage et à la mise en place d'un régime de droits civiques, par définition antiraciste[1]. Pour ces remarques de bon sens, Diane Ravitch se vit reprocher d'être une « juive texane » dont les grands-parents auraient été, contre toute évidence, non seulement des propriétaires d'esclaves, mais aussi des entrepreneurs et des profiteurs du commerce triangulaire ! Leonard Jeffries, professeur de science politique au City College de New York, et l'un des membres du *Board of Regents,* l'accusa publiquement de racisme, thème qui fut repris presque immédiatement par les journaux noirs de la ville et les émissions de télévision destinées à une audience afro-américaine[2].

Dans un autre contexte, Molefi Asante, le directeur du département des études africaines-américaines de l'université Temple de Philadelphie et l'un des inventeurs de la pédagogie afrocentriste, dénonça avec une rare violence les programmes des partisans d'un multiculturalisme civique. Ces programmes, expliqua-t-il, étaient inacceptables pour des enfants noirs, car il leur était impossible de comprendre

1. D. Ravitch, « In the Multicultural Trenches », art. cité, pp. 30-33. Le rapport analysé par Diane Ravitch en novembre 1989 s'intitulait : « A Curriculum of Inclusion ». Il avait été rédigé par un « Committee on Minorities » institué par Thomas Sobol, le nouveau State commissioner of education de New York.

2. Leonard Jeffries a fondé sa carrière sur la construction d'un curieux racisme inversé qui fait des Blancs des « êtres froids » (*ice people*), des Noirs des « êtres chauds » (*sun people*), les premiers étant particulièrement stupides, faute de pigmentation, les seconds des modèles d'intelligence, de finesse et d'intuition. Ses principales cibles historiques sont les juifs, accusés du pire des complots : avoir pris le contrôle du commerce des esclaves, dès le XVIIe siècle, pour développer ensuite « un système financier de destruction du peuple noir ». Ces thèmes seront repris par de nombreux leaders noirs, dont Louis Farrakhan. Voir Arthur J. Magida, *Prophet of Rage. A Life of Louis Farrakhan and his Nation*, New York, Basic Books, 1996, pp. 173-202, et Gilles Kepel, *À l'ouest d'Allah*, Paris, Éd. du Seuil, 1994, pp. 85-112.

l'information présentée, puisqu'elle était « *blanche* dans la plupart des cas ». Quant aux programmes scolaires, ils n'étaient que des « programmes d'autosatisfaction blanche ». Au bilan, l'élève noir était un infirme, un pantin disloqué, un être dépossédé de sa vraie culture dont les expériences vitales avaient été reléguées aux marges de l'histoire conçue pour et par des Européens. C'est pourquoi Asante n'a cessé de prôner le « recentrage » des programmes scolaires sur les grands moments de l'histoire africaine, pour créer chez l'étudiant noir un nouvel enthousiasme et un « sentiment de responsabilisation » vis-à-vis de son groupe d'appartenance [1].

Le danger des pédagogies afrocentristes, note Gary Nash, est qu'elles détruisent toute idée de vie commune, de sens civique et de participation démocratique. Elles construisent une histoire imaginaire qui réduit des siècles d'histoire africaine à quelques banalités et transforme la mosaïque des cultures subsahariennes en un tout homogène, aussi admirable que mythique : « *la* Grande Afrique », les « idéaux africains », « *la* culture » et « *la* façon d'être » africaines, ou encore « l'Égypte » réifiée en centre culturel de l'Afrique noire et du monde méditerranéen [2]... L'afrocentrisme, comme l'anglo-saxonnisme à une autre époque, crée l'illusion d'une homogénéité raciale et culturelle, alors que la communauté noire est plus divisée que jamais entre une classe moyenne, prospère et relativement bien intégrée, et une *underclass* abandonnée par tous. L'afrocentrisme, si l'on n'y prête garde, n'est qu'un opium du peuple, une illusion identitaire qui cache les vrais problèmes et retarde leur solu-

1. Molefi Kete Asante, « Afrocentric Curriculum », *Educational Leadership*, décembre 1991-janvier 1992, pp. 28-31. Asante est l'auteur de l'un des textes fondateurs de l'afrocentrisme : *The Afrocentric Idea*, Philadelphie, Temple University Press, 1987. Il a récemment publié : *Malcolm X as Cultural Hero and Other Afrocentric Essays*, Trenton, Africa World Press, 1993.

2. G. B. Nash, « The Great Multicultural Debate », art. cité, p. 14. En ne retenant que des sources afro-américaines, les Afrocentristes, ajoute Nash, se privent des nombreux travaux d'historiographie africaine et afro-américaine rédigés par des Anglais, des Européens et des Américains.

tion en racialisant un peu plus une société qui aurait pourtant intérêt à redécouvrir les vertus du melting-pot en délais-
sant, une fois pour toutes, les « idées de race et d'unanimité
raciale [1] ».

Les historiens américains des années 1930 et 1940 avaient
eu le tort de s'imaginer que le melting-pot était, fondamentalement, anglo-saxon. Ils oubliaient, écrit Diane
Ravitch, que la sphère de la citoyenneté américaine (« Nous
le Peuple... », d'après les premiers mots de la Constitution
des États-Unis) n'a cessé de s'étendre pour réunir dans une
culture commune les contributions d'une centaine de
peuples qui ont ajouté tour à tour leur voix « au chœur de
l'Amérique ». Une illustration facile de cette culture commune en expansion constante est « cette charcuterie thaï-
landaise de San Francisco qui vend des *bratwursts*, des *pizzas*,
des *espressos* et de la glace tropicale ; cette boulangerie por-
toricaine qui fabrique les meilleurs *bagels* de l'Upper West
Side de Manhattan ; cette Colombienne qui explique à un
journaliste, à la sortie d'une cérémonie de naturalisation,
qu'elle va fêter sa nouvelle citoyenneté américaine en allant
manger des *sushis*... » Mais, ajoute Diane Ravitch, célébrer
la diversité et l'hybridité de la culture ambiante ne doit pas
conduire à un absurde oubli de l'Europe :

> Nous ne perdons rien de notre héritage multiculturel en expri-
> mant notre appréciation pour les idées européennes qui ont créé nos
> institutions démocratiques, ou en honorant les Britanniques de sexe
> masculin qui rédigèrent la Déclaration d'indépendance et la Consti-
> tution. Nous risquons, en fait, de perdre notre héritage démocrati-
> que, si nous négligeons d'étudier et de comprendre les idées qui
> forgèrent notre régime et nos institutions [2].

---

1. Henry Louis Gates, Jr. et Cornel West, *The Future of the Race*, New York,
Alfred Knopf, 1996, p. 38 (citation de Gates dont je suis ici le raisonnement).
Jean-François Bayart a bien montré les dangers et démonté la logique des stéréotypes
culturalistes qui figent les identités et cachent les vrais problèmes de société dans
L'Illusion identitaire, Paris, Fayard, 1996.
2. D. Ravitch, « A Culture in Common », *Educational Leadership*, décembre-
janvier 1992, p. 10.

À ce type d'argument, les afrocentristes répondent par la dérision et l'insulte. Il n'y a pas, affirment-ils, de culture commune américaine ; le prétendre serait faire preuve d'« hégémonie eurocentriste ». Quant à défendre les racines européennes de la culture politique américaine, c'est faire preuve d'allégeance à une vision de l'histoire qui serait, selon Molefi Asante, « néo-aryenne [1] ». L'argument est consternant et la rhétorique dérisoire : du racisme à l'envers qui conduirait, s'il était pris au sérieux, à l'abandon de toutes valeurs universelles, à commencer par ces valeurs d'origine européenne qui ont pour nom « politique des droits de l'homme ». Les membres des minorités ethniques seraient-ils incapables de tenir un raisonnement ou un langage universalistes ? C'est ce que laisse croire ce type d'argumentation. L'idéologie séparatiste postule donc le cloisonnement ethnique, l'ethnohistoire et, par implication, l'ignorance de la réalité américaine faite de conflits, d'amalgames, d'enchevêtrement et de métissage d'une multitude de communautés humaines [2]. S'il y a bien *des cultures* américaines propres à chaque groupe ethnique, il y a aussi *une culture* trans-ethnique qui transcende tous les particularismes et qui définit la nation américaine. Or cette culture

1. Molefi Asante, « Multiculturalism : An Exchange », *American Scholar*, n° 59, 1990, pp. 267-268.
2. Dans une lettre inédite, Diane Ravitch écrit ainsi : « Je suis troublée par la passion anti-occidentale, anti-américaine des extrémistes multiculturels. Ils seraient prêts à enseigner toutes les cultures sauf la leur et ils méprisent ceux qui trouvent utile d'enseigner des cultures non minoritaires ou qui estiment que de nombreux membres de groupes minoritaires sont capables de s'identifier à des idéaux universels. Je suis, en tant que femme et que Juive, une Américaine assimilée. Je ne voudrais pas qu'on enseigne à mes enfants l'histoire américaine avec des lunettes juives, et je suis ravie qu'ils aient, tous les deux, une bonne connaissance de l'histoire européenne. Malheureusement, à l'époque actuelle, les enfants américains sont censés partager leur temps de façon égale entre l'étude de l'Europe, de l'Asie, de l'Afrique, de l'Amérique latine, de l'Inde, de l'ex-URSS, etc. (Dans les programmes de New York, les études globales sont divisées en huit régions d'égale importance dont l'une est l'Europe. Ce qui revient à dire que les élèves consacrent le quart d'une année à l'histoire européenne sur une période de deux ans.) » Extrait d'une lettre inédite de Diane Ravitch au Pr John Higham (Johns Hopkins University), 10 août 1993, aimablement communiquée par son destinataire.

commune est difficile à saisir parce qu'elle repose sur l'équilibre précaire postulé dès l'origine de la nation par la devise fondatrice *E pluribus unum*. Telle est la signification dialectique d'une singularité plurielle : rendre compatible les exigences de l'Un – une nation de citoyens égaux – avec celles de la multitude des groupes qui ont fait, ensemble et parfois séparément, l'histoire des États-Unis[1].

De l'ethnohistoire à l'ethnoscience : les fantasmes d'une science multiculturelle

Le rejet des valeurs universelles, sous prétexte qu'elles auraient une origine européenne, n'a pas seulement des conséquences civiques ou politiques. Il touche aux conceptions mêmes de la science moderne, révisée en fonction de postulats multiculturels qui font honneur à la nouvelle pédagogie « criticaliste ». La démarche est surprenante et les résultats plus étonnants encore, si l'on en croit les auteurs d'un nouveau traité de « Multiculturalisme appliqué aux mathématiques, à la science et à la technologie ». On ne peut que louer les intentions de départ des auteurs : diffuser les principes d'une pédagogie multiculturelle dans les classes scientifiques ; offrir aux étudiants des modèles d'inspiration liés à leur groupe d'origine ; créer chez eux des sentiments nouveaux de fierté et de respect mutuel en leur faisant découvrir que *toutes les cultures* ont produit des savants et des mathématiciens. L'origine européenne de la science moderne, lit-on dans ce traité, est un mythe, puisqu'il est aujourd'hui prouvé : que les peuples africains ont joué un rôle éminent pour « créer les fondations de la civilisation moderne » ; que les Amérindiens sont des savants qui s'ignorent (car les Aztèques furent les premiers à utiliser le zéro

1. D. Ravitch, « Multiculturalism. E Pluribus Plures », *The American Scholar*, n° 59, 1990, p. 353.

dans leurs évaluations cadastrales) ; que le théorème de Pythagore fut démontré par des Babyloniens, mille ans avant Pythagore ; que le triangle de Pascal fut, en réalité, découvert plusieurs siècles plus tôt par des mathématiciens chinois, etc. [1]. Un immense planisphère ajouté en annexe tend ainsi à démontrer la répartition égale des grandes découvertes scientifiques à travers les continents. L'Europe est créditée de neuf grandes découvertes attribuées à cinq hommes (Linné, Gauss, Darwin, Mendeleïev, Ramón y Cajal), trois femmes (Sofia Kovalevskaïa, Marie Curie, Maria Agnesi) et « un handicapé » (Stephen Hawking). Pas un mot concernant les travaux de Copernic, de Kepler, de Galilée ou de Newton, ceux de Pasteur ou de Mendel, non plus que ceux des grands physiciens européens du début du siècle (Einstein, Heisenberg, Planck, Bohr...), tandis que les mathématiciens sont manifestement sous-représentés avec Gauss et Kovalevskaïa pour l'Europe, et Ératosthène d'Alexandrie (284-192 av. J.-C.) pour l'Afrique [2]. L'Asie du

1. Thom Alcoze, Claudette Bradley, Julia Hernandez, Tetsuyo Kashima, Iris Kane *et al.*, *Multiculturalism in Mathematics, Science, and Technology : Readings and Activities*, Menlo Park, Addison-Wesley, 1993, pp. 3-5. Les auteurs sont des universitaires (universités de l'Alaska, de Northern Arizona...) et des professeurs de lycée (lycées de Los Angeles, San Franciso et San Diego en Californie, lycée de Chicago dans l'Illinois, lycée de Detroit dans le Michigan, district scolaire des Indiens Zuni dans le Nouveau-Mexique, etc.). L'enseignement des sciences multiculturelles est pratiqué, notamment, dans les lycées publics des villes de Pittsburgh, Philadelphie, Richmond, Atlanta, Portland, Washington D.C., Detroit, Indianapolis... Sur l'application pratique de ces méthodes, voir Dinesh D'Souza, *The End of Racism*, New York, Free Press, 1995, pp. 360-364, et Richard Bernstein, *Dictatorship of Virtue. Multiculturalism and the Battle for America's Future*, New York, Alfred Knopf, 1994, pp. 237-291. On a, par contre, beaucoup exagéré les effets nocifs des approches multiculturelles dans les grandes universités américaines, comme j'ai tenté de le montrer en 1994 en critiquant les thèses pessimistes (et souvent inexactes) de D. D'Souza et R. Bernstein *in* D. Lacorne, « Des coups de canon dans le vide ? La « civilisation occidentale » dans les universités américaines », *Vingtième Siècle*, n° 43, 1994, pp. 4-17. Voir aussi à ce sujet Éric Fassin, « La chaire et le canon. Les intellectuels, la politique et l'université aux États-Unis », *Annales E. S. C.*, n° 2, 1993, pp. 265-301.

2. Th. Alcoze *et al.*, *ibid.*, p. 205. Le planisphère (de format 63 × 98 cm) est, précisent les auteurs, à utiliser comme « carte murale ». Parmi les trois savants africains spécifiquement mentionnés figure Cheikh Anta Diop du Sénégal (né en 1924), qui aurait apporté la preuve que « la civilisation égyptienne était fondamentalement africaine ». Diop est l'auteur de *Civilization or Barbarism : An Authentic Anthropology*, Brooklyn (New York), Lawrence Hill Books, 1991, trad., Yaa-Lengi

Sud-Est, l'Afrique, l'Amérique du Nord et l'Amérique du Sud sont chacune créditée de dix grandes découvertes dont certaines sont anonymes comme la charrue (prétendument inventée au Viêt-nam), le boulier et le compas magnétique (inventés en Chine), l'écriture et le calendrier (prétendument inventés par les Olmèques), le chiffre zéro (inventé tantôt par les Aztèques, tantôt par les Mayas), etc.

Le cas de l'Amérique du Nord est particulièrement révélateur des intentions des auteurs de ce curieux traité de sciences multiculturelles. Bien que près de deux cents prix Nobel aient été à ce jour accordés à des Américains (dont soixante en physique, contre vingt à des Britanniques, dix-neuf à des Allemands, dix à des Français, sept à des Soviétiques...), un seul lauréat de sexe masculin est mentionné parce qu'il est hispanique (le physicien Luis Alvarez, prix Nobel de physique en 1968). Les deux autres Blancs sont des femmes (Barbara McClintock, prix Nobel de médecine en 1983, et Grace Hopper, coauteur d'un programme de logiciel). Pas un mot sur les découvreurs de la double hélice de l'ADN, de simples hommes blancs (Watson et Crick). Sont mentionnés, par contre, un Africain-Américain, astronome amateur, cartographe et rédacteur d'almanachs (Benjamin Banneker, 1731-1806), et une Amérindienne, spécialiste de radiobiologie (Agnes Stroud-Lee, membre de la tribu des Tewas, née en 1922). Dans le reste du livre, les auteurs font grand cas d'un savant noir, Jan Matzeliger, l'inventeur non pas de la machine à coudre mais de son application à l'industrie de la chaussure pour la couture mécanique des semelles (patente accordée en 1883)... Grâce à lui, nous disent les auteurs du traité, la petite ville de Lynn dans le Massachusetts devint la capitale mondiale de la chaussure.

Meema Ngem. Cette thèse est vigoureusement critiquée par l'une des meilleures classicistes américaines, professeur à Wellesley College. Voir Mary Lefkowitz, *Not Out of Africa. How Afrocentrism Became an Excuse to Teach Myth as History*, New York, New Republic Books/Basic Books, 1996, pp. 16-24 et 157-160.

Le plus frappant dans cet étrange inventaire mondial de l'histoire de la science est la volonté d'égaliser le nombre des découvertes et des savants par continent pour éviter de créer l'apparence d'une supériorité européenne. Pour ce faire, les domaines et les rôles sont tous confondus : les sciences fondamentales et les sciences appliquées, les théoriciens et les techniciens, les inventeurs connus ou anonymes afin de ne pas trop privilégier une civilisation au détriment d'une autre. Surtout, des inventions capitales sont oubliées afin de ne pas défavoriser les peuples de couleur. Le multiculturalisme appliqué à la science conduit ainsi à un relativisme intégral : à chaque tribu sa science, aussi riche que celle du voisin. Mais de fait, derrière l'apparente égalité ethnoterritoriale des découvertes scientifiques se dresse une hiérarchie des civilisations qui donne l'avantage aux peuples de couleur.

Prenons le cas des Sioux. Ils seraient les premiers à avoir représenté la nature sous la forme d'un cercle. Cette intuition géniale, d'après les auteurs du traité, serait à l'origine de tous les modèles scientifiques circulaires, à commencer par le modèle de l'atome conçu par le physicien Niels Bohr [1]. Les Amérindiens (Incas, Aztèques et Mayas) auraient « inventé » l'agriculture, après des milliers d'années d'expérimentation et de pratique d'hybridation (pas un mot ici sur le caractère mondial de la « révolution » néolithique) ; les Zunis du Nouveau-Mexique seraient les premiers à avoir mis au point des techniques de construction « écologiques » ; les Africains (lire les Égyptiens) auraient inventé la sculpture classique (et l'architecture moderne) grâce à leur science des proportions qui aurait servi de modèle idéal aux sculpteurs de la Grèce antique... Quant aux peuples indigènes de l'Europe occidentale, à qui il faut bien reconnaître quelques mérites – relativisme oblige –, ils auraient tous été

---

1. Qu'on lise le remarquable *Niels Bohr* de François Lurçat (Paris, Criterion, 1990), pour mesurer la folle absurdité d'une telle affirmation.

des Celtes à qui l'on doit une invention modeste, mais révélatrice de notre ancestrale gourmandise : la baratte à beurre[1].

De l'ethnoscience à la fiction pure et simple, il n'y a qu'un pas, allègrement franchi par ces égyptologues amateurs qui s'imaginent qu'Aristote aurait volé sa philosophie aux Égyptiens en organisant le pillage de la bibliothèque d'Alexandrie[2], ou cet éducateur qui croit détenir la preuve que l'Amérique fut découverte par des navigateurs africains, plusieurs siècles avant Christophe Colomb[3].

Ces fantaisies, enseignées au lycée et à l'université par les adeptes des pédagogies afrocentristes, sont trop souvent, hélas, acceptées comme la vérité et répercutées dans les médias sans le moindre esprit critique. Qui osa ouvertement questionner les élucubrations numérologiques proférées par Louis Farakkhan, le leader de la Nation of Islam, lors de la fameuse *Million Man March* de Washington D.C. en octobre 1995 ? Le nombre 19 était-il magique ? Mesurait-il en pieds, comme le prétendait Farrakhan, la hauteur précise

---

1. *Ibid.*, pp. 119, 123, 161, 57 et 41 respectivement.

2. Alexandrie était une colonie grecque située « près de l'Égypte » (*ad Ægyptum*), comme l'écrivaient les Romains. Il est donc difficile de suivre Yosef ben-Jochannan lorsqu'il affirme en 1983 que les philosophes grecs qui séjournèrent dans la ville « volèrent » leur philosophie aux Égyptiens en pillant les ouvrages « égyptiens » de la bibliothèque. Il est particulièrement absurde d'inclure parmi ces philosophes Aristote, qui n'eut jamais l'occasion de visiter l'Égypte et *a fortiori* de piller une bibliothèque construite longtemps après sa mort et composée presque exclusivement d'ouvrages grecs. Le mythe du pillage de la bibliothèque d'Alexandrie est développé par George G. M. James, l'auteur à succès de *Stolen Legacy* (New York, Philosophical Library, 1954). Disciple de James, ben-Jochannan est l'auteur de *Africa, Mother of Western Civilization*, Baltimore, Black Classic Press, 1971. Mais c'est surtout Martin Bernal de l'université Cornell qui donne un semblant de respectabilité aux thèses d'une Égypte-mère de la civilisation occidentale dans son *Black Athena : The Afroasiatic Roots of Classical Civilization*, New Brunswick, Rutgers University Press, 2 vol., 1987-1991. Pour une critique dévastatrice de l'égyptomanie américaine et une analyse de ses conséquences sur la vie intellectuelle, voir M. Lefkowitz, *Not Out of Africa, op. cit.*, pp. 2-3 et 134-175. On trouvera une analyse particulièrement subtile des rapports entre la Grèce et l'Égypte dans François Hartog, *Mémoire d'Ulysse. Récits sur la frontière en Grèce intérieure*, Paris, Gallimard, 1996, pp. 49-86 et 112-116, ainsi qu'une critique pertinente des thèses de Bernal (pp. 53-54).

3. Voir Ivan Van Sertima, *They Came before Columbus*, New York, Random House, 1976. Sertima fonde son argument sur l'art de la civilisation olmèque, dont certaines statues représenteraient des individus à l'« apparence physique africaine ».

du Jefferson Memorial et du Lincoln Memorial ? Correspondait-il à l'« addition » du *troisième* Président (Jefferson) et du *seizième* Président (Lincoln) ? Renvoyait-il au secret d'une origine divine de l'Egypte africaine (1 pour Dieu + 9 pour enceinte = fils/souffle/esprit de Dieu) ? Décrivait-il les dix-neuf rayons solaires du dieu égyptien Aton ?... L'important, pour la presse américaine et les commentateurs des journaux télévisés, était le succès inattendu de la manifestation, et non le contenu d'un discours pourtant riche en symboles de réappropriation culturelle. Farrakhan, dans son intervention, reprenait à son compte tous les poncifs de l'afrocentrisme : les Noirs américains étaient les descendants des constructeurs de pyramides, les « maîtres maçons » de l'univers, les héritiers des premiers pharaons (dont l'un fut hélas puni par le dieu des Israélites, au moment de la traversée de la mer Rouge), les fils du dieu-soleil Aton... Tel serait le sens, jusque-là caché, de l'obélisque érigé au cœur de la ville de Washington et du Pharaon représenté sur le premier projet de Grand Sceau des États-Unis. Quant à Napoléon, il aurait, lors de la campagne d'Égypte, défiguré le Sphinx à coups de canon pour effacer l'apparence négroïde de son visage et démontrer ainsi qu'il était, comme tous les monarques occidentaux, un « suprémaciste blanc [1] »...

La mode de l'afrocentrisme ne facilite pas l'enseignement de l'histoire. Mais la difficulté est plus générale : enseigner l'histoire relève de la gageure parce qu'il n'y a pas de peuple américain homogène ni de philosophie « américanocentriste » capable d'englober toutes les variantes du multiculturalisme, y compris les plus radicales et les plus europhobes. L'histoire des États-Unis est complexe et conflictuelle, comme l'est la définition même de la nation américaine,

---

1. Louis Farrakhan, discours prononcé à l'occasion de la « Marche du million d'hommes », Washington D.C., 16 octobre 1995. En réalité, ce sont les mamelouks de l'Empire ottoman qui, longtemps avant l'intervention de Bonaparte, utilisèrent la tête du Sphinx comme cible d'entraînement au tir au canon.

souvent décrite comme « politique » et donc apparemment proche du modèle français. Mais cette nation a longtemps été « ethnique », de façon négative, puisqu'elle excluait de la sphère du « Nous » fondateur les Noirs, les Amérindiens, les Asiatiques et, à un moindre degré, les Irlandais, les Juifs, les Italiens, les Polonais... La conception civique de la nation se doublait donc d'une conception ethnique qui opposait une classe dominante (les Anglo-Saxons, les vieux immigrants...) à des groupes réputés inférieurs (les Noirs, les nouveaux immigrants slavo-latins...). L'ambiguïté fondamentale d'une nation *civique et ethnique* ne devait disparaître qu'avec la Seconde Guerre mondiale, à une époque où le racisme avait cessé d'être « payant », à cause des effets de l'hitlérisme et pour une autre raison, positive celle-là : la mission nouvelle d'une Amérique triomphante qui entendait exporter son modèle politique vers l'Europe, le Japon et les pays du tiers-monde. Mais il faudra attendre le mouvement des droits civiques des années 1960 pour que les Noirs, théoriquement égaux depuis la période de Reconstruction, cessent enfin d'être traités en citoyens de deuxième classe [1].

Toute la difficulté est là : comment enseigner l'histoire d'une nation qui est, d'abord et avant tout, une communauté imaginaire, instable et sans cesse contestée de l'intérieur, soumise à de multiples interprétations qui allient les meilleurs principes politiques – la liberté, l'égalité, le progrès social – aux pires exclusions raciales. Difficile dans ce contexte de satisfaire les héritiers des « vainqueurs » et ceux des « vaincus », même si ces derniers partagent, au fond, les mêmes valeurs libératrices. D'où ce paradoxe exprimé il y a un demi-siècle par l'économiste suédois Gunnar Myrdal : le système politique américain a trop longtemps permis à

---

1. Eric Foner, « Who is an American ? », *Culturefront*, hiver 1995-1996, pp. 5-12. Comme son cousin Theodore Roosevelt, Franklin Delano Roosevelt excluait toute définition raciale de la nation. Être un Américain, déclarait-il, est une « question de cœur et d'esprit [...] jamais une question de race ou d'origine » (cité dans *ibid.*, p. 12).

une élite anglo-saxonne d'abuser de son pouvoir au nom de grands principes démocratiques. Mais l'important est que ces principes aient été posés. Ils pouvaient donc permettre à une autre élite politique de réparer les injustices et les discriminations passées. L'auraient-ils voulu, écrit Myrdal, les exclus de la démocratie américaine « n'auraient pu inventer un système d'idées qui satisfasse mieux leurs intérêts[1] ». Le multiculturalisme, dans cette perspective, serait donc pleinement compatible avec les principes politiques inventés par les fondateurs de la République américaine.

Horace Kallen : l'inventeur du multiculturalisme américain

La violence des conflits engendrés par les « batailles multiculturelles », la rigidité des positions adverses, le désarroi que ces querelles suscitent au sein des milieux scolaires et universitaires étonnent les observateurs étrangers qui croient découvrir là les effets pervers d'une gigantesque mystification, qualifiée de « politiquement correcte ». Et pourtant, ce type de conflits n'est pas nouveau dans l'histoire des États-Unis. Il suffit de s'interroger – comme nous y incite John Higham, le grand historien de l'immigration américaine – sur les origines intellectuelles d'une mode qui semble affaiblir le lien social en « absolutisant » les différences raciales et culturelles[2].

Il est ironique de constater qu'à force de dénoncer les racines occidentales d'une culture blanche « hégémonique », les partisans des pédagogies multiculturelles ont oublié leur dette intellectuelle à l'égard de l'inventeur – le mot n'est pas trop fort – du multiculturalisme américain : un immigré

---

1. Gunnar Myrdal, *An American Dilemma. The Negro Problem and Modern Democracy* (1944), cité dans G.B. Nash, art. cité, p. 25.
2. John Higham, « Multiculturalism and Universalism : A History and Critique », *American Quarterly*, n° 2, 1993, pp. 195-219. En français, on lira l'excellente synthèse d'Olivier Zunz, « Genèse du pluralisme américain », *Annales E. S. C.*, n° 2, 1987, pp. 429-444.

allemand né en 1882, débarqué aux États-Unis à l'âge de cinq ans et voué au rabbinat par son père, lui-même rabbin orthodoxe. Mais au lieu de suivre sa destinée familiale, Horace Kallen, car tel est son nom, fit de brillantes études de philosophie à Harvard, sous la direction du grand philosophe William James. Il obtint son Ph.D. en 1908 et se consacra à l'enseignement de la philosophie et de la psychologie à Harvard, à Princeton, à l'université du Wisconsin puis à la New School for Social Research de New York où il resta plus de cinquante ans jusqu'à sa retraite en 1969[1]. Sa longue carrière universitaire lui permit de réviser maintes fois le contenu de sa philosophie pluraliste.

Ce qui nous intéresse ici, c'est la première version d'une œuvre qui fut multiculturelle avant la lettre et qui tenta de définir de façon nouvelle les relations entre groupes humains. Kallen développa les thèses du « pluralisme culturel » dans un ouvrage paru en 1924 qui reprenait, en les remaniant, une série d'articles publiés sur une période de dix ans[2].

Son argument, pour être bien compris, doit être replacé dans la trajectoire intellectuelle de l'auteur. Philosophe, disciple de James, agnostique mais passionné d'études hébraïques, partisan d'une renaissance juive incarnée par le mouvement sioniste, Kallen fut, dans le plein sens du terme, un intellectuel engagé qui chercha à défendre les communautés d'immigrés, menacées dans leur existence par les campagnes d'américanisation des années 1910 et l'hystérie xénophobe des années 1920 (voir chapitre 4). Dans « La démocratie

---

1. Voir Arthur Mann, *The One and the Many*, Chicago, Chicago University Press, 1979, pp. 136-138, et Philip Gleason, *Speaking of Diversity*, Baltimore, Johns Hopkins University Press, 1992, pp. 18-25 et 51-56. Dans *Cultural Pluralism and the American Idea*, paru en 1956, Kallen redéfinit le concept d'américanisation (qu'il avait violemment attaqué quarante ans plus tôt), pour l'identifier positivement à un credo républicain : l'« Idée américaine ».

2. Horace M. Kallen, *Culture and Democracy in the United States. Studies in the Group Psychology of the American Peoples*, New York, Boni and Liveright, 1924. Le livre inclut des articles publiés entre 1915 et 1924 et un « Postscript to be read first », intitulé « Culture and the Ku Klux Klan », pp. 9-43.

"contre" le melting-pot », publié dans *The Nation* en 1915, Kallen prit d'abord pour cible les « américanisateurs » qui réclamaient tantôt l'assimilation forcée des travailleurs immigrés, tantôt l'arrêt brutal de l'immigration judéo-slavo-latine, au nom de la défense des races nordiques. Puis il dénonça, dans son ouvrage de 1924, un groupe plus inquiétant encore : le nouveau Ku Klux Klan, refondé à Atlanta en 1915. Kallen offrait donc l'une des premières critiques systématiques du nativisme américain qui prit son essor à la fin du XIXᵉ siècle, sous l'influence du darwinisme social, et atteignit son apogée au milieu des années 1920 avec le passage d'une loi d'immigration particulièrement restrictive (le *Johnson-Reed Act* de 1924), et le succès du nouveau Klan qui réussit à recruter jusqu'à cinq millions d'adhérents, principalement dans les États du Sud, de l'Ouest et du Midwest [1].

Les restrictionnistes et les partisans du Ku Klux Klan divergeaient sur les méthodes tout en poursuivant un objectif commun : préserver coûte que coûte la suprématie des Anglo-Saxons. Les premiers acceptaient l'étranger à condition qu'il abandonne sa culture d'origine et manifeste des habitudes sociales dignes d'un « Américain à cent pour cent ». Les seconds excluaient l'étranger à cause de sa sin-

1. Le premier Ku Klux Klan n'a fonctionné que quelques années, au lendemain de la guerre de Sécession, entre 1865 et 1871. Le second Klan fut inauguré en novembre 1915, le jour de Thanksgiving, au sommet de Stone Mountain, à quelques kilomètres d'Atlanta, par William Joseph Simmons. Le Klan comptait quelques milliers d'adhérents au début de l'année 1920. Repris en main par des publicitaires en 1921, il devint un mouvement national disposant de cinq millions de membres en 1925, répartis au sein de quatre mille « chapitres ». La majorité des membres étaient des protestants (surtout baptistes et méthodistes) qui, par ailleurs, avaient souvent des responsabilités au sein de loges maçonniques. Trente mille pasteurs protestants et cinq cent mille maçons ou équivalents (Elks, Shriners, Odd Fellows) auraient rejoint le Klan en 1923, ainsi que soixante-quinze membres de la Chambre des représentants et une dizaine de gouverneurs. Les victimes des violences du KKK étaient, d'abord et en plus grand nombre, les Noirs, mais aussi les catholiques dont les églises et les écoles privées étaient parfois attaquées (et brûlées) et les commerçants juifs, soumis à des boycotts locaux. Les excès du Klan et quelques procès perdus par ses leaders précipitèrent sa chute dans les années 1930. Voir Nancy MacLean, *Behind the Mask of Chivalry. The Making of the Second Ku Klux Klan*, New York, Oxford University Press, 1994, pp. 3-22, et David M. Chalmers, *Hooded Americanism. The History of the Ku Klux Klan*, 3ᵉ éd., Durham, Duke University Press, 1987, pp. 8-39.

gularité ethnique, culturelle et religieuse, surtout s'il était juif. Pour les adhérents du Ku Klux Klan, le Juif, comme le Noir, était un sous-homme, un être particulièrement répugnant, une « vermine » et une « ordure », secrètement engagé dans un complot de « domination mondiale ». Il fallait donc l'« annihiler » en tant qu'« ennemi de sang des peuples aryens », comme l'affirmait avec enthousiasme le *Kourier* du Klan, en 1925, en reprenant à son compte les propos criminels d'un journaliste allemand[1].

L'argument pluraliste de Kallen est fondé sur une une référence suprême : la Déclaration d'indépendance qui postule l'égalité de tous les hommes. Les mouvements nativistes, constate le philosophe, violent le texte fondateur de la République américaine en en inversant les termes. On dirait que, pour eux, « tous les hommes sont inégaux », puisque les nouveaux immigrés sont proclamés inférieurs aux descendants des premiers colons. Aussi, l'assimilation ou son image zangwillienne, le melting-pot, ne peuvent conduire, selon Kallen, qu'à l'appauvrissement psychologique et intellectuel de l'immigré, et ce pour une raison simple : le « type américain » auquel on veut l'assimiler est un mythe, la construction abstraite d'Anglo-Saxons à la recherche de généalogies fictives sans grand rapport avec la vraie culture d'origine des puritains de la Nouvelle-Angleterre. Or, poursuit Kallen, la division du travail et les stratifications nouvelles introduites par la révolution industrielle ont considérablement appauvri les formes populaires de la culture américaine. Il suffit de lire la presse anglo-américaine pour mesurer l'inanité de la culture « anglo-saxonne ». En revanche, les journaux étrangers qui prolifèrent dans les ghettos ethniques des grandes villes témoignent de la vitalité des cultures autochtones – allemande, polonaise, irlandaise, juive, italienne... C'est d'ailleurs la raison pour laquelle les immigrés de deuxième ou de troisième génération redécou-

---

1. Cité dans N. MacLean, *Behind the Mask of Chivalry, op. cit.*, p. 135.

vrent avec fierté leurs racines culturelles. Mieux l'immigré réussit son insertion économique, plus il cherche à cultiver sa différence, et celle-ci ne saurait être produite par décret, au nom d'une américanisation « standardisée » par de nouveaux modes de consommation et une langue, elle aussi appauvrie et standardisée par l'utilisation « du télégraphe et du téléphone [...], les journaux et les romans de gare, les tournées des troupes de vaudeville, le phonographe, les pianistes, le cinéma, la radio et le système des stars ». La vraie culture, raisonne Kallen, est un tout homogène, une synthèse exigeante, un mélange réussi de religion, de politique et de littérature, à l'exemple de la culture puritaine produite jadis par les élites de Nouvelle-Angleterre. Il n'y a donc pas, en la matière, de « miracle de l'assimilation », même si l'immigré doit à l'évidence se satisfaire du cadre politique d'une République fédérale et pratiquer la *lingua franca* de son pays d'adoption[1].

L'idéal proposé par Kallen est un *E pluribus unum* d'un genre nouveau, une « symphonie musicale » produite par de nouveaux instrumentalistes venus d'Europe et porteurs de cultures florissantes :

> Le langage commun de la République, le langage de sa grande tradition, serait l'anglais. Mais chaque nationalité disposerait de son dialecte particulier ou de sa langue, de son esthétique propre et de ses formes intellectuelles [inséparables] de son existence émotive et inconsciente. L'existence politique et économique de la République constitue [bien] une entité unique. Elle sert de cadre et de fondation à l'accomplissement des individualités propres à chacune des *natio* (*sic*) qui la compose et à leur regroupement en un tout harmonique. Ainsi, la « civilisation américaine », après avoir éliminé la misère, les déchets et le malheur de l'Europe, pourrait porter à la perfection les harmonies concordantes de la « civilisation européenne », [pour produire, à son tour] une multitude unitaire, une orchestration de l'humanité[2].

---

1. H. Kallen, « Democracy *versus* the Melting-Pot » (*The Nation*, 18 et 25 février 1915), reproduit dans *Culture and Democracy in the United States, op. cit.*, pp. 67-125. Kallen précise qu'il rédigea ces premiers articles en 1914.
2. *Ibid.*, p. 124.

Féroce critique de Zangwill – ce juif qui flatte les bas instincts des américanisateurs de tous bords et qui, de surcroît, s'enrichit à leurs dépens[1] –, Kallen n'en reproduit pas moins l'utopie musicale proposée par le héros de la pièce de Zangwill : une symphonie américaine. Mais son « creuset » interdit la fusion, puisque, affirme-t-il, la nature des collectivités humaines est inaltérable : « Les hommes peuvent, d'une certaine façon, changer d'habits, de politique, de femme, de religion [ou] de philosophie ; ils ne peuvent pas changer de grands-pères. » Kallen précise alors le sens de sa métaphore musicale en opposant la pratique du plain-chant à celle de la polyphonie. La nation rêvée par les américanisateurs, écrit-il, n'est qu'une cacophonie, car nul ne sait ce qu'est aujourd'hui un pur Américain. Il n'y a qu'une alternative possible : l'unisson ou la polyphonie. La première solution est bien envisageable, mais elle conduirait à « occulter » complètement l'héritage ancestral des populations américaines, en imposant l'usage exclusif de l'anglais dans les écoles et la vie quodidienne, ainsi que l'enseignement unique de l'histoire des États-Unis. Elle conduirait, en bref, à l'imposition d'un insupportable conformisme culturel, sédimenté par une affligeante culture de masse et quelques « abstractions » patriotiques enseignées dans les écoles publiques. La seconde solution, harmonique, est préférable pour deux raisons : d'abord, parce qu'elle ne remettrait pas en cause le régime politique des États-Unis ; ensuite et surtout, parce qu'elle permettrait à chacune de ses composantes « ethniques et culturelles » d'atteindre son seuil de perfection culturelle, ce qui lui est « authentiquement propre », comme le « timbre » et la « tonalité » sont propres aux instruments de musique. Ce qui relève de l'art musical s'applique à la société tout entière : « l'harmonie et les dissonances » des collectivités ethnoculturelles constituent une

---

1. *Ibid.*, p. 86.

forme sociale de l'écriture musicale. Tel est l'enjeu : les Américains doivent choisir entre les facilités d'un conformisme « anglo-saxon » et l'écriture d'une symphonie qui serait la plus grande de toutes : la « symphonie de la civilisation » tout court[1]. Transposée sur le plan politique, la solution harmonique prônée par Kallen est de nature fédérale, elle pourrait produire un État d'un nouveau genre : « une fédération ou une république de cultures nationales », à l'image de la Suisse, la « démocratie la mieux réussie au monde[2] ».

Dans « Culture and the Ku Klux Klan », paru en 1924, Kallen reprend et met à jour de nombreux thèmes abordés dans son article de 1915. Il constate que les passions suscitées par la Grande Guerre ont accru le déterminisme racialiste des élites protestantes, au point de provoquer une vague d'hystérie collective, nourrie par les « fantaisies raciales » des défenseurs de la suprématie blanche. Kallen fait ici référence à Madison Grant, l'auteur à succès de *The Passing of the Great Race* (1916), à son disciple Lothrop Stoddard, auteur de *The Rising Tide of Color against White World Supremacy* (1920), et à l'un des premiers psychologues à utiliser systématiquement les tests d'intelligence, Carl C. Brigham, auteur de *A Study of American Intelligence* (1923)[3]. L'étude de Brigham visait à séparer le bon grain de l'ivraie, c'est-à-dire les peuples doués (tous des « Nordiques ») des peuples inférieurs, à partir de questions telles que : « Washington est à Adams ce que un est à... » ; ou encore : « Christy Mathewson est célèbre comme 1) artiste ; 2) écrivain ; 3) joueur de base-ball ; 4) comédien » (il fallait répondre 3). Il n'était guère étonnant, dans ces conditions,

---

1. *Ibid.*, pp. 104-125.
2. *Ibid.*, pp. 116 et 122.
3. H. Kallen, « Culture and the Ku Klux Klan », in *Culture and Democracy in the United States, op. cit.*, pp. 24-28. Kallen constate que Madison Grant avait manifestement été influencé par les « fantaisies raciales » popularisées par Houston Stewart Chamberlain dans son *Die Grundlagen des Neunzehnten Jahrhunderts* [1899], (trad. fr., *La Genèse du XIXe siècle*, Paris, Payot, 1913, 2 vol.).

que les nouveaux immigrés maîtrisant mal l'anglais – « Alpins », « Méditerranéens » et « Hébreux » d'Europe centrale – aient eu des scores très inférieurs à ceux des Américains de souche [1].

La montée de mouvements racistes comme le Ku Klux Klan, observait encore Kallen, manifestait une profonde anxiété : la peur d'une « dissolution » de la société provoquée par la modernisation industrielle, les luttes de classes et l'afflux incontrôlé des immigrants. Cette anxiété maladive s'accompagnait du désir nostalgique de retrouver l'ancestrale culture des puritains et des pionniers, en éliminant toutes les valeurs nouvelles colportées par des groupes qui « min[aient] de l'intérieur les fondements de la nation », selon les propos d'un *Imperial Wizzard* du Klan, rapportés par Kallen. Il en résultait un étouffant conformisme culturel, illustré par les campagnes d'américanisation à cent pour cent des années 1920. Aux Américains de choisir, assurait Kallen, entre la pseudo-culture du Ku Klux Klan – la *Kultur* – et une vraie culture américaine, originale, stimulante, enrichie par la variété des tempéraments, des émotions et des habitudes des « groupes raciaux » venus des quatre coins de l'univers. Comme des plantes nouvelles enracinées dans le sol américain, ces groupes devaient grandir, porter des fruits et développer pleinement leur « caractère individuel », avant de constituer cette « singularité américaine » prophétisée par « les poètes, les peintres, les musiciens et les philosophes ».

La nouvelle culture annoncée par Kallen n'était pas la stérile fiction d'un âge d'or réinventé par les défenseurs de la « foi américaine », les sinistres « soldats de la croix et du

---

1. Stephen Jay Gould, *The Mismeasure of Man* [1981], New York, Norton, 1993, pp. 199-200 et 227-228 (trad. fr. *La Malmesure de l'homme*, Paris, Le Livre de poche, 1986). Gould fait ici référence aux travaux de Carl Brigham qui concluait son *Study of American Intelligence* par ces propos édifiants : « La supériorité intellectuelle de notre groupe nordique par rapport aux groupes alpins, méditerranéens et noirs a [ainsi] été démontrée. » On lira aussi sur ces auteurs et ces débats l'excellent ouvrage de J. Higham, *Strangers in the Land, op. cit.*, pp. 264-299.

drapeau » ou les infantiles initiés des mystères du Klan – les « Wizards, Giants, Cyclops, Kligrapps, Kleagles, Emperors » et autres « Klaptraps ». Elle était, bien au contraire, la culture organique et vivante d'une singularité multiple, reposant à la fois sur la différenciation et l'enchevêtrement des diverses cultures ethniques implantées aux États-Unis. L'Amérique, concluait abruptement Kallen, était à la croisée des chemins : il lui fallait choisir entre la « Kultur Klux Klan et le pluralisme culturel[1] ».

On a prétendu que Kallen avait été fortement marqué par la philosophie pragmatiste de William James. D'où son insistance sur la pluralité des univers de la connaissance, sa dénonciation véhémente de tous les monismes et de tous les absolutismes abstraits comme l'« État », la « nation », le « type américain ». L'univers de Kallen, comme celui de James, reposait sur le paradigme pluraliste d'un « monde du sens commun dans lequel les choses seraient en partie disjointes et en partie conjointes », formant ainsi un équilibre instable entre l'union et la désunion, le centralisme et le séparatisme[2].

On a aussi affirmé que Kallen avait été influencé par l'un des grands penseurs du sionisme culturel, Ahad ha-Am : en défendant l'idée d'une fédération de cultures nationales américaines, Kallen aurait voulu rendre possibles la survie et l'épanouissement de la culture hébraïque, en dehors même des frontières de la Palestine. Ce sont là des hypothèses valables, des pistes à suivre[3]... Mais il faut, quoi qu'il en ait, souligner ici le classicisme de l'argument de Kallen,

1. H. Kallen, « Culture and the Ku Klux Klan », in *Culture and Democracy in the United States, op. cit.*, pp. 37-43. C'est dans ce texte de 1924 que Kallen utilise pour la première fois l'expression de « *cultural pluralism* ».
2. William James, « The One and the Many », in *Pragmatism and Other Essays* [1906-1907], 6ᵉ éd., New York, Washington Square Press, 1975, p. 72. Sur le pragmatisme de James on lira, en français, Jean-Pierre Cometti, « Le pragmatisme : de Peirce à Rorty », *in* Michel Meyer (éd.), *La Philosophie anglo-saxonne*, Paris, PUF, 1994, pp. 401-440.
3. L'hébraïsme de Kallen est attesté par sa collaboration régulière au *Menorah Journal* de l'université Harvard, consacré aux « humanités juives », et par l'influence

qui s'inscrit dans une tradition politique admirablement développée par Montesquieu.

Dans ses *Considérations sur les causes de la grandeur des Romains*, Montesquieu s'interroge sur les raisons de l'échec de la Rome républicaine. Contrairement à la majorité des historiens de son temps, il refuse d'attribuer la « perte de Rome » à la seule existence de divisions internes produites par l'afflux de ces « nations entières » qui réclamaient la citoyenneté romaine. Les divisions, insiste Montesquieu, sont nécessaires au fonctionnement de l'État et favorables à l'épanouissement de la liberté :

> Ce qu'on appelle union dans un corps politique, est une chose très équivoque : la vraie est une union d'harmonie, qui fait que toutes les parties, quelque opposées qu'elles nous paraissent, concourent au bien général de la société ; comme des dissonances, dans la musique, concourent à l'accord total. Il peut y avoir de l'union dans un État où on ne croit voir que du trouble ; c'est-à-dire une harmonie d'où résulte le bonheur, qui seul est la vraie paix[1].

Le vocabulaire est le même, les métaphores musicales identiques. Faut-il en conclure que Montesquieu est le vrai penseur du multiculturalisme américain ? L'hypothèse n'est pas incongrue ; elle donne un sens nouveau à la vieille for-

---

qu'il a exercée sur des leaders du sionisme américain comme Louis Brandeis. Voir H. Sachar, *A History of Jews in America, op. cit.*, pp. 417-427 ; A. Mann, *The One and the Many, op. cit.*, pp. 136-148 ; G. Sorin, *A Time for Building, op. cit.*, pp. 219-241. L'influence d'Ahad ha-Am sur Kallen est signalée par Arthur Mann. Grand propagandiste du « sionisme culturel » et penseur « exigeant et profond », Ahad ha-Am estimait que la principale menace pesant sur la diaspora n'était pas l'antisémitisme, mais l'assimilation et sa conséquence la plus probable : une irrémédiable perte d'identité. La Palestine, pour lui, était d'abord un « centre spirituel », chargé de diffuser à l'étranger « une culture authentiquement hébraïque ». Voir Alain Dieckhoff, *L'Invention d'une nation. Israël et la modernité politique*, Paris, Gallimard, 1993, pp. 19, 138 et 205.

1. Montesquieu, *Considérations sur les causes de la grandeur des Romains et de leur décadence*, in *Œuvres complètes*, Paris, Gallimard, « Bibliothèque de la Pléiade », 1951, p. 119. James Madison est « pluraliste » de façon comparable, lorsqu'il préconise, dans *Le Fédéraliste* la multiplication des sectes religieuses et des intérêts factieux pour combattre le danger d'une majorité injuste et tyrannique. Il est, en l'occurrence, influencé par les écrits de Plutarque et de Machiavel, comme je l'ai suggéré dans *L'Invention de la République. Le modèle américain*, Paris, Hachette, coll. « Pluriel », 1991, pp. 137-141.

mule fondatrice – *E pluribus unum* – qui n'a cessé d'intriguer les éducateurs et les politiques américains, et qu'ils invoquent souvent pour justifier leur réticence – d'aucuns diraient leur incapacité – à penser en termes de volonté générale, d'assimilation, de nation ou de république une et indivisible.

« *Melting pot* » ou « *salad bowl* » ? Le véritable sens de la devise « *E pluribus unum* »

Quels sont, précisément, l'origine et le sens premier de la devise du Grand Sceau des États-Unis ? Le sénateur Daniel Patrick Moynihan et l'essayiste Michael Lind ont chacun cru en avoir trouvé la source et la signification profonde dans la lecture de Virgile. La formule est empruntée à un poème mineur ajouté aux éditions anglaises de l'*Énéide* et intitulé « Moretum ». On trouverait dans ce poème la liste des ingrédients nécessaires à la composition d'une salade mixte... Les auteurs de la devise qui orne les billets d'un dollar (voir chapitre 6) auraient donc, d'emblée, choisi l'option multiculturelle : le *salad bowl* plutôt que le *melting pot*[1]. Moynihan et Lind ont raison quant à la source, mais tort sur l'essentiel. La formule utilisée par Virgile – « *color est e pluribus unus* » – est bien une allégorie culinaire. Elle a pour référent la composition d'un *moretum*, lequel n'a rien d'une salade, même si certains des ingrédients pourraient en effet remplir un saladier : quatre gousses d'ail, de la coriandre, du persil et de la rue (plante à fleurs jaunes). Ces éléments sont intimement mêlés à la pâte d'un fromage blanc, légèrement durci par l'addition de grains de sel, auxquels le gourmet dépeint par Virgile ajoute quelques gouttes d'huile de Minerve (de

---

1. Daniel Patrick Moynihan, *Pandaemonium*, New York, Oxford University Press, 1994, p. 70 ; Michael Lind, *The Next American Nation*, New York, Free Press, 1995, p. 134.

l'huile d'olive) et du vinaigre. Le mélange est si bien fait qu'il produit un *moretum*, c'est-à-dire une boule de fromage, légèrement colorée en vert par l'apport des herbes écrasées au pilon dans un mortier. C'est alors que le miracle se produit : *color est e pluribus unus*, la multitude des couleurs se fond en une seule[1]...

Le poème de Virgile offre l'image parfaite d'un melting-pot culinaire, et l'accent mis sur les couleurs et l'atténuation du « blanc » par le mélange des herbes est curieusement prophétique. On ne pouvait mieux décrire cette « singularité plurielle » qu'est l'Amérique du melting-pot. Seule la méconnaissance du latin et une préoccupation maladive pour les questions de « races », d'« ethnies » et de « traitement préférentiel » pouvaient conduire des auteurs aussi avertis que Moyniham et Lind à projeter leurs inquiétudes multiculturelles sur un innocent poème latin, au point d'y lire « salade composée » là où le poète ne parlait que d'une exquise boule de fromage aux herbes...

La métaphore du *salad bowl*, si familière aujourd'hui, est inepte en réalité parce qu'elle n'est pas soutenue par une véritable « théorie du saladier ». Aucune nation distincte ne peut surgir d'un mélange ethnoculturel qui refuserait toute forme d'assimilation ou d'intégration. Le séparatisme prôné par les multiculturalistes « purs et durs » est une voie sans issue, même s'il ne menace pas vraiment l'ordre établi, faute d'un ancrage territorial.

Les critiques adressées à Kallen, dès les années 1920, restent valables aujourd'hui. En mettant l'accent sur les aspects « organiques » et « psychophysiques » des communautés ethniques, Kallen exagérait leur homogénéité, leur fixité et leur permanence historique, tout en sous-estimant les possibilités d'une dynamique transnationale permettant l'assimilation « douce » des immigrants, comme le suggérait dès

---

1. Virgile, « Moretum », in *Aeneid. The Minor Poems* [1918], Cambridge (Mass.), Harvard University Press, coll. « Loeb Classical Library », 1986, t. II, pp. 452-461 (texte latin avec une traduction de H. R. Fairclough).

1916 un autre critique des politiques d'assimilation forcée, Randolph Bourne[1]. Plus grave, Horace Kallen confondait droits individuels et droits collectifs lorsqu'il postulait l'égalité absolue de tous les groupes ethniques et religieux et affirmait que cette égalité était protégée par les institutions politiques du pays. L'exemple de la Suisse comme modèle d'État plurinational était particulièrement mal choisi, puisque l'expérience helvétique repose sur la constitution d'enclaves territoriales, religieuses et linguistiques créées dans des conditions historiques étrangères à l'expérience américaine[2]. Quant aux métaphores musicales si chères à Kallen (la symphonie, l'orchestre, la polyphonie), elles n'étaient pas davantage adéquates : le philosophe oubliait de nommer le chef d'orchestre, le maître de chœur et le compositeur sans lesquels la symphonie rêvée ne pouvait être qu'une improvisation cacophonique.

Les identités ethniques, on le sait aujourd'hui, éclatent, se recomposent, se négocient ou se mêlent à d'autres identités pour créer des groupes hybrides, comme les catégories indistinctes des « Américains-tout-court », ou des « Euro-Américains », mises en évidence par le sociologue Richard Alba. Il n'y a plus de fixité ethnique ou d'hérédité prédéterminée, ni de frontières rigides entre communautés, mais des « choix ethniques » librement consentis, même si certaines « races » restent encore l'objet de discriminations sévères[3].

1. Randolph Bourne, « Trans-National America », *Atlantic Monthly*, n° 118, 1916, pp. 86-97, reproduit dans Alan Trachtenberg (éd.), *Critics of Culture*, New York, John Wiley, 1976, pp. 145-161. Sur l'influence de Bourne, voir Leslie J. Vaughan, « Cosmopolitanism, Ethnicity and American Identity : Randolph Bourne's « Trans-National America » », *Journal of American Studies*, n° 3, 1991, pp. 443-459.

2. A. Mann, *The One and the Many, op. cit.*, pp. 140-142 ; M. Gordon, *Assimilation in American Life, op. cit.*, pp. 149-159. Le pluralisme culturel de Kallen, d'après une chronique du *New York Times* de 1924, citée par A. Mann, ne pouvait conduire, à terme, qu'à « la balkanisation de ces États-Unis ».

3. Richard D. Alba, *Ethnic Identity : The Transformation of White America*, New Haven, Yale University Press, 1990, pp. 290-320 ; Mary C. Waters, *Ethnic Options. Choosing Identities in America*, Berkeley, University of California Press, 1990, pp. 147-168.

Il faut cependant accorder à Kallen des circonstances atténuantes. Le philosophe (qui parlait l'allemand dans sa famille et non le yiddish) était confronté à la propagande active des partisans d'une américanisation à cent pour cent, à la vague de germanophobie provoquée par la Première Guerre mondiale et, peu de temps après, au discours anglo-saxon des membres de « l'armée invisible » du Ku Klux Klan. Il avait été le témoin, comme André Siegfried et bien d'autres observateurs étrangers, des effets dévastateurs du « rouleau compresseur de l'assimilation[1] », et il disposait d'une réponse originale. Son « pluralisme culturel » était un véritable contre-modèle de société qui, espérait-il, redonnerait vie, sous une forme nouvelle, à la complexité et à la richesse culturelle de l'Amérique des Fondateurs. Son œuvre et son nom sont aujourd'hui tombés dans l'oubli. On doit le regretter. Sa critique des conformismes de l'après-guerre et des campagnes d'américanisation à outrance était sans pareille. Mais il ne faut pas s'en étonner : l'anti-occidentalisme viscéral des partisans du « vrai » multiculturalisme les a conduits, on l'a constaté, à ignorer l'histoire de l'Occident, à commencer par la leur... Ils se sont ainsi privés des lumières d'un grand précurseur. Horace Kallen était en effet le premier penseur du multiculturalisme américain et sa philosophie stimulante, mais traversée de contradictions et inachevée, contenait en germe tous les débats multiculturels des années 1980-1990.

◆

1. André Siegfried confirmait l'inquiétude de Kallen, lorsqu'il observait, au lendemain d'une visite à New York en août 1914 : « L'assimilation, rouleau compresseur qui écrase sans merci les plus belles fleurs des civilisations antérieures, ne laisse le plus souvent subsister qu'un être primaire, implacablement ramené au type de la série. Il était arrivé vieux, chargé de siècles, l'Amérique le fait jeune, presque puéril » (A. Siegfried, *Les États-Unis d'aujourd'hui*, Paris, Armand Colin, 1927, p. 18). Georges Duhamel rejoignait Kallen et Siegfried en les exagérant, lorsqu'il dénonçait le conformisme américain comme celui de la « civilisation des fourmis » qui serait déjà la « maîtresse du monde » parce qu'elle ne « présente aux peuples que des images élémentaires, puissantes, séduisantes » (*Scènes de la vie future* [1930], Paris, Albert Guillot, 1953, pp. 186-189).

Kallen exprimait de façon originale et imagée la révolte d'un philosophe engagé contre l'anti-intellectualisme de son époque et contre le triomphalisme de ceux qui cherchaient, désespérément, à s'inventer une généalogie et une culture anglo-saxonnes. Mais qui, aujourd'hui, pourrait prétendre être étouffé dans son être (ou dans son identité ethnique) par l'anglo-conformisme des élites WASP, à une époque où ces élites ont pratiquement disparu de la scène politique et culturelle ? Le pluralisme culturel des modernes se nourrit du mythe d'une « hégémonie occidentale » qui eut son heure de gloire, mais qui rendit l'âme au milieu des années 1960 dans la foulée du mouvement des droits civiques. Ce sont les politiques publiques de traitement préférentiel (*affirmative action*), inaugurées par les présidents Johnson et Nixon, qui donnèrent satisfaction aux réclamations les plus insistantes des partisans d'un « vrai » multicultura-lisme. Par ce biais inattendu, le mythe devenait réalité : il est désormais un enjeu de pouvoir et de surenchère ethnique auquel participent activement les autorités politiques fédé-rales, les entreprises du secteur privé, le monde universitaire et les juges de la Cour suprême.

Chapitre 8

LA PRÉFÉRENCE MULTICULTURELLE

Le fonctionnement relativement harmonieux de la société américaine repose sur un principe ancien, inventé et légitimé à la fin du XVIIᵉ siècle : le principe de tolérance. La tolérance religieuse des premiers colons, telle que l'avait observée Crèvecœur dans ses *Lettres d'un cultivateur américain*, avait des effets politiques : elle assurait le « repos public » et l'« harmonie générale » (voir chapitre 2). Les fondateurs de la République américaine ne supprimaient pas les Églises, mais ils limitaient leur influence en interdisant l'établissement d'une religion d'État. Les religions étaient, en fait, traitées comme des factions politiques : leur multiplication, fortement encouragée, permettait d'éviter que l'une d'entre elles domine les autres et sacrifie ainsi le bien public à des passions particulières [1].

L'extension progressive du principe de tolérance à l'ensemble des communautés ethniques et culturelles du pays rendait possible l'émergence d'une nation nouvelle, sans équivalent dans le reste du monde : une nation d'immigrés, une « singularité plurielle », un melting-pot, une orchestration symphonique... (voir chapitres 6 et 7). Grâce au principe de tolérance, le citoyen pouvait échapper, s'il

---

1. Voir [James Madison], « Federalist n° 10 », *in* James Madison, Alexander Hamilton et John Jay, *The Federalist Papers* [1787], Harmondsworth, Penguin Books, 1987 (Préface et notes d'Isaac Kramnick), pp. 122-128.

le désirait, à la religion comme à la culture de ses ancêtres. Tout était affaire de choix et de consentement personnel... Toutefois, cette exceptionnelle liberté n'était pas anarchique. Elle reposait en fait sur la « fabrication » d'une nouvelle religion d'État : un patriotisme constitutionnel patiemment élaboré par les élites politiques et consolidé par ces « instituteurs de la république » que furent (et n'ont cessé d'être) les juges de la Cour suprême, les enseignants des écoles publiques et les organisateurs des grandes fêtes et commémorations républicaines.

Le principe de tolérance, tel qu'il existe aujourd'hui, n'est pas un simple expédient. C'est une valeur supérieure qui prime sur toutes les conceptions particulières du bien ou de la vérité, à commencer par les vérités religieuses et morales. Ce principe a d'autant plus de force aux États-Unis qu'il a été reconnu et légitimé par une tradition constitutionnelle qui défend, entre autres, la neutralité et l'impartialité de l'État, l'égalité de tous devant la loi, l'égalité des chances, l'abolition des discriminations raciales... Le principe de tolérance est donc inséparable des grandes conquêtes du libéralisme politique américain[1]. Bien sûr, ces conquêtes théoriques n'ont pas toujours été suivies d'effets en raison de la vigueur sans cesse renouvelée de groupes qui prêchaient l'intolérance – des nativistes des années 1840 aux restrictionnistes des années 1990, des américanisateurs des années 1920 aux défenseurs du maccarthysme des années 1950, des partisans du darwinisme social aux nouveaux prophètes de l'afrocentrisme... Mais l'important est qu'elles sont désormais acceptées comme légitimes.

Dans l'Amérique d'aujourd'hui, le conflit principal n'est plus religieux, même si certains fondamentalistes essaient

---

1. Je rejoins ici les thèses de John Rawls concernant la tolérance et son rattachement à une « conception politique de la justice » fondée sur un « consensus par recoupement » (*overlapping consensus*) – consensus d'abord décrit par Rawls dans le *Oxford Journal of Legal Studies*, n° 1, 1987, puis repris sous une forme plus élaborée dans *Justice et démocratie* [1978-1989], trad. fr., Paris, Éd. du Seuil, 1993, pp. 245-282 et *Libéralisme politique* [1993], trad. fr., Paris, PUF, 1995, pp. 171-257.

toujours à leur façon d'investir la sphère politique. Le conflit principal est ethnique et culturel ; il est, littéralement, « multiculturel ». Le multiculturalisme menace-t-il l'intégrité de la nation américaine ? Conduit-il, comme certains l'ont écrit, à la « balkanisation » de la société ? Favorise-t-il la dissolution du lien social et son remplacement par les fragments d'un insaisissable « kaléidoscope » ethnoculturel ? Rien n'est moins sûr, pour une raison simple, rarement évoquée en Europe : le multiculturalisme américain, dans ses pires excès séparatistes, n'a pas de fondement territorial. La culture esclavagiste, qui s'identifiait, elle, à un territoire (les États confédérés d'Amérique), fut anéantie par une sanglante guerre civile. Seuls les mormons, à l'image des Amérindiens chassés vers l'Ouest, ont réussi à coloniser un espace clairement délimité, l'Utah. Mais leur particularisme culturel et religieux ne menaçait en rien l'intégrité des États-Unis, dans la mesure où ils acceptaient de se soumettre aux règles du fédéralisme, après avoir abandonné le trait qui les distinguait du reste des Américains, à savoir la polygamie. L'effacement de leur spécificité religieuse en faisait des citoyens comme les autres, dans un État fédéré comme un autre...

Une certaine conception du multiculturalisme, que je qualifierai provisoirement de républicaine, me paraît compatible avec le principe de tolérance et son corollaire politique, le principe d'égalité. Mais à une condition : que les particularismes ethniques ou culturels, légitimes en soi, ne soient pas officialisés par les dirigeants ou les institutions de l'État fédéral. Dans cette logique, les politiques publiques, les décisions judiciaires, les pratiques de recrutement des entreprises et la pédagogie des écoles publiques ne peuvent être que *transculturelles*. Toute tentative de privilégier un groupe, une ethnie, un sexe, une religion... est une atteinte aux principes de tolérance et d'égalité. La conception républicaine du multiculturalisme pose donc des limites à la tolérance : elle interdit l'octroi de droits spéciaux, le bénéfice de protections exceptionnelles ou l'avantage de passe-droits. En bref, elle interdit les privilèges. L'État doit être *color-blind*, aveugle aux différences, comme ne cessent de le répéter les juges de la Cour suprême. Mais, on le verra plus loin, cette neutralité affichée peut être « bienveillante », c'est-à-dire qu'elle n'exclut pas certaines mesures compensatrices destinées à corriger des injustices ou des inégalités passées. En d'autres termes, la frontière entre le régime de tolérance et « ce qui ne doit pas être toléré » est toujours négociable et modifiable. Et c'est la porosité de cette frontière qui rend si difficile l'analyse du multiculturalisme américain. Où situer précisément la ligne de partage entre l'universel et le singulier, la sphère publique et la sphère privée, ce qui relève des droits de l'homme et ce qui tient à des conceptions particulières de la vérité, qu'elle soit religieuse, ethnique, sexuelle ou « raciale » ? On connaît le danger : à partir du moment où des vérités particulières envahissent le champ politique pour devenir des vérités imposées, il y a fragilisation du lien social et risque de dissolution de la *res publica*. C'est ce risque qu'il convient désormais d'identifier et d'analyser.

Compter les races : pratiques françaises et américaines

La conception républicaine du multiculturalisme américain n'exclut pas de curieuses pratiques de comptabilisation des « races » ou des ethnies. Ces méthodes qui, au début du siècle, servaient à justifier l'inégalité des peuples sont aujourd'hui dénuées de connotation raciste. Elles servent à effacer toutes les formes de discrimination héritées du passé, à commencer par la ségrégation raciale, et elles sont essentielles à la mise en œuvre des politiques d'*affirmative action*. L'Amérique moderne est officiellement composée de cinq groupes distincts qui constituent, selon l'heureuse expression de l'historien David Hollinger, un « pentagone ethnoracial » : les Amérindiens, les Blancs, les Africains-Américains, les Asiatiques et les Hispaniques [1].

Le contraste avec la France est ici saisissant. En France, la loi est tellement égalitaire, tellement indifférente aux questions de couleur qu'elle ne tolère aucune mention des identités raciales, ethniques ou religieuses. Aux États-Unis, au contraire, le démographe, le sociologue et le juge ne cessent d'apprécier ce que la loi française nous interdit de décrire : l'appartenance ethnique des individus. L'adhésion commune au principe de l'égalité républicaine (« tous égaux devant la loi ») produit donc des effets différents des deux côtés de l'Atlantique. Et pourtant, la France se rapproche des États-Unis lorsque, en 1992, les autorités publiques permettent à un chercheur de l'Institut national d'études démographiques (INED) de briser le « tabou français » et d'enquêter sur l'origine ethnique des travailleurs immigrés installés en France. L'interdit avait une justification historique, aujourd'hui dépassée : éviter la répétition des abus criminels du régime de Vichy. Pendant cinquante ans, explique Michèle Tribalat, nous avons rejeté les catégorisations ethniques, parce que nous n'étions pas sûrs d'en faire un bon usage. Or, le tabou français était nuisible au travail du démographe ou du sociologue placés dans l'incapacité de mesurer les phénomènes de discrimination, d'analyser les capacités d'intégration des nouveaux immigrés et de réfléchir, plus généralement, à leur devenir. Comme si ne vivaient en France que des Français de souche ou des étrangers, alors que près d'un Français sur cinq est issu d'une famille d'immigrés... Désormais, grâce à ce type d'enquête, l'immigré français n'est plus un inconnu [2].

---

1. David A. Hollinger, *Postethnic America. Beyond Multiculturalism*, New York, Basic Books, 1995, pp. 8 et 23-24.
2. Michèle Tribalat, *Faire France. Une enquête sur les immigrés et leurs enfants*, Paris, La Découverte, 1995, pp. 12 et 17. L'ouvrage décrit les résultats d'une enquête menée auprès d'un échantillon de 13 000 individus, de sept pays d'origine distincts. L'auteur définit l'« appartenance ethnique » à partir de la langue maternelle des enquêtés et du lieu de naissance des enquêtés et de leurs parents.

Aux États-Unis, en revanche, toutes les statistiques officielles, toutes les enquêtes de science sociale, toutes les analyses de comportement électoral sont, depuis toujours, caté-
gorisées en terme de race, d'ethnie ou d'appartenance
religieuse. L'hyper-ethnicisation des méthodes d'enquête
américaines a, bien sûr, des effets pervers : une pléthore
d'informations, peu fiables, parce que fondées sur des catégories incertaines, élaborées à la fin du XIXᵉ siècle sous
l'influence du darwinisme social. On ne croit plus aux
« races » anthropologiquement définies, mais quand
même... on ne cesse d'y faire référence, quitte à confondre
des catégories raciales avec des catégories culturelles et linguistiques.

Considérons, par exemple, les cinq populations identifiées par le Bureau of the Census lors du dernier recensement réalisé aux États-Unis en 1990 : les Amérindiens (*American Indian, Aleut, Eskimo*) ; les Asiatiques (*Asian* ou *Pacific
Islander*) ; les Noirs (*Black* ou *Negro*) ; les Blancs (*White*) et
enfin les Hispaniques (*Hispanic* ou *Spanish*). Les quatre premières catégories sont clairement identifiées sur les formulaires du recensement comme des « races » ; la cinquième
catégorie (« Hispanique ») est présentée à part, dans une
autre partie des formulaires. Les personnes recensées sont
tenues de répondre et de choisir l'une des quatre races men-
tionnées. Si la classification ne leur plaît pas, elles ont toujours l'option de sélectionner la case « autre race », introduite pour la première fois dans le recensement de 1990.
Elles peuvent, par ailleurs, se définir comme « Hispaniques » en cochant le cercle correspondant à cette catégorie[1].
Rien n'est prévu, par contre, pour les sang-mêlé, les *mixed-*

---

1. Je fais référence ici aux catégories de « race » et de « population hispanique »
telles qu'elles sont définies par le Bureau of the Census, *1990 Census of Population
and Housing. Summary Population and Housing Characteristics. United States*, U.S.
Department of Commerce, 1990 CPH-1-1, mars 1992, p. B-6 (« Definitions of Subject Characteristics ») et Appendix E (« Facsimiles of Respondent Instructions and
Questionnaire Pages »), pp. E-1-E-8.

race Americans. L'Amérique des recenseurs reste incapable de penser l'hybridité raciale.

Les cinq populations identifiées par les agents du recensement sont révélatrices de la confusion régnante, d'autant que les « races » en question ne sont pas vraiment des races, si l'on se réfère aux décrets d'application de la loi du recensement. En effet, l'arrêté n° 15 de l'Office of Management and Budget précise que les quatre races officiellement répertoriées ne sont pas des « concepts » scientifiques empruntés à la biologie ou à l'anthropologie, mais des catégories subjectives, choisies par les enquêtés eux-mêmes à partir de l'injonction : « Remplissez *un* cercle correspondant à la race à laquelle [vous] pensez appartenir[1]. » Le choix est obligatoire. Quant à la catégorie « Hispanique », il est bien précisé qu'elle ne désigne pas une « race », mais une notion transculturelle. Sont « hispaniques » les personnes de *toute race* qui se reconnaissent comme mexicaines, mexicaines-américaines, cubaines, chicanos, portoricaines, originaires d'Amérique centrale ou du Sud, ou qui se réclament d'ancêtres espagnols ou hispaniques[2].

Malgré ces réserves et ces précisions, la sociologie spontanée des recenseurs du Bureau of the Census n'a rien de très naturel. Les cinq catégories privilégiées ne sont, au fond, qu'une reprise à peine voilée des cinq races identifiées au XIXe siècle par les tenants du darwinisme social : les Blancs, les Noirs, les Jaunes, les Bruns et les Rouges. Pourtant, les intentions du démographe et du législateur ont radicalement changé. L'usage d'une comptabilité ethnoraciale à cinq branches a perdu sa signification raciste. Cet usage est bien intentionné ; il marque le triomphe des idéologies antiracistes.

---

1. « Official 1990 U.S. Census Form », *ibid.*, p. E-6 (souligné dans le texte).
2. « Definitions of Subject Characteristics », *ibid.*, pp. B-7 et B-8. La référence aux « origines » hispaniques est utilisée pour la première fois par le recensement de 1970, à partir d'un échantillon de 5 % de la population. Sur l'histoire de la *Directive n° 15*, voir Michael Lind, *The Next American Nation*, New York, Free Press, 1995, pp. 118-119.

Le « pentagone ethnoracial » légitimé par les autorités publiques est donc un artifice historique qui permet d'affirmer la diversité culturelle de l'Amérique moderne et de justifier les demandes de compensation pour discrimination passée. L'État se devait de réinventer la « race » pour mieux identifier les victimes du racisme et mettre en œuvre, à partir des années 1980, des politiques de traitement préférentiel. L'identification raciale n'est donc pas une bizarrerie anthropologique inventée par les agents du recensement, mais le résultat d'un processus politique délibéré. Michael Lind, l'auteur d'un ouvrage provoquant intitulé *The Next American Nation* (« La prochaine nation américaine »), a bien décrit les effets de ces nouvelles pratiques identitaires :

> Ceux qui sont officiellement désignés comme des non-Blancs (et cela peut comprendre des Américains de langue anglaise dont le nom a une consonance hispanique) bénéficient d'une variété de privilèges légaux. Parmi ces privilèges : le droit d'admission dans une école publique ou privée malgré des notes inférieures à celles d'étudiants identifiés comme Blancs ; le droit d'élire au Congrès un membre de leur groupe [ethnique], grâce à [certaines pratiques] de redécoupage électoral fondées sur des critères raciaux ; le droit, enfin, d'obtenir certains marchés publics [1].

Mais la réinvention de la race pour favoriser les victimes de discriminations passées ne fait pas que des heureux. Les plus mécontents, les Blancs et les Asiatiques d'origine non hispanique, s'estiment désormais traités comme des citoyens de deuxième classe. Certains bénéficiaires virtuels de la politique des quotas préférentiels, officiellement classés comme des « non-Blancs », acceptent tout aussi mal le carcan rigide du pentagone ethnoracial. C'est le cas des Hispaniques et des *mixed-race Americans* que je qualifierai d'« enfants du melting-pot ».

Il est facile de faire peur à la majorité des *Anglos* en affirmant, comme le fait Peter Brimelow, que la population

---

1. M. Lind, *ibid.*, pp. 119-120.

blanche est une minorité en voie de disparition, écrasée par les pinces afro-hispano-asiatiques d'une immense « tenaille » démographique[1] (voir chapitre 1). Le seul problème avec ce type d'analyse est que les Hispaniques (21 % de la population en l'an 2050) sont comptabilisés comme des « non-Blancs ». Peter Brimelow a commis l'erreur, hélas fréquente aux États-Unis, de confondre la « race » et l'« ethnicité », faisant des Hispaniques des *colored* pour les additionner aux Noirs et aux Asiatiques, comme si ces trois groupes constituaient un bloc homogène. Or, les Hispaniques sont les premiers à récuser les catégories ethnoraciales au sein desquelles on veut les enfermer. À la question raciale obligatoire inscrite dans les formulaires du recensement de 1990 (« Remplissez *un* cercle correspondant à la race à laquelle vous pensez appartenir »), 50,6 % des Américains d'origine mexicaine choisissent la catégorie « Blanc », alors que 48,2 % préfèrent l'indétermination de la catégorie « autre race ». Seulement 1,2 % d'entre eux s'identifient à la race « noire[2] ». Manifestement, les Mexicains-Américains ne se perçoivent pas comme une « minorité » ; leur ambivalence par rapport aux catégorisations raciales est le signe d'une

1. Peter Brimelow, *Alien Nation. Common Sense about America's Immigration Disaster*, New York, Random House, 1995, pp. 58-73.
2. Peter Skerry, *Mexican Americans. The Ambivalent Minority*, New York, Free Press, 1993, pp. 16-17 (d'après des données collectées en 1990 et non publiées par le Bureau of the Census). Les Américains d'origine mexicaine sont en général désignés par les termes « Chicanos », « La Raza » (« La Race »), ou plus simplement « Mexicains-Américains » (s'il sont nés ou naturalisés aux États-Unis), « Mexicains » ou « Mexicanos » (ou *Mejicanos*) s'ils sont des immigrants récents. *Latino* est synonyme d'« Hispanique » et j'utiliserai donc ces termes indifféremment. Mais on peut relever certaines nuances : *Hispanic*, préféré par les démographes et les politologues, a remplacé la catégorie plus ancienne de *Spanish* ou *Spanish-speaking*. Lors du recensement de 1980, certains démographes envisagèrent l'emploi de *Latino* de préférence à *Hispanic*, mais changèrent d'avis à cause d'une proximité trop grande avec le concept de *ladino* (le vieux castillan parlé par les Juifs de la diaspora). *Ladino*, en Amérique centrale, fait aussi référence à un Amérindien « hispanisé » dans les mœurs et l'habillement. Quant au terme *Latino*, il est préféré par les artistes, les musiciens et certains journaux comme le *Los Angeles Times*. *Hispano* est souvent utilisé par les médias des grandes villes hispanophones (l'espagnol correct, *hispánico*, est rejeté comme pédant). Voir Ilan Stavans, « Hispanic USA : The Search for Identity », *The American Prospect*, Fall 1993, pp. 119-122 ; Earl Shorris, *Latinos. A Biography of the People*, New York, Norton, 1992, pp. XVI-XVII.

population « peu angoissée par la question du mélange des races », comme le constate justement Emmanuel Todd[1]. C'est aussi une population qui récuse le label de « victime ». Interrogés en 1992 sur les raisons pour lesquelles « les Hispaniques ont plus de difficulté en matière d'emploi, de revenus et de logement que les autres », 9 % seulement d'un échantillon national de jeunes Latinos s'estimaient victimes de préjugés ou de discriminations raciales ; 37 % attribuaient ces difficultés à leur manque d'éducation et 20 % à leur mauvaise connaissance de l'anglais. Les Hispaniques ne se sentent pas « victimisés » comme les Africains-Américains, même s'ils prétendent eux aussi bénéficier des avantages de l'*affirmative action*[2]. Ils sont, au pire, un groupe « désavantagé », et en cela ils ne diffèrent pas fondamentalement des immigrés juifs, polonais ou italiens du début du siècle. Le rêve américain reste pour eux une réalité perceptible, comme l'exprime de façon stéréotypée l'un des jeunes enquêtés : « Si vous voulez vraiment réussir, c'est toujours possible. Ne vous laissez pas abattre, gardez confiance en vous-même. Ce qu'il faut, c'est persister. [Le succès] est à votre portée[3]... »

Quant aux « enfants du melting-pot », les *mixed-race Americans*, leur nombre croissant pose des problèmes insolubles aux agents du recensement. Le Bureau of the Census interdit le choix de plus d'une catégorie raciale. Comment alors se définir si l'on a pour parent un « Noir » et une « Blanche », une « Asiatique » et un « Latino », un « Mexicain-Américain » et une « Africaine-Américaine » ?... Les

---

1. Emmanuel Todd, *Le Destin des immigrés*, Paris, Éd. du Seuil, 1994, p. 106. Je ne crois pas, comme cet auteur, que le refus des catégorisations raciales soit « dysfonctionnel pour la société américaine ». Bien au contraire...
2. Les Hispaniques préfèrent décrire les « Africains-Américains » comme des « Noirs », puisque leur groupe inclut d'authentiques Africains-Américains, originaires de la République dominicaine ou de Cuba... Voir E. Shorris, *Latinos, op. cit.*, p. XVII.
3. Cité dans Linda Chavez, *Out of the Barrio. Toward a New Politics of Hispanic Assimilation*, New York, Basic Books, 1992, p. X. Le sondage est analysé par l'auteur à la même page.

catégories hybrides, fréquemment utilisées au Brésil et en Afrique du Sud, sont inconnues dans l'Amérique moderne qui maintient la conception archaïque du *one drop rule* : une seule goutte de « sang noir », et votre enfant est noir...

Fig. 1 : Mariages mixtes de 1970 à 1994, en milliers [1].

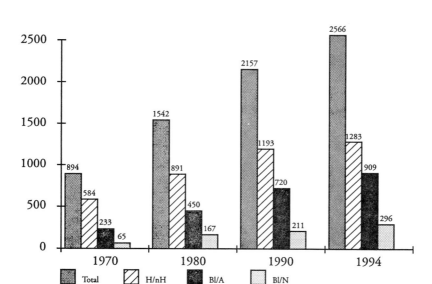

Légende :

Total = nombre total de couples mixtes ethnoraciaux (en milliers).

H/nH = couples mariés Hispaniques/non-Hispaniques.

Bl/A = couples mariés Blancs (non-Hispaniques)/Asiatiques, Amérindiens ou « autres races » (Noirs exclus).

Bl/N = couples mariés Blancs/Noirs.

1. Source : calculé d'après le *Statistical Abstract of the United States 1995*, Tableau 61, p. 55, « Married Couples of Same or Mixed Races and Origins : 1970 to 1994 ».

Fig. 2 : Pourcentage d'hommes et de femmes mariés en dehors de leur groupe ethnique (Californie, 1980)[1].

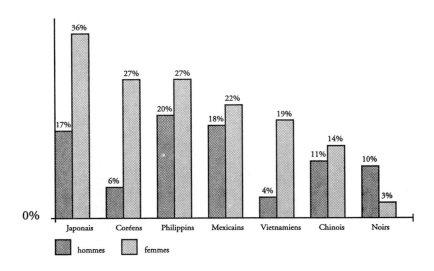

Le maintien rigide des catégories du pentagone ethnoracial contribue donc à racialiser une société pourtant devenue, sociologiquement, de plus en plus métissée[2]. En l'espace d'une génération, le nombre d'individus mariés en dehors de leur groupe ethnoracial a presque triplé, pour passer de 894 000 mariages mixtes en 1970 à 2 566 000 en 1994 (Fig. 1). Les mariages mixtes entre Hispaniques et

1. Source : calculé d'après Robert M. Jiobu, *Ethnicity and Assimilation*, New York, State University of New York Press, 1988, p. 161, d'après un échantillon du Census of Population and Housing, « 1980 : Public-Use Micro-Data Sample A, California ».
2. Il y a un lobby des *mixed-race Americans* qui réclame l'enseignement de cours consacrés à la mixité raciale dans les universités américaines et l'introduction d'une nouvelle catégorie multiraciale dans le prochain recensement prévu pour l'an 2000. Ce lobby d'un nouveau genre est composé d'une vingtaine d'organisations nationales dont la plus importante est l'Association for MultiEthnic Americans. Il existe des journaux spécialisés comme *Interrace* et *Interracial Voice*. À Berkeley, les *mixed-race students* forment une véritable communauté regroupée au sein d'une Multiracial Intercultural Student Coalition (MISC). Voir Todd Gitlin, *The Twilight of Common Dreams*, New York, Metropolitan Books, 1995, p. 154.

non-Hispaniques ont été multipliés par deux alors que les mariages mixtes entre Blancs et Noirs (multipliés par 4,5) ont augmenté plus rapidement encore que les mariages entre Blancs et Asiatiques ou « autres races » (multipliés par 3,9).

Une analyse plus fine, réalisée à partir du recensement de Californie de 1980, révèle des taux d'exogamie particulièrement élevés pour les Américains d'origine philippine, japonaise, coréenne et mexicaine (Fig. 2).

Il n'y a pas de réponse simple pour expliquer les différences entre groupes ethniques. Une hypothèse classique, vérifiée dans le cas de couples mixtes dont l'un des membres est noir ou chicano, invoque le succès social : plus on s'élève dans l'échelle sociale, plus il est probable qu'on épouse un Américain d'origine européenne. Dans ce cas, la promotion sociale effacerait l'identification ethnique. C'est-à-dire que celui ou celle qui habite dans un ghetto, ayant peu de contacts socioprofessionnels avec des membres de la majorité dominante, aura peu d'espoir de se marier en dehors de son ethnie. À l'inverse, l'individu « minoritaire » qui a fait de bonnes études et a réussi professionnellement est en position d'établir des « rapports de collégialité » avec les membres de la classe moyenne majoritaire qu'il côtoie et qu'il fréquente nécessairement : il s'est, d'une certaine façon, « désethnicisé », ce qui facilite son assimilation et la possibilité d'une union mixte[1].

Les écarts entre les taux d'exogamie masculins et féminins sont plus difficiles à interpréter. Dans le cas des immigrés

---

1. R. M. Jiobu, *Ethnicity and Assimilation, op. cit.*, pp. 149-178 ; Matthijs Kalmijn, « Trends in Black/White Intermarriage », *Social Forces*, n° 1, 1993, pp. 119-146, et Edward Murgia, *Chicano Intermarriage. A Theoretical and Empirical Study*, San Antonio (Texas), Trinity University Press, 1982. Kalmijn a mis en évidence l'existence d'une forte relation statistique (inversement proportionnelle) entre la taille du groupe « minoritaire » et la fréquence des mariages mixtes : moins les Noirs sont nombreux dans une région donnée, plus il est probable qu'ils épousent des Blancs. De 1968 à 1986, le nombre de mariages mixtes entre un Noir et une Blanche est passé de 3,9 % à 10,1 % dans les États extérieurs au Sud traditionnel, et de 0,24 % à 4,2 % dans les États du Sud (pp. 124-129).

les plus récents – Coréens et Vietnamiens – on peut penser, en suivant l'analyse de Robert Jiobu, que les stéréotypes masculins dominants facilitent les mariages mixtes : la femme asiatique serait particulièrement estimée pour son attrait, sa soumission apparente et son esprit de famille [1]... Dans le cas des Noirs, l'ethnicité se combinerait avec des facteurs socioéconomiques et une pratique de l'échange symbolique plus favorable aux hommes qu'aux femmes. L'attrait de l'homme « noir » pour la femme « blanche » n'est pas seulement sexuel, il est d'abord socioéconomique. La femme « blanche » n'épouserait un Noir que parce que celui-ci a mieux réussi qu'elle économiquement et sociale-ment : il lui apporte de la « classe ». En échange, le Noir change de position sociale. Il entre, par son mariage, dans la « caste » supérieure du groupe de la majorité domi-nante [2]...

Des travaux plus récents, portant sur les unions mixtes en dehors du cadre du mariage, indiquent une rapide évo-lution des mœurs. Ainsi, une enquête réalisée par *A. Maga-zine* et *Asianweek* auprès d'un échantillon de 604 Améri-cains d'origine asiatique démontre que la mixité des rapports sexuels est devenue la norme chez les jeunes *Asian-Americans* : 53,5 % des femmes et 43,3 % des hommes interrogés en 1995 déclaraient avoir eu comme « dernier partenaire » un « non-Asiatique » d'origine euro-péenne, hispanique ou africaine-américaine. Il n'y aurait donc plus de tabou pour la jeune génération des Asiatiques d'origine américaine : ils sont les vrais enfants du melting-pot [3].

---

1. R. M. Jiobu, *Ethnicity and Assimilation, op. cit.*, p. 156.

2. L'hypothèse est intéressante, sans être tout à fait convaincante. Que se passe-t-il, en effet, si c'est la femme blanche qui, rejetée par les siens, entre dans la « caste » inférieure de la minorité noire à laquelle appartient son mari ? L'époux noir ne gagne rien à l'échange et risque même d'être confronté à la vindicte de ses « frères de race » (*ibid.*, p. 157).

3. Plus précisément, 33,5 % des femmes déclarent avoir vécu avec un partenaire « blanc », 2,8 % un partenaire « latino », et 5,5 % un partenaire « noir ». Pour les hommes, les proportions sont respectivement 25,5 %, 4,5 % et 3,7 %. Voir « The

On l'a compris, le melting-pot, c'est-à-dire l'assimilation par le mariage ou l'union libre, est une réalité bien vivante aux États-Unis, trop souvent occultée par un discours multiculturel qui, parce qu'il est différentialiste, néglige les phénomènes de mixité et de métissage[1].

L'invention du traitement préférentiel (« affirmative action »)

L'école de médecine d'une université américaine qui bénéficie de l'aide financière de l'État fédéral a-t-elle le droit de créer deux systèmes d'admission distincts pour ses étudiants de première année ? Peut-elle réserver d'emblée quatre-vingts places à des Blancs et seize places à des étudiants appartenant à des « groupes ethniques minoritaires » (Noirs, Chicanos, Asiatiques et Amérindiens), même si ces derniers ont obtenu des notes inférieures à celles qui sont exigées de tous les autres candidats ? La Cour suprême répondait par la négative dans l'arrêt *Bakke* (1978), la première grande décision concernant l'*affirmative action*. Mais cette décision complexe et subtile n'interdisait pas le trai-

---

1995 National Asian American Sex Survey », *A. Magazine*, août-septembre 1995, pp. 23-38. Cette enquête, la première du genre aux États-Unis, doit être considérée avec toutes les précautions d'usage : l'échantillon n'est pas aléatoire, la côte Est est surreprésentée par rapport à la côte Ouest et les Chinois surreprésentés par rapport aux Japonais, aux Philippins et aux Coréens.

1. Les mariages mixtes sont évidemment plus fréquents au sein d'un même groupe « racial ». Mais ce phénomène est encore relativement récent, comme l'a montré le sociologue Richard D. Alba en utilisant les données du recensement de 1980 : les 2/3 des Américains d'origine européenne nés aux États-Unis dans les années 1970 appartenaient à des familles ethniquement et culturellement mixtes (contre 1/3 seulement des générations nées aux États-Unis avant 1920). Parmi les individus mariés, nés aux États-Unis après 1950, 82 % des Américains d'origine polonaise, 75 % des Américains d'origine italienne, 77 % des Américains d'origine française, 60 % des Américains d'origine irlandaise, 50 % des Américains d'origine allemande et 44 % des Américains d'origine anglaise déclaraient avoir épousé une personne appartenant à un autre groupe ethnique que celui de leur famille. En 1981, la moitié des catholiques et près du tiers des juifs épousaient des non-catholiques ou des non-juifs. En 1990, 52 % des Juifs et 70 % des Amérindiens se mariaient en dehors de leur groupe d'origine. Voir Richard D. Alba, *Ethnic Identity. The Transformation of White America*, New Haven, Yale University Press, 1990, pp. 4-15, et T. Gitlin, *The Twilight of Common Dreams, op. cit.*, p. 109.

tement préférentiel ; elle en précisait le sens et les limites. Une université, déclarait la Cour, a le droit de choisir la composition de son corps étudiant et d'utiliser des critères ethniques, économiques ou raciaux pour « diversifier » les promotions afin de créer un milieu stimulant et ouvert à des conditions d'« expérimentation » et de « créativité ». La recherche d'une telle diversité faisait partie des « libertés universitaires » protégées par le 1er amendement de la Constitution des États-Unis. Dans cette perspective, le bureau d'admission de l'université incriminée pouvait parfaitement considérer la « race » d'un candidat comme un « plus », mais à condition que ce critère ne soit pas exclusif et qu'un nombre fixe de places ne soit pas, d'avance, réservé à un groupe particulier. Mais il n'était pas question de privilégier une « race » par rapport à une autre en créant deux systèmes d'admission parallèles et en justifiant l'un d'eux à partir d'un vague principe de justice sociale fondée sur l'existence incertaine et non démontrée de discriminations passées. Le seul critère valable pour préférer un étudiant issu d'un groupe ethnique défavorisé était la « diversité » du corps étudiant.

La décision *Bakke* reste importante pour comprendre les pratiques universitaires de traitement préférentiel, car elle a fait jurisprudence. Elle est souvent invoquée pour justifier l'usage explicite de références à l'appartenance raciale des étudiants et pour légitimer, sous certaines conditions, l'*affirmative action*[1].

Certains juges, pourtant, émirent des réserves révélatrices de la complexité des enjeux et des ambiguïtés d'une décision qui privilégiait, au fond (mais sans l'avouer), le groupe d'appartenance par rapport à l'individu, et l'égalité de résultat par rapport à l'égalité des chances. Le juge Blackmun exprima ainsi le vœu que les programmes de traitement préférentiel désormais tolérés par la Cour deviennent bien-

---

1. *Regents of the University of California v. Bakke*, 438 U.S. 265 (1978).

tôt caducs : de simples « relique[s] du passé ». Mais il était conscient du dilemme. « Pour dépasser le racisme, écrivait-il, nous devons d'abord tenir compte de la race. Il n'y a pas d'autre solution [...]. L'égalité de traitement de certains individus exige qu'ils soient d'abord traités de façon différente[1]. »

Tenir compte des « races » (au présent) pour mieux les faire disparaître (à l'avenir)... Cette étrange devise est au cœur même de l'antiracisme américain, le produit de politiques publiques réglant tous les domaines de la vie civile : les politiques d'emploi des entreprises, le recrutement des fonctionnaires, l'octroi des marchés publics, les conditions d'admission dans les universités, le découpage des circonscriptions électorales, etc. Instituée comme un remède provisoire contre des discriminations passées, l'*affirmative action* est devenue un moyen commode de répondre au plus grand drame de la société américaine : l'échec de l'intégration des Noirs dans une société réputée démocratique et égalitaire, et qui n'a cessé, au moins jusqu'à la Seconde Guerre mondiale, de traiter ses anciens esclaves comme les membres d'une caste inférieure. Mais les politiques de traitement préférentiel ne sont pas une panacée, pour une raison simple : elles créent plus de problèmes qu'elles n'en résolvent, comme le suggèrent les innombrables controverses qu'elles ont suscitées et qui font se dresser contre elles une majorité d'Américains[2]. Comment en est-on arrivé là ? Pourquoi s'est-on mis à compter ce qui échappait par définition à toute logique comptable : les victimes de discriminations raciales, les minorités qui n'auraient pas subi d'injustices ou de discriminations, et les perdants au jeu de

---

1. Opinion du juge Blackmun, *ibid.*
2. 90 % d'un échantillon national d'Américains interrogés en 1986 s'opposaient aux pratiques de traitement préférentiel pour le « recrutement et la promotion » dans un emploi quelconque. 76 % se déclaraient contre l'utilisation de « quotas raciaux » pour l'admission d'étudiants à l'université. Voir Paul M. Sniderman et Thomas Piazza, *The Scar of Race*, Cambridge (Mass.), Harvard University Press, 1993, p. 131.

la préférence raciale, pudiquement qualifiés de « victimes innocentes » ?

Pour les critiques de l'*affirmative action*, la préférence exercée en faveur des victimes de discrimination est si injuste, si contraire au principe libéral de l'égalité des chances qu'elle n'est, au fond, que de la « discrimination à rebours ». Typiquement, écrit Robert Fullinwider, « un Noir est engagé de façon préférentielle, parce qu'il est noir, et choisi de préférence à un Blanc mieux qualifié [1] ». Ce qui revient à dire, plus crûment encore : entre deux candidats inégaux, je prends le moins bon, parce qu'il est noir. Les défenseurs de l'*affirmative action*, en revanche, invoquent un principe de justice distributive et réparatrice. L'équité, à leurs yeux, exige des mesures compensatoires destinées à favoriser la représentation de groupes entiers ; l'égalité des chances ne saurait suffire... Ces derniers principes ont été mis en pratique par l'Equal Employment Opportunity Commission (EEOC), l'organisme fédéral chargé d'assurer la mise en œuvre des décrets d'application du « Titre VII » du *Civil Rights Act* de 1964. Michel Rosenfeld en résume bien l'esprit et la formulation :

> Par *affirmative action*, il faut entendre le recrutement et la promotion [...] préférentiels de minorités [ethniques] et de femmes, l'admission préférentielle de femmes et de minorités dans les universités, ou encore la sélection préférentielle d'entreprises dirigées par des femmes ou des minorités pour l'obtention de marchés publics, *dans le but de remédier à une injustice ou d'accroître la représentation des minorités ou des femmes* sur le marché du travail, au sein de la classe des entrepreneurs, ou de la population étudiante. Un tel traitement préférentiel pourra satisfaire un *objectif* ou un *quota* prédé-

---

1. Robert Fullinwider, *The Reverse Discrimination Controversy* [1980], cité dans Michel Rosenfeld, *Affirmative Action and Justice. A Philosophical and Constitutional Inquiry*, New Haven, Yale University Press, 1991, p. 43. Pour un point de vue similaire, on lira Clint Bolick, *The Affirmative Action Fraud*, Washington D.C., Cato Institute, 1996, et Terry Eastland, *Ending Affirmative Action, The Case for Colorblind Justice*, New York, Basic Books, 1996. Pour une défense vigoureuse de l'*affirmative action*, voir Barbara R. Bergmann, *In Defense of Affirmative Action*, New York, New Republic Book/Basic Books, 1996.

finis. Dans les cas de recrutement et de promotion, le traitement préférentiel devra inclure le recrutement et la promotion d'une femme ou d'un [candidat] minoritaire, *de préférence à un homme ou à un [candidat] non minoritaire plus qualifiés*. Dans les cas de mise à pied, le traitement préférentiel signifiera qu'un homme ou qu'un [individu] non minoritaire, disposant d'une certaine ancienneté, pourra être renvoyé avant une femme ou un [individu] minoritaire disposant d'une moindre ancienneté[1].

Le seul reproche qu'on peut faire à l'auteur de cette définition est d'amalgamer deux réalités distinctes : les groupes ethniques « minoritaires » et les « femmes » tout court. D'autant que ces deux catégories sont quantitativement et qualitativement différentes. Nul ne saurait contester, par exemple, le fait que les femmes qui entrent à l'université sont au moins aussi qualifiées que leurs homologues masculins. Elles n'ont pas besoin de « traitement préférentiel », comme le laisse entendre abusivement Rosenfeld. Ou plutôt, elles en bénéficient, mais dans des conditions qui respectent l'égalité des candidatures et des compétences. À qualification égale, on choisira une femme plutôt qu'un homme dans une profession ou dans une université qui, jusque-là, ne recrutaient pas de femmes ou n'en acceptaient qu'un nombre limité. Pour les minorités ethniques, on le verra plus loin, les critères sont d'une autre nature, car c'est la « race » ou l'appartenance ethnique qui prime sur les qualifications...

Considérons, précisément, l'acte fondateur des politiques de traitement préférentiel : le *Civil Rights Act* de 1964. Cette loi, comme le rappelle justement le sociologue Nathan Glazer, excluait dans sa formulation initiale toute injustice à l'égard de la majorité blanche (et masculine) et toute arithmétique d'ordre racial. Elle réalisait enfin la promesse des grands amendements émancipateurs, ratifiés au lendemain de la guerre de Sécession : le 13e amendement (abolissant

---

1. M. Rosenfeld, *Affirmative Action and Justice, op. cit.*, pp. 47-48 (souligné par moi).

l'esclavage), le 14ᵉ (garantissant aux Noirs la citoyenneté et l'égalité devant la loi), le 15ᵉ (interdisant toute atteinte au droit de vote « pour des raisons de race ou de couleur »). Un siècle plus tard, le *Civil Rights Act* offrait enfin à la minorité noire la garantie du droit de vote, la déségrégation effective des écoles et des lieux publics et, d'après le « Titre VII » de la loi, l'égalité des chances pour l'accès à l'emploi, c'est-à-dire l'interdiction de toute discrimination fondée sur « la couleur, la religion, le genre ou l'origine nationale ». Il n'était pas alors question de fixer des quotas, d'atteindre une certaine proportionnalité entre groupes majoritaires et minoritaires, ni même d'octroyer une préférence aux victimes de discriminations passées. La loi était *color-blind* ; elle défendait l'égalité des chances pour tous sur une base individuelle, sans privilégier de groupe, ni imposer la moindre égalité de résultat.

Le président Johnson donna une première définition du concept d'*affirmative action* dans un décret signé en 1965. Il fallait, précisa-t-il, « prendre des mesures concrètes » pour mettre fin aux discriminations fondées sur la race, la religion, le sexe ou l'origine nationale[1]. Le contenu de ces mesures et la mise en place de véritables mécanismes d'« arithmétique raciale » furent développés plus tard par deux agences fédérales chargées de la gestion des contrats signés par les représentants de l'État fédéral avec des entreprises privées : le Bureau de contrôle des contrats fédéraux (Office of Federal Contract Compliance) et la Commission de l'égalité des chances pour l'emploi (Equal Employment Opportunity Commission). La Commission de l'égalité des

---

1. *Executive Order* nº 11246. Le décret précisait que le bénéficiaire d'un contrat fédéral devrait « prendre des mesures concrètes [*take affirmative action*] pour s'assurer que les candidats à un emploi et les employés dûment engagés soient traités sans considération de leur race, couleur, religion, sexe ou origine nationale ». Voir Nathan Glazer, *Affirmative Discrimination. Ethnic Inequality and Public Policy*, 2ᵉ éd., New York, Basic Books, 1978, p. 46, et Lawrence H. Fuchs, *The American Kaleidoscope. Race, Ethnicity and the Civic Culture*, Hanover, Wesleyan University Press, 1990, p. 431.

chances avait pour tâche d'inciter les entreprises du secteur privé à mettre fin, « volontairement », à leurs pratiques discriminatoires pour éviter le risque d'encourir de longues et coûteuses poursuites judiciaires.

C'est dans ce contexte bien particulier que des fonctionnaires inventèrent, littéralement, le véritable sens de l'*affirmative action*, sans qu'il y ait eu de débat public ou de vote du Congrès. Ces fonctionnaires n'étaient pas des idéologues qui entendaient faire avancer la cause du mouvement des droits civiques. Leur seule préoccupation était d'ordre bureaucratique : démontrer, chiffres à l'appui, l'efficacité de leur gestion administrative. S'ils voulaient mesurer l'existence de discriminations passées, il leur fallait d'abord recenser les « races » employées dans les entreprises. Pour mieux délimiter les objectifs à atteindre et donner un contenu précis aux fameuses « mesures concrètes » envisagées par le président Johnson, il leur fallait ensuite donner des indications chiffrées qui étaient, en fait, autant de quotas ethniques [1].

Les bénéficiaires de la manne fédérale furent ainsi tenus, à partir de 1968, de dresser la liste précise de leurs employés « noirs », « orientaux », « amérindiens » et « espagnols-américains ». Neuf ans plus tard, les « Esquimaux » et les « Aléoutes » venaient grossir cette liste sans cesse remise à jour [2]. Aucune sanction, toutefois, n'était prévue en cas de

1. Sur l'invention bureaucratique du traitement préférentiel, on lira l'excellent ouvrage de John David Skrentny, *The Ironies of Affirmative Action. Politics, Culture and Justice in America*, Chicago, University of Chicago Press, 1996, pp. 111-144 et 222-242. À noter que les « objectifs » à atteindre (*numerical hiring goals*) étaient en fait des quotas, jamais décrits comme tels, pour respecter la législation en vigueur qui les interdisait.

2. Le Congressional Research Service recense, en 1995, 160 catégories fédérales de traitement préférentiel, correspondant chacune à un programme et un financement distincts. Les bénéficiaires de contrats fédéraux « réservés » sont, outre les femmes, « les Noirs-Américains, les Hispaniques-Américains, les autochtones (Amérindiens, Esquimaux, Aléoutes ou Hawaiiens de souche), les Américains du Pacifique et de l'Asie du Sud-Est (originaires du Japon, de Chine, des Philippines, du Viêt-nam, de Corée, du Laos, du Cambodge, de Taiwan, des Northern Mariana Islands, de Guam, de Samoa, du Territoire de tutelle américain des îles du Pacifique) », cité par Jeffrey Rosen, « Affirmative Action : A Solution », *New Republic*, 8 mai 1995, p. 24.

sous-représentation d'un ou de plusieurs groupes minoritaires. À partir de 1970, les autorités fédérales renforcèrent
leurs exigences : l'employeur devait démontrer qu'il avait
pris des mesures précises pour remédier au « sous-emploi »
de femmes ou de certains groupes ethniques. D'où l'extraordinaire bataille de chiffres qui allait opposer les entreprises
bénéficiaires de fonds publics et les organismes chargés de
faire respecter le fameux « Titre VII » du *Civil Rights Act*.
Il fallait, en effet, déterminer la proportion d'un groupe
ethnique au sein d'une population locale puis, à partir de
ces premiers chiffres, extrapoler le nombre de travailleurs
ethniques qui devaient « normalement » (s'il n'y avait pas
eu de discrimination) travailler dans une industrie particulière, tout en tenant compte du seuil de compétence recherché par l'entreprise et des qualifications réelles acquises par
les candidats à l'embauche... La peur d'un procès intenté
par le ministère de la Justice, ou tout simplement la crainte
de perdre un contrat fédéral, devaient inciter de nombreuses
entreprises, à partir des années 1970, à mettre fin à d'anciennes pratiques discriminatoires en augmentant rapidement
leurs effectifs « ethniques » et « féminins »[1].

Le *Civil Rights Act* de 1964 n'envisageait rien d'autre que
la mise en place d'un système d'égalité des chances. Mais le
nouveau dispositif réglementaire progressivement élaboré
par les fonctionnaires de l'administration fédérale allait bien
au-delà. Il postulait une « égalité réelle », fondée sur des
résultats quantifiables. Théoriquement, chaque minorité
protégée devait être recrutée dans la même proportion que
celle qu'elle occupait au sein de la société : si, dans une ville
ou une région donnée, les Noirs représentaient 12 % de
la population totale, il fallait qu'ils soient aussi 12 %
des employés recrutés, à supposer que 12 % d'entre eux

---

1. Voir N. Glazer, *Affirmative Discrimination, op. cit.*, pp. 43-58, et Philip Gleason, *Speaking of Diversity*, Baltimore, Johns Hopkins University Press, 1992, pp. 102-
113.

disposent des qualifications ou des compétences minimales requises...

Inventée par un président démocrate, l'*affirmative action* fut maintenue et renforcée par une succession de présidents démocrates et républicains, de Johnson à Clinton, aussi interventionnistes les uns que les autres, malgré les principes « libertaires » affichés par certains d'entre eux. Si bien que le paysage ethnique de l'Amérique industrielle a été fondamentalement transformé. Ainsi, le ministère du Travail, sous la présidence de George Bush, exigeait de toutes les sociétés financées par l'État fédéral des « programmes satisfaisants » d'*affirmative action*, ce qui visait « 95 000 entreprises employant 270 000 personnes et bénéficiant, par contrat, de plus de 184 milliards de dollars de fonds fédéraux ». En 1994, 25 % de tous les marchés publics accordés à des PME étaient concédés à des entreprises « minoritaires » (contrôlées par des individus appartenant à des minorités ethniques), alors que lesdites entreprises ne représentaient que 9 % de l'ensemble des PME américaines. Ces marchés, estimés à 11 milliards de dollars pour l'année 1995, couvraient des activités aussi diverses que la construction de routes, de ponts, d'aéroports, des fabriques de crayons, des réfections de bases militaires, etc.[1]. Ils constituaient, selon la volonté du législateur, des « activités réservées » (*set-asides*) par l'autorité publique à des « individus socialement et économiquement désavantagés », appartenant aux minorités « noires », « hispaniques », « amérindiennes », « asiatiques » et au groupe indéterminé des « femmes ». En dehors même des difficultés de définition (qu'est-ce qu'une PME minoritaire ? qu'est-ce qu'un individu désavantagé[2] ?), la détermination du pourcentage des activités industrielles

---

1. Henry Monaghan, « The Age of Statutory Fundamental Rights », *La Revue Tocqueville*, n° 1, 1993, p. 145 ; Jeffrey Rosen, « The Day the Quotas Died », *New Republic*, 22 avril 1993, pp. 25-26 ; *International Herald Tribune*, 24 mai 1996.

2. La section 8(a) du *Small Business Act*, la loi fondatrice de toutes les « activités réservées », précise que les « individus socialement désavantagés » sont « ceux qui ont subi des préjugés ethniques, raciaux ou culturels, à cause de leur identité comme

à *réserver* posa des problèmes inextricables que seuls les juges de la Cour suprême semblaient capables de résoudre.

S'il ne semblait pas déraisonnable de réserver 10 % de l'argent public à des *minority-owned-businesses* afin de « remédier aux effets antérieurs » de discriminations « abondantes » et démontrées, comme le prévoyait le *Public Works Employment Act* de 1977[1], on pouvait se demander, en revanche, s'il était bien logique qu'une grande ville de Virginie comme Richmond, dont la population est en majorité noire, réservât 30 % de ses travaux publics à des *minority-owned-businesses* dirigés, entre autres, par des Hispaniques, des Orientaux et des Esquimaux, sans apporter la preuve que ces groupes – peu présents, sinon absents de la ville – eussent vraiment souffert de discriminations justifiant de telles libéralités. La Cour suprême, en l'occurrence, invalida les contrats publics incriminés et exigea, pour l'avenir, la preuve d'un « puissant intérêt public[2] ». Les juges n'interdisaient pas l'arithmétique raciale, mais ils précisaient que son usage devait être exceptionnel, motivé et « précisément adapté » aux besoins de la cause[3].

Les politiques universitaires d'« affirmative action »

Les critères d'admission des grandes universités américaines sont aujourd'hui fondés sur le mérite. Mais le mérite n'est jamais la seule et unique considération ; ou, plutôt, il

---

membre d'un groupe [ethnique particulier], sans considération de leurs qualités individuelles ». Quant aux « individus économiquement désavantagés », ils sont, précise la loi, « ceux dont les capacités de compétition au sein du système de la libre entreprise ont été diminuées, faute d'accès au capital et aux possibilités de crédit dont disposent, par comparaison, les individus qui ne sont pas socialement désavantagés [et qui ont] le même type d'activité ».

1. *Fullilove v. Klutznick*, 448 U.S. 448 (1980). Je cite ici l'opinion majoritaire du *Chief Justice* Burger.
2. *Richmond v. Croson*, 488 U.S. 469 (1989).
3. *Adarand v. Pena*, *United States Law Week*, t. LXIII, n° 47, 1995, pp. 4530 et 4533.

n'est pas seulement mesuré en termes de succès scolaire et de réussite à des tests nationaux standardisés. Il est aussi question de talent artistique, de capacités de *leadership*, de prouesses sportives, et toute la difficulté consiste à trouver un équilibre satisfaisant entre ces différentes façons d'apprécier les qualités des candidats. À cela s'ajoutent des critères non méritocratiques dont le poids n'est pas négligeable, même si ces éléments n'ont plus aujourd'hui l'importance qu'ils avaient dans les années 1920 ou 1930. Parmi les plus répandus, on notera l'origine géographique, justifiée au nom des principes de « diversité » et d'« universalité » (une grande université ne saurait se contenter d'un recrutement local), et la situation de fils ou de fille d'ancien élève, considérée comme souhaitable pour maintenir l'attachement des familles à leur *alma mater*, renforcer les solidarités intergénérationnelles et garantir des sources de revenus stables. L'admission préférentielle d'un Noir ou d'un Hispanique n'exclut pas, bien sûr, le mérite. Mais les « bons élèves » recrutés dans ces groupes sont si peu nombreux et si recherchés à l'échelle nationale, qu'il faut bien recourir à des critères non méritocratiques. Dans ce cas, conformément à la jurisprudence de l'arrêt *Bakke* déjà évoquée, la « diversité » du corps étudiant prime sur toute autre considération.

Les bureaucraties universitaires qui pratiquent l'*affirmative action* sont avares de chiffres, prestige et concurrence obligent. L'université de Californie à Los Angeles (UCLA) est l'une des rares institutions qui joue, en la matière, le jeu de la transparence. Comme le démontre le tableau ci-joint, le recrutement des étudiants de première année est « à deux vitesses » et sépare ceux que j'appellerai les « méritants » (68,9 % des admis) des « moins méritants » (31,1 % des admis). La simple appartenance ethnique donne des points supplémentaires aux « moins méritants » qui doivent leur admission à « d'autres critères » ajoutés à un mérite relatif. Les meilleurs parmi les « moins méritants » sont cotés « 1 »

Admissions à UCLA[1]
(Nombre total des candidatures : 20 100 – automne 1994)

Admissions en fonction du seul mérite des candidats

	Admis	%	Notes (GPA) *
Asiatiques	3 261	48,0	4,20
Noirs	77	1,1	4,13
Hispaniques	321	4,7	4,18
Blancs	2 725	40,1	4,15
Autres	417	6,1	4,14
Total	**6 801**	**100,0**	**4,17**

Admissions en fonction d'autres critères
(mérite + critères socioéconomiques et ethnoraciaux)

	Admis	%	Notes (GPA) *
Asiatiques	686	22,4	3,87
Noirs	586	19,1	3,51
Hispaniques	1 553	50,7	3,65
Blancs	145	4,7	3,85
Autres	91	3,0	3,57
Total	**3 061**	**99,9**	**3,68**

Admissions, toutes catégories confondues

	Nombre total	% du total	% d'admis au seul mérite
Asiatiques	3 947	40,0	82,6
Noirs	663	6,7	11,6
Hispaniques	1 874	19,0	17,1
Blancs	2 870	29,1	94,9
Autres	508	5,2	82,1
Total	**9 862**	**100,0**	**68,9**

* Moyenne des notes obtenues dans les classes terminales (*Grade Point Average*). La meilleure note (A ou 4,0) peut être dépassée lorsque l'élève a pris des « cours avancés » (*honors courses*).

1. Source : calculé d'après Christopher Shea, « Under UCLA's Elaborate System, Race Makes a Big Difference », *Chronicle of Higher Education*, 28 avril 1995, p. A12.

ou « 2 » sur une échelle de cinq points, et les moins bons reçoivent des notes inférieures (3, 4 ou 5).

À ce stade du recrutement, les Noirs et les Hispaniques sont privilégiés puisqu'on ne leur accorde que de bonnes notes (1 ou 2). Les Blancs et les Asiatiques sont notés plus sévèrement et peuvent obtenir des scores inférieurs (3, 4 ou 5). Cependant, le privilège ethnoracial dont bénéficient les Noirs et les Hispaniques ne garantit pas leur admission automatique ; « il garantit que leur candidature sera prise en compte, même s'ils ont à peine satisfait les critères minima d'admission à UCLA[1] ». Les disparités ethniques sont frappantes : 77 Noirs seulement sur un total de 663, soit 11,6 %, sont recrutés au mérite ; même proportion faible chez les Hispaniques (321 sur un total de 1874, soit 17,1 %) ; alors que 82,6 % des Asiatiques et 94,9 % des Blancs reçus en première année le doivent à leur seul mérite. Il y a bien sûr des Blancs « moins méritants », mais ils ne représentent que 4,7 % de l'ensemble des « moins méritants » et 5 % du total des Blancs admis.

Comment justifier l'extraordinaire complication de ce qu'il faut bien appeler, une fois de plus, de l'arithmétique raciale ? Elle tient à une vérité simple : le recrutement « à deux vitesses », aussi discutable soit-il, est le seul moyen d'empêcher que les grandes universités américaines restent des bastions réservés aux Blancs (et depuis les années 1980 aux enfants des nouveaux immigrants asiatiques). L'exigence méritocratique entre ici en conflit avec la volonté, sans cesse réaffirmée depuis les années 1960, de mettre fin à la ségrégation scolaire. L'*affirmative action* est le « coup de pouce » qui permet à une université réputée de maintenir une bonne image, de satisfaire la volonté du législateur et de continuer à bénéficier des crédits fédéraux. Derrière la complexité chiffrée des programmes d'*affirmative action* se profile un problème fondamental, rarement discuté : la

---

1. *Ibid.*, p. A12.

médiocrité de la formation reçue par les minorités noires et hispaniques dans les écoles secondaires américaines, comme l'indiquent les résultats nationaux du *Scholastic Aptitude Test* (SAT). En 1990, la note moyenne des élèves noirs-américains était de 737 points et celle des Hispaniques de 803 sur un total théorique de 1 600 points. La même année, les Blancs obtenaient un score moyen de 933 points et les Asiatiques de 938. L'écart interracial Noirs/Blancs ou Asiatiques était donc considérable : environ 200 points[1]. D'où les difficultés rencontrées par les universités d'élite pour recruter un nombre « satisfaisant » d'étudiants minoritaires. Parmi ces établissements, 58 n'acceptaient en effet que de « bons élèves » dont les notes étaient égales ou supérieures à 1 200, sur l'échelle standardisée du SAT. Or, seulement 2 939 Noirs et 2 435 Hispaniques ont obtenu un tel score en 1985, pour l'ensemble des États-Unis. On pouvait donc s'attendre à ce que 51 Noirs, en moyenne, soient admis dans chacune de ces universités. Mais, cette année-là, plus de 100 Noirs étaient admis à Harvard, ainsi qu'à Yale, à Stanford, à Columbia, etc.[2]. « Manifestement, écrit Thomas Sowell, ces institutions d'élite recrutaient bien au-delà du groupe d'étudiants minoritaires dont les qualifications étaient comparables à celles des autres étudiants[3]. » Et, d'ailleurs, elles n'avaient pas d'autre choix si elles voulaient véritablement « diversifier » leur corps étudiant, à l'image de l'Amérique. Mais elles créaient par la même occasion un

---

1. Andrew Hacker, *Two Nations*, New York, Charles Scribner's Sons, 1992, p. 142.
2. Thomas Sowell, *Inside American Education*, New York, Free Press, 1993, pp. 141-142. L'écart des scores du SAT entre étudiants noirs et blancs n'est connu que pour quelques universités. Il est de 200 points à l'université de Virginie, de 235 points à UCLA, « plus de 200 points » à Berkeley, 171 points à Stanford, 218 points à Dartmouth College et 95 points à Harvard, en 1994. Comme le reconnaît l'éditeur du *Journal of Blacks in Higher Education* : « If ordinary admission standards were applied without regard to race, very few Blacks would win admission to the nation's most highly selective colleges, universities and graduate schools » (cité dans Stephen Burd, « Private Colleges Try to Keep a Low Profile », *Chronicle of Higher Education*, 28 avril, 1995, p. A20).
3. Th. Sowell, *Inside American Education, op. cit.*, p. 142.

« décalage ethnique » entre les plus doués et les moins doués des admis, ce qui devait souvent produire des effets indésirables[1]. En effet, la mauvaise préparation des uns ne manquait pas de renforcer les préjugés racistes des autres qui se croyaient intellectuellement supérieurs. Cette situation devait à son tour créer un sentiment d'infériorité chez les étudiants noirs ou hispaniques. Ceux-ci se sentaient *out of place*, à la fois inadaptés et marginalisés dans un environnement élitiste qui leur paraissait fondamentalement hostile[2]. Cette marginalisation, pénible et inévitable, n'est peut-être pas étrangère au taux d'échec relativement élevé que connaissaient ces deux groupes : 52 % des étudiants noirs admis à UCLA au début des années 1990 terminaient leur scolarité en quatre ou cinq ans, contre 60 % des Latinos, 77 % des Asiatiques et 80 % des Blancs. À Berkeley, 37 % seulement des Noirs admis en 1984 achevaient leur scolarité dans le même laps de temps, contre 43 % des Latinos, 67 % des Asiatiques et 71 % des Blancs[3]...

On l'a compris, le recrutement d'étudiants appartenant à des minorités ethniques défavorisées n'est pas une science parfaite. La moyenne des notes des classes terminales et les scores standardisés du SAT donnent une apparente rigueur à ce qui reste encore un art subjectif. Tous les « bons » étudiants n'ont pas réussi leur SAT, et certains admis le doivent à des raisons qui ne tiennent pas à leur seul mérite. On peut donc espérer qu'un étudiant dont les notes d'admission sont inférieures à la moyenne générale révèle un talent insoupçonné et donne, sur le tard, des preuves de son « mérite ». Le recrutement ethnique est une affaire de

---

1. C'est le phénomène du *racial mismatch*, décrit et dénoncé par des juristes à partir de 1969. Voir *ibid.*, pp. 135-139.
2. D'après Michael Meyer, un étudiant de Stanford et l'éditeur de la *Stanford Review* (de tendance conservatrice) : « As of now, many of the black students here constantly worry whether they really belong at Stanford [...]. If the university relied on strict academic credentials, then those who got into the institution would know that they do belong » (cité par S. Burd, « Private Colleges... », art. cité, p. A20).
3. Ch. Shea, « Under UCLA's Elaborate System », art. cité, pp. A12-A13 ; A. Hacker, *Two Nations, op. cit.*, p. 137.

risque calculé que de grandes universités privées comme Stanford n'hésitent pas à assumer [1]. Par contre, l'*affirmative action* se justifie moins dans les politiques d'admission des écoles professionnelles, car le mérite intellectuel y est plus rigoureusement défini et la spécialisation trop poussée pour permettre un facile rattrapage. C'est là que les partisans et les adversaires du traitement préférentiel s'affrontent le plus durement. L'enjeu est de taille : les places sont rares, les échecs plus coûteux et plus traumatisants pour les « perdants », et les carrières offertes particulièrement prestigieuses et rémunératrices.

Nation civique ou nation ethnique ?

Derrière le débat sur l'*affirmative action* se profile un autre débat sur la nature de la nation américaine. Une nation « multiethnique et multiraciale » ne se pense pas comme une république « une et indivisible », et il convient de souligner ici les différences de perspectives qui séparent la France des États-Unis. Le différentialisme ethnoracial pratiqué par les autorités universitaires américaines est difficile à saisir pour un Français qui, marqué par la tradition jacobine, se représente le peuple comme « une catégorie insusceptible de toute subdivision », selon la formule savante du Conseil constitutionnel. Le peuple français, comme le précise bien l'article 2 de notre Constitution, est composé de « tous les citoyens français sans distinction d'origine, de race ou de religion », ce qui exclut l'existence de plusieurs souverains ou de plusieurs peuples. C'est pour-

---

1. Gerhard Casper, le président de Stanford, définissait ainsi la mission de son université, en octobre 1995 : « Trouver et éduquer ceux qui deviendront les leaders d'une société multiethnique et multiraciale. Notre société, malheureusement, n'est pas indifférente aux questions de couleur. C'est pourquoi nous ne pouvons pas nous permettre d'être indifférents à la couleur [des étudiants] » dans nos politiques d'admission. Cité dans Bob Cohn, « Who Gets In ? », *Stanford* [le journal des anciens élèves de l'université Stanford], septembre-octobre 1996, p. 62.

quoi, conclut le Conseil constitutionnel, la notion même de « peuple corse » est inacceptable, parce que contraire à la Constitution [1].

Or, la conception américaine de la nation est fort différente. Pour le juge Powell, le principal auteur de l'arrêt *Bakke* déjà mentionné (voir p. 297), la nation américaine n'est pas d'un seul tenant. C'est une fédération de peuples, une « *Nation of many peoples* », théoriquement égaux entre eux mais, en fait, traités de façon inégale par les pouvoirs publics, jusqu'à une période récente [2]. Le rêve américain, l'égalité des chances pour tous sans considération de race ou de couleur, ne serait qu'un idéal lointain, difficilement accessible à des Noirs-Américains et aux « minorités » encore victimes aujourd'hui des pratiques discriminatoires de leurs concitoyens [3]. Il n'est donc pas déraisonnable d'utiliser l'appartenance ethnique pour donner un « coup de pouce » aux étudiants les moins privilégiés. Mais, conscient du danger qu'il y aurait à légitimer des catégorisations « détestables », le juge Powell propose le compromis suivant : la « race » ne peut être retenue comme élément favorable pour l'admission à l'université qu'à la condition d'être considérée comme un élément parmi d'autres, au même titre que l'origine géographique ou les talents individuels (dons artistiques, qualités sportives, capacités de leadership...). Sont interdits, en revanche, les quotas rigides, les catégorisations exclusives et la compartimentation des candidats en groupes raciaux. La sélection devra être effectuée en comparant individuellement les candidats entre eux. L'idéal prôné par le juge, inspiré du manuel d'admission de Harvard, est celui de la « vraie diversité », ethnique peut-être, mais aussi culturelle, géographique, sociale... Et puisque la mission de l'université est de produire des élites, il

---

1. Décision 91-290 DC (9 mai 1991, *Statut de la Corse*).
2. *Regents of the University of California v. Bakke*, 438 U.S. 265 (1978), opinion du juge Powell.
3. *Ibid.*, opinion conjointe des juges Brennan, White, Marshall et Blackmun.

est souhaitable, écrit encore Powell, que « l'avenir de la nation repose sur des leaders bien formés aux idées et aux habitudes d'étudiants aussi divers que les nombreux peuples [dont est faite] cette Nation [1] ». L'université, grâce aux politiques d'*affirmative action*, produirait ainsi des élites qui seraient à l'image des « nombreux peuples » américains. C'est dire combien la conception pluraliste de la nation exposée par un juge constitutionnel américain est éloignée de celle proposée par ses homologues français : d'un côté la souveraineté est divisée en segments ethniques, de l'autre elle forme un bloc indivisible.

Les innombrables célébrations de la « diversité ethnique » organisées chaque année par les universités américaines ne sont pas des modes passagères, de simples engouements « politiquement corrects », mais bien plutôt des célébrations civiques, le moyen rituel de rappeler et de glorifier la légitimité constitutionnelle de l'*affirmative action*, décrétée par les juges de la Cour suprême. L'arrêt *Bakke*, malgré ses ambiguïtés calculées et son manque d'unanimité, est important parce qu'il innove : il offre, je l'ai dit, une définition plurielle de la nation américaine. Mais cette nouvelle définition de la nation n'a pas reçu le soutien unanime des élites américaines, loin de là. La polémique est âpre, et elle se prolonge encore aujourd'hui au sein même de la Cour suprême, sans que la jurisprudence *Bakke* soit remise en cause – jusqu'à présent. Certains juges, en effet, défendent une conception politique de la nation fondée sur le libre consentement de citoyens égaux entre eux. D'autres, au contraire, mettent en avant le traitement inégal des communautés ethniques ou raciales. Les premiers ne conçoivent que des droits individuels ; les seconds défendent l'existence de droits collectifs, appartenant aux « peuples » constitutifs de la nation. Pour illustrer ce débat, je me propose de mettre

---

1. *Ibid.*, opinion du juge Powell.

en parallèle les opinions récentes de juges conservateurs avec celles de leurs collègues « pluralistes ».

Pour le juge Scalia, la nation américaine est une construction politique volontariste qui s'est affirmée contre tous les particularismes religieux, ethniques et sociaux. Elle est composée d'individus libres et égaux devant la loi, comme le précise bien le 14ᵉ amendement (1868) et comme devait le rappeler en 1896 le plus grand critique de la ségrégation raciale, le juge Harlan. Pour ce dernier, « d'après la Constitution, au regard de la loi, il n'y a pas dans ce pays de classe supérieure, dominante ou dirigeante. Il n'y a pas ici de caste. Notre Constitution est aveugle à la couleur [*color-blind*], elle ne connaît ni ne tolère des classes de citoyens[1] ». On retrouve là, avec un vocabulaire propre à la tradition juridique américaine, tous les éléments d'une « conception française » de la nation républicaine : la nation est une simple juxtaposition d'individus, littéralement « arrachés » par le politique à leurs ethnies et à leurs communautés d'appartenance[2]. Dans cette perspective, l'*affirmative action* est inacceptable parce qu'elle porte atteinte à l'individualisme fondateur de la nation. C'est une machine à créer des inégalités, déclarait en 1979 le juge Scalia, parce qu'elle divise l'Amérique en deux types de races : les « races débitrices » (qui ont droit au traitement préférentiel) et les « races créancières » (qui n'ont pas droit au traitement préférentiel)[3].

Antonin Scalia est le fils d'un immigré italien, et ce n'est pas un hasard s'il a pu tenir de tels propos. Son père s'était

---

1. *Plessy v. Ferguson*, 163 U.S. 537 (1896), opinion dissidente du juge Harlan. Cette décision légitimait la ségrégation raciale en fonction du principe de l'« égalité séparée » des races noire et blanche. Elle ne sera renversée qu'en 1954 avec la célèbre décision *Brown v. Board of Education*, 347 U.S. 483 (1954).

2. Dominique Schnapper, *La Communauté des citoyens*, Paris, Gallimard, 1994, pp. 180-181. Il s'agit là bien sûr d'un type idéal. La réalité est plus complexe et, comme l'a bien montré cet auteur, la nation civique « à la française » contient aussi des éléments propres aux nations ethniques « à l'allemande ».

3. Antonin Scalia, « The Disease as Cure : "In order to get beyond racism, we must first take account of race" », *Washington University Law Quarterly*, n° 1, 1979, p. 152.

installé en Amérique lorsqu'il était adolescent ; il n'avait donc jamais profité de « la sueur du front d'un Noir », pas plus d'ailleurs que ces milliers d'Italiens, de Juifs, d'Irlandais et de Polonais arrivés au tournant du siècle et qui, « loin d'abuser de ceux qu'on qualifie aujourd'hui de minorités, furent eux-mêmes l'objet des discriminations de la majorité dominante des Anglo-Saxons ». Scalia, pourtant, n'excluait pas tout traitement préférentiel, mais à condition qu'il fût fondé non plus sur la race mais sur le seul mérite individuel : « Je suis tout à fait d'accord pour donner des avantages et des préférences à un pauvre enfant du ghetto, qui, de surcroît, est noir, plutôt qu'à mes enfants qui n'en ont pas besoin. Mais je ne suis pas prêt à donner la préférence au fils, riche et bien éduqué, d'un médecin ou d'un avocat noir – uniquement à cause de sa race – plutôt qu'au fils d'un réfugié d'Europe de l'Est qui fait du travail manuel pour subvenir aux besoins de sa famille [1]. » Dans cette optique particulière, seules la pauvreté ou la classe sociale justifient le traitement préférentiel.

Cette « conception française » de la nation défendue par le juge Scalia exclut donc le privilège ou la préférence raciale. Mais elle n'exclut pas, paradoxalement, la référence à une « race » que Scalia vide de tout contenu ethnique : « Aux yeux de l'État, nous sommes ici *une seule race*. Elle est américaine. » Tout autre raisonnement, concluait Scalia, ne pourrait conduire qu'à « cette façon de penser qui produisit l'esclavage, le privilège racial et la haine raciale [2] ».

Pour les critiques de l'opinion défendue par Scalia, la nation n'est pas seulement « civique » ; elle est aussi « ethnique » en ce sens que les injustices dont furent victimes certaines minorités appellent réparation. Dans cette perspective, l'unité de base de la nation démocratique n'est pas l'individu, mais la communauté ethnique. Le débat sur la

---

1. *Ibid.*, pp. 153-154.
2. *Adarand v. Pena, United States Law Week*, t. LXIII, n° 47, 13 juin 1995, p. 4534 (souligné par moi).

définition de la nation américaine se double ainsi d'un autre débat, tout aussi vif, sur la signification politique de l'égalité dans un État de droit. Faut-il se contenter d'un idéal formel : garantir à chacun une véritable égalité des chances ? Ou bien faut-il accélérer la marche de l'histoire et en corriger les méfaits en réalisant une ébauche d'égalité réelle, fût-ce au détriment des héritiers lointains de la race des anciens maîtres ? Ces deux points de vue opposés sont bien exprimés par les gardiens de la Constitution dans une seule et même décision rédigée en juin 1995 :

> LE JUGE THOMAS. – Ma conviction est qu'il y a « une équivalence morale et constitutionnelle » entre les lois conçues pour subjuguer une race et celles qui distribuent des bénéfices en fonction de la race, pour faire avancer une certaine conception de l'égalité. L'État ne peut nous rendre égaux ; il ne peut que nous reconnaître, nous respecter et nous défendre comme égaux devant la loi.
> LE JUGE STEVENS. – Il n'y a pas d'équivalence morale ou constitutionnelle entre une politique conçue pour perpétuer un système de caste et celle qui cherche à supprimer la subordination raciale. La discrimination perverse est un instrument d'oppression, un moyen de subjuguer un groupe défavorisé pour maintenir ou renforcer le pouvoir de la majorité. Les préférences compensatrices fondées sur la race relèvent d'une démarche inverse : un désir d'encourager l'égalité dans la société[1].

On retrouve là, en raccourci, tous les arguments des adversaires et des partisans de l'*affirmative action*. Pour les premiers, l'égalité des chances n'est susceptible ni de compromis, ni même de négociation. Elle est juridique, un point c'est tout. Distribuer une préférence raciale est donc tout aussi arbitraire et antidémocratique qu'accorder un titre de

---

1. *Ibid.*, pp. 4534-4535. La Cour suprême est ici fortement divisée. Quatre juges sont opposés à toute politique de traitement préférentiel en vertu du principe de l'égalité de tous devant la loi, quelle que soit l'origine ethnique, raciale ou religieuse : la Constitution est et ne peut être que *color-blind* (Scalia, Thomas, Rehnquist et Kennedy). Quatre autres juges sont favorables au traitement préférentiel (Breyer, Ginsburg, Souter et Stevens). Un neuvième juge, Sandra Day O'Connor, garde une position ambiguë, mais semble prêt à préserver l'acquis de la jurisprudence *Bakke*. Voir J. Rosen, « The Day the Quotas Died », art. cité, pp. 24-25.

noblesse. Pour les seconds, l'égalité est affaire d'héritage et de ressources. Ceux dont les ancêtres furent des esclaves ne disposent toujours pas du capital social ou du capital économique nécessaires à leur promotion. Ils ont donc le droit d'exiger des avantages ou des passe-droits. Or, la grande difficulté, on l'a vu, est de définir précisément la nature de ces avantages, d'établir la liste des groupes de victimes, de fixer les seuils d'intervention raisonnable. Cette dernière tâche est sans doute la plus difficile parce qu'elle soulève à son tour celle, autrement redoutable, des talents acquis ou innés. Quel groupe a droit à quel pourcentage de mathématiciens, de poètes, d'avocats et de médecins ? Il est impossible de répondre, et la solution de facilité consiste justement à choisir la proportionnalité : le traitement préférentiel doit permettre aux groupes les plus désavantagés d'atteindre la proportion qui est la leur dans la population totale, au sein de l'université, dans l'entreprise et pour l'octroi de marchés publics.

On devine les effets pervers d'une telle logique. Faut-il freiner les groupes ethniques qui ont trop bien réussi, limiter le nombre de médecins ou d'avocats juifs, d'ingénieurs asiatiques, de cuisiniers ou de couturiers français sous prétexte qu'ils auraient dépassé leur quota « naturel » au sein de ces professions ? Voilà une question qui n'a rien d'académique et qui fut vigoureusement débattue dès les années 1920[1].

Discrimination à rebours et antisémitisme

C'est à cette époque que de grandes universités américaines eurent recours, sans le dire, à des pratiques d'*affirmative action*, non pas en faveur mais à l'encontre d'un groupe

---

1. David Brion Davis, « The Other Zion : American Jews and the Meritocratic Experiment », *New Republic*, 12 avril 1993, pp. 29-36.

bien déterminé : les étudiants juifs. En effet, les universités d'élite s'inquiétaient de l'afflux de ces étudiants trop doués dont la proportion d'admis commençait à dépasser leur importance numérique dans la population locale. Ainsi, en 1918, 50 % des admis à New York University et 40 % des admis à Columbia étaient des étudiants juifs, alors que le nombre des Juifs s'élevait à environ 13 % de la population de l'État. En 1925, à Yale, dans le Connecticut, 13 % des admis étaient des étudiants juifs, alors que les Juifs ne représentaient que 5,5 % de la population de l'État[1]... Comment « contenir » cet élément du corps étudiant et préserver la suprématie des futures élites anglo-saxonnes, sans porter atteinte au principe sacré de l'égalité des chances ? Telle fut la question soulevée par les directeurs d'admission des grandes universités de la côte Est. La solution la plus radicale, l'imposition de quotas restrictifs, fut proposée en 1922 par le président de Harvard pour un motif parfaitement hypocrite : la lutte contre l'antisémitisme. Moins de Juifs seront admis, raisonna le président Lowell, moins nos étudiants se laisseront emporter par des « sentiments raciaux » et plus la société sera guérie de ce fléau. Cette solution, si contraire au républicanisme méritocratique, suscita un tel tollé dans la presse et les milieux politiques du Massachusetts qu'elle fut vite abandonnée[2].

Une autre pratique plus subtile, le « quota silencieux », fut inventée à Yale avant de se généraliser à l'ensemble des universités de l'*Ivy League*. Officiellement, Yale n'admettait que les meilleurs sujets des classes terminales du nord-est

---

1. La proportion de Juifs dans la population totale était alors inférieure à 4 %. À Yale, le pourcentage d'étudiants juifs passa de 2 % en 1903 à 13 % à partir de 1925, pour se stabiliser autour de 10 % à partir de 1934 et atteindre le seuil maximum de 16 % à partir de 1966. À Harvard, le nombre d'étudiants juifs passa de 7 % en 1900 à 21,5 % en 1922 ; dix ans plus tard, le nombre de Juifs admis à Harvard sera « stabilisé » autour de 10 %. Voir Dan Oren, *Joining The Club. A History of Jews at Yale*, New Haven, Yale University Press, 1985, pp. 40, 46 et 320-322 (Appendix 5).

2. A. Lawrence Lowell (président de Harvard), lettre à A. Benesch (juin 1922), cité dans D. Oren, *ibid.*, p. 47. On notera que Lowell avait été le vice-président de l'Immigration Restriction League.

des États-Unis. Mais les dés furent bientôt pipés. Le nombre
de candidatures issues des grands centres urbains, d'où
venaient la plupart des Juifs, fut limité au profit de candidats
originaires des riches banlieues de la région. Cette ingé-
nieuse modification des critères d'admission, l'accent mis
sur les qualités de « caractère » et de « leadership », l'avantage accordé aux fils d'anciens élèves... contribuèrent ainsi
à freiner les effets indésirables d'une pure méritocratie[1].
Après tout, observa un dignitaire de Yale, les universités ne
sont pas des « usines à cerveaux ». L'étudiant idéal ne devrait
pas être un « rat de bibliothèque », un « bûcheur à la peau
huileuse », mais plutôt un être social, sportif, distingué, se
contentant de notes très moyennes, seules dignes d'un « gentleman[2] ». L'étudiant juif, en revanche, trop travailleur,
trop indifférent au sport et aux activités mondaines, selon
Roswell Angier, professeur de psychologie à Yale, « se comporte [...] comme un corps étranger dans l'organisme de sa
promotion[3] ». Déplorant le nombre excessif de Juifs admis
à Yale entre 1926 et 1936, le président de l'université crut

---

1. James Angell (président de Yale), lettre à Alan Valentine, 9 mars 1934, cité
dans *ibid.*, p. 62.
2. D'après Frederick Jones, le doyen des étudiants du Yale College, l'étudiant
juif est trop bûcheur pour favoriser son épanouissement social. Il est perçu par ses
camarades anglo-saxons comme un *greasy grind*, peu fréquentable (lettre de F. Jones
à Robert Corwin, 6 mai 1922, cité dans *ibid.*, p. 43). Directeur des admissions,
Robert Corwin était l'auteur d'un « Memorandum on the Problems Arising from
the Increase in the Enrollment of Students of Jewish Birth in the University »,
soumis à la direction de Yale en 1922 et indiquant les moyens de limiter le nombre
total des étudiants juifs à « moins de 10 % si possible » (pp. 48-49). L'expression
« usine à cerveaux » est utilisée dans le *Yale Daily News* du 30 mars 1936. L'anti-intellectualisme des étudiants de Yale est admirablement décrit dans le roman autobiographique d'Owen Johnson, *Stover at Yale* [1912], New York, Collier Books, 1968.
3. Roswell Angier, lettre à Robert Corwin, 9 mai 1922, *in* D. Oren, *Joining the
Club, op. cit.*, p. 49. « Dans les universités, écrit André Siegfried, [l'Américain « cent
pour cent »] s'adonnerait de préférence au sport ou au flirt ; aux bibliothèques il
demanderait surtout des lectures faciles. Le Juif, au contraire [...] pâlit sur les livres
sérieux : doctrine sociale, science, philosophie. La lutte n'est pas égale, on proteste !
Et quel usage fait-il de son intelligence perpétuellement tendue, ce descendant des
prophètes qui, selon le mot de Péguy, lit depuis deux mille ans ? C'est une intelligence qu'on ne peut domestiquer, pas même discipliner, car elle met tout en question, pour des fins qui lui sont propres. Voilà justement ce que la société américaine
ne veut pas [...] » (André Siegfried, *Les États-Unis d'aujourd'hui* [1927], Paris, Armand
Colin, 1931, p. 26).

faire preuve d'humour en recommandant au directeur des admissions le « massacre à l'arménienne » des résidents juifs de New Haven, Bridgeport et Hartford, « pour assurer la protection presque complète de notre stock [d'étudiants] nordiques[1] ». New Haven n'était pas Heidelberg, selon la remarque de Dan Oren, mais cette forme d'humour révèle à la fois la vigueur et la banalité de l'antisémitisme américain des années 1930. Il faudra attendre le milieu des années 1960 pour voir cette université mettre fin à toute discrimination antisémite[2].

Le souvenir de cette expérience explique sans doute pourquoi nombre d'intellectuels juifs sont aujourd'hui défavorables aux politiques d'*affirmative action*. La « discrimination positive » n'est pour eux que le revers des politiques plus anciennes de « discrimination à rebours », un moyen détestable de racialiser les rapports sociaux en fonction du principe fallacieux de la proportionnalité des méritants. Ces intellectuels feraient sans doute leur la réponse donnée au lendemain de la guerre de Sécession par le grand leader noir Frederick Douglass à un ami qui souhaitait imposer dans la fonction publique un nombre de Noirs égal à leur proportion dans la population : « D'après vos principes statistiques, écrivait Douglass, le peuple de couleur des États-Unis [...] devrait inclure le huitième des poètes, des hommes d'État, des universitaires, des écrivains, des philosophes du pays. » Un tel critère est d'autant plus absurde qu'il faudrait l'appliquer à tous les groupes ethniques, y compris aux Allemands et aux Irlandais venus d'Europe... « Personne ne

---

1. James Angell, lettre à Alan Valentine, 9 mars 1934, *in* D. Oren, *Joining The Club*, *op. cit.*, pp. 62-63.
2. D. Oren, *ibid.*, pp. 173-214. Entre 1966 et 1969, 1/6 des étudiants acceptés à Yale sont identifiés comme « Juifs » par Dan Oren, ainsi que 22 % du total des *full professors* en 1970 (contre seulement 4 % en 1950 et 11 % en 1960). Les enseignants juifs sont particulièrement nombreux à l'école de droit (35 % des *full professors*) et à l'école de médecine (28 %), en 1970. Cette année-là, la population juive des États-Unis était estimée à 3 030 000, soit 2,9 % de la population totale (p. 316, Appendix 2 ; p. 321, Appendix 5 ; p. 326, Appendix 8).

sait mieux que vous, concluait Douglass, que l'égalité des chiffres n'a rien à voir avec la distribution des talents[1]. »

Parfois décrits comme de « nouveaux Juifs », les Asiatiques ne bénéficient pas de la préférence raciale, comme les Hispaniques et les Noirs, même s'ils peuvent prétendre, eux aussi, avoir été les victimes de mesures discriminatoires. Les universités américaines pratiquaient à leur encontre dans les années 1980 une forme nouvelle de discrimination à rebours : elles donnaient la préférence aux candidats blancs, au détriment d'Asiatiques pourtant plus méritants. Le prétexte habituel était la recherche de la « diversité » et le désir de freiner la « sur-représentation » universitaire d'un groupe ethnique par rapport à sa place dans la population. Les Asiatiques, prétendait-on encore, étaient particulièrement faibles dans les domaines extrascolaires : ils n'affichaient pas assez de compétitivité sportive, leur « potentiel de leadership » était insuffisamment affirmé et leurs activités sociales trop peu nombreuses ; en bref, ils manquaient de savoir-faire et de savoir-vivre. C'est pourquoi, à Harvard, en 1982, un Asiatique n'était admis que si sa note de SAT (*Scholastic Aptitude Test*) dépassait celle des « Caucasiens » de 112 points en moyenne ; à Stanford, entre 1982 et 1986, un candidat asiatique avait 30 % de chances en moins d'être admis qu'un Blanc de mérite égal[2]... Mais, à Stanford, grâce aux protestations des étudiants asiatiques, le bureau des admissions de l'université modifia ses pratiques de recrutement et tripla, en l'espace de cinq ans, le nombre des étudiants asiatiques admis au seul mérite[3].

1. Frederick Douglass, lettre à Martin Delany, cité par L. Fuchs, *The American Kaleidoscope*, *op. cit.*, p. 447.
2. Jeffrey K. D. Au, « Asian American College Admissions – Legal, Empirical, and Philosophical Questions for the 1980s and Beyond », *in* Gary Y. Okihiro, Shirley Hune, Arthur A. Hansen et John M. Liu (éd.), *Reflections on Shattered Windows*, Pullman, Washington State University Press, 1988, p. 53. Une enquête menée auprès de 58 000 élèves asiatiques des classes terminales démontre, selon l'auteur, qu'ils s'adonnent aux mêmes activités extrascolaires que leurs camarades blancs, avec la même intensité et le même succès.
3. Les taux d'admission des Asiatiques à Stanford passaient de 7,8 % en 1985 à

La discrimination est difficilement quantifiable, mais elle existe et elle reflète les préjugés de bureaucraties universitaires marquées, jusqu'à une période récente, par « la crainte, peut-être inconsciente, que les Asiatiques-Américains ne [soient] pas de vrais Américains et que l'admission d'un trop grand nombre d'entre eux [puisse] porter atteinte à la légitimité et à l'américanité des institutions du pays[1] ». Dans ce contexte, on comprend pourquoi une majorité des électeurs californiens d'origine asiatique s'est récemment prononcée en faveur du référendum d'initiative populaire (*California Civil Rights Initiative*) proposant l'abandon de tous les programmes publics de traitement préférentiel fondés sur « la race, le sexe, la couleur, l'ethnicité ou l'origine nationale ». Ils signifiaient par leur vote qu'ils n'entendaient plus être les perdants de l'*affirmative action*.

Les politiques de traitement préférentiel, quoi qu'en aient décidé les électeurs de Californie, ont gardé de nombreux défenseurs, à commencer par ceux qui s'empressèrent de rappeler que l'élément féminin de la population en avait largement bénéficié. Mais le traitement préférentiel des femmes n'a pas été l'objet de débats passionnés, parce qu'il était plus conforme aux intentions premières du législateur. En effet, le recrutement ou la promotion des femmes recommandés par le « Titre VII » du *Civil Rights Act* de 1964 ne remettaient pas en cause le principe de méritocratie. À *mérite égal*, des femmes pouvaient être préférées à des hommes au sein des entreprises, des universités ou des professions qui avaient négligé de s'intéresser à elles. La question

---

24,1 % en 1990 et restaient proches de ce seuil en 1996 (22,9 % des admis). Voir B. Cohn, « Who Gets In ? », art. cité, p. 66. Les seuls groupes d'étudiants qui bénéficient des politiques de traitement préférentiel de Stanford sont les Noirs, les Hispaniques et les Amérindiens.

1. J. Au, « Asian American College Admissions », art. cité, p. 56. En 1994, les Asiatiques représentaient 36 % des admis à Berkeley, 37 % à UCLA, 47 % à UCI (Irvine), 24 % à Stanford, 18 % à Harvard, 30 % au MIT, 16 % à Yale, 17 % à Columbia... Voir *U.S. News and World Report*, « America's Best Colleges », 2 juin 1995.

n'était pas académique puisque, jusqu'aux années 1970, des professions entières restaient fermées aux femmes : de l'industrie du bâtiment aux grands cabinets d'avocats, en passant par la plupart des services de l'armée et de la police... On ne sait pas assez, en France, que des universités prestigieuses comme Yale et Princeton commencèrent seulement à admettre des femmes comme *undergraduates* au début des années 1970, au moment même où Harvard cessait enfin de les cantonner dans les bâtiments de briques rouges de Radcliffe College[1]...

Les conceptions américaines du mérite

Ce n'est pas un hasard si le débat sur l'*affirmative action* a surtout porté sur la préférence raciale, puisque c'est là que se manifestait le plus crûment la remise en cause du credo méritocratique. C'est pourquoi, dans les milieux universitaires, les partisans du traitement préférentiel n'ont cessé d'attaquer la notion traditionnelle de « mérite », telle qu'elle est habituellement définie et mesurée aux États-Unis. Le mérite, insistent ceux-ci, ne saurait se mesurer à l'aune d'un test, inventé de surcroît par un raciste notoire[2]. Le mérite est une question de potentialité, à développer le mieux possible. Il n'est donc pas choquant de donner la préférence à un candidat « minoritaire » qui n'a que médiocrement réussi son test d'entrée à l'université. Le « mal reçu », selon l'argument d'un juriste réputé, Stephen Carter, aurait tort de

---

1. Sur ces années héroïques, voir Janet Lever et Pepper Schwartz, *Women at Yale. Liberating a College Campus*, Indianapolis, Bobbs-Merrill, 1971.
2. Stanley Fish, « Reverse Racism or How the Pot Got to Call the Kettle Black », *The Atlantic Monthly*, novembre 1993, pp. 128-136. L'inventeur du SAT, Carl C. Brigham, l'auteur de *A Study of American Intelligence* (1923), avait prétendu que les Noirs, les Juifs et autres peuples « alpins » et « méditerranéens » étaient moins intelligents que les Américains d'origine « nordique ». Son influence fut décisive sur les auteurs de la loi d'immigration restrictionniste de 1924. Voir Stephen Jay Gould, *The Mismeasure of Man* [1981], New York, Norton, 1993, pp. 224-233 (trad. fr. *La Malmesure de l'homme*, Paris, Le Livre de poche, 1986).

culpabiliser au sujet de son admission dans une grande université : ce qui compte est ce qui se passe après l'admission... L'*affirmative action candidate* n'a qu'une façon de contrer les rumeurs malveillantes qui circulent à son égard : il doit se prendre en charge et réussir ; il doit, sa vie durant, « s'accrocher au travail avec une énergie qui forcera l'admiration des concurrents et des critiques [1] ». En d'autres termes, le traitement préférentiel n'est pas une affaire d'ingénierie sociale qui produirait envers et contre tous une artificielle égalité de résultat ; c'est bien plutôt une façon équitable d'accorder une véritable égalité des chances à des individus qui n'avaient pas initialement bénéficié du « capital socioéducatif » de leurs homologues blancs [2]. Le mérite se mesure difficilement, mais il existe dès le départ. Il ne s'agit pas, en effet, d'admettre les élèves médiocres recrutés dans les ghettos, mais « ceux qui ont déjà fait preuve d'un grand potentiel » et qui ont sans doute fait de bonnes études dans des lycées racialement mixtes [3].

L'expérience est pénible, humiliante même, comme l'admet Stephen Carter, qui fut d'abord refusé par la Harvard Law School, puis accepté quelques jours plus tard avec ces étonnantes excuses : « Nous avions cru, d'après votre dossier, que vous étiez blanc » ; mais l'école de droit était revenue sur sa décision car elle avait obtenu, selon le candide aveu de l'agent recruteur, « des informations supplémentaires qui auraient dû être comptabilisées en votre faveur ». En clair, écrit Carter, cela signifiait que « Harvard avait découvert la couleur de ma peau ». Mais qu'à cela ne tienne : « J'ai été admis à l'école de droit parce que je suis noir. Et alors [4] ? » L'avenir, en effet, et l'indéniable talent de cet

---

1. Stephen Carter, *Reflections of an Affirmative Action Baby*, New York, Basic Books, 1991, p. 86.
2. Voir William H. Chafe, « Providing Guarantees of Equal Opportunity », *Chronicle of Higher Education*, 30 juin 1995, pp. B1-B2 ; M. Rosenfeld, *Affirmative Action and Justice*, op. cit., pp. 296-308.
3. S. Carter, *Reflections of an Affirmative Action Baby*, op. cit., p. 87.
4. *Ibid.*, pp. 15 et 17. Résultat, Carter choisira de poursuivre ses études à la Yale

étudiant bûcheur devaient justifier le bien-fondé de cette expérience de préférence raciale.

Pour la plupart des partisans de l'*affirmative action*, le succès ne se mesure pas en gains individuels, comme semble le croire Stephen Carter. Le seul objectif valable est la promotion globale des groupes ethniques. Or, semble-t-il, cet objectif a bien été atteint par la communauté noire américaine. Les Noirs, en effet, sont de plus en plus nombreux à occuper des emplois traditionnellement « réservés » à la classe moyenne blanche. Grâce aux lois des droits civiques et aux programmes de l'Office of Federal Contract Compliance, de grandes entreprises comme IBM, AT & T, Lockheed, Texas Instruments, etc. ont été contraintes de recruter systématiquement des employés noirs et de contribuer ainsi à l'émergence d'une véritable classe moyenne qui comprend aujourd'hui un tiers des familles noires, contre moins d'un dixième en 1950. 20 % des membres de la nouvelle *black middle class* sont aujourd'hui des cadres supérieurs ou des membres des professions libérales, contre 5 % seulement en 1950. Le nombre d'Africains-Américains exerçant des emplois plus modestes de policiers, d'employés de banque, d'électriciens ou de personnel hospitalier a triplé ou quadruplé en l'espace de vingt ans, de 1970 à 1990 [1]. Par ailleurs, l'écart des salaires entre les travailleurs noirs et blancs n'a

---

Law School où il est aujourd'hui professeur de droit et titulaire de la chaire William Nelson Cromwell, après avoir été l'assistant du juge Thurgood Marshall à la Cour suprême.

1. Voir William Julius Wilson, *The Declining Significance of Race*, 2ᵉ éd., Chicago, University of Chicago Press, 1980, pp. 99-100 ; Henry Louis Gates, « Parable of the Talents », *in* H. L. Gates et Cornel West, *The Future of the Race, op. cit.*, pp. 9 et 19 ; A. Hacker, *Two Nations, op. cit.*, p. 121. Hacker observe que, parmi les nouveaux emplois offerts entre 1970 et 1990, 41 % des postes de policiers, 19 % des emplois sportifs, 16 % des emplois bancaires étaient destinés à des Noirs (p. 130). Le nombre de professionnels noirs engagés dans l'armée américaine a été multiplié par cinq en l'espace de vingt ans et est passé de 4,1 % en 1973 à 21,9 % en 1993. Le nombre d'officiers noirs a progressé, dans la même période, de 1,2 % à 7 %. Voir *CQ Researcher*, 26 avril 1996, t. VI, n° 16, p. 366 (numéro spécial sur la « New Military Culture »).

cessé de diminuer pendant la même période – sans atteindre, il est vrai, la parité complète[1].

Si les programmes d'*affirmative action* ne créaient pas une classe moyenne noire – elle existait déjà –, ils accéléraient néanmoins son développement et son intégration au sein d'une société dominée par des Blancs. Le seul problème est que ces programmes ne touchaient pas les habitants les plus démunis des « villes centrales », les *inner-city ghettos*. Et c'est bien là-dessus que la critique de l'*affirmative action* est la plus pertinente[2]. Les mesures préférentielles, en effet, perpétuent la fracture sociale qui sépare la *black middle class* de l'*underclass*. Elles n'aident, au fond, que ceux qui ont le moins besoin d'aide : les Noirs les plus dynamiques et les mieux éduqués, ceux qui avaient déjà les moyens de s'en sortir et qui pouvaient espérer être traités à l'égal de leurs homologues blancs.

Au bilan, les dispositifs de préférence raciale ont eu des effets positifs, même s'ils n'ont pas aidé l'ensemble de la communauté noire. Paradoxalement, ils ont aussi été utiles à certains membres de la majorité blanche dont ils apaisaient la mauvaise conscience à peu de frais. Ceci est particulièrement vrai des politiques d'admission à l'université. Il est en effet plus facile de donner la préférence à quelques milliers de Noirs que d'investir massivement dans les ghettos pour y créer des emplois et surtout rénover des écoles qui sont,

---

1. Suzanne Model, « The Ethnic Niche and the Structure of Opportunity : Immigrants and Minorities in New York City », *in* Michael B. Katz (éd.), *The « Underclass » Debate*, Princeton, Princeton University Press, 1993, p. 182. En 1940, le salaire moyen d'un New-Yorkais noir, né au nord des États-Unis, représentait environ la moitié du salaire de son homologue blanc. En 1970, il était proche de 70 %. La « position sociale » des Noirs progressait plus vite encore. En 1940, 58 % des Noirs de la ville avaient un statut social moyen comparable à celui des Blancs. En 1980, 77 % des Noirs étaient dans la même position.

2. Trois universitaires noirs se sont exprimés contre l'*affirmative action* : Shelby Steele, *The Content of our Character*, New York, Harper Perennial, 1991 ; Th. Sowell, *Inside American Education*, *op. cit.*, et Glenn C. Loury, *One by One from the Inside Out*, New York, Free Press, 1995. William J. Wilson déplore son manque d'effet sur la population des ghettos. Voir son *Declining Significance of Race*, *op. cit.*, et *The Truly Disadvantaged : The Inner City, the Underclass and Public Policy*, Chicago, University of Chicago Press, 1988.

littéralement, en perdition. L'*affirmative action* n'existerait pas si les lycées des grandes villes remplissaient correctement leur rôle d'éducateur et de formateur de citoyens. Cet objectif raisonnable est malheureusement hors d'atteinte dans une société qui finance ses écoles publiques à partir de ressources et d'impôts *locaux* [1], et qui entreprend, depuis les élections législatives de 1994, le démantèlement progressif des acquis sociaux accordés aux groupes les plus défavorisés.

Vues sous cet angle, les politiques de préférence raciale apparaissent étonnamment conservatrices : elles ne menacent en rien la hiérarchie sociale ou la structure de classes, comme l'observe le philosophe Michael Walzer, et elles ont un effet pervers puisqu'elles violent les droits individuels de ceux qui n'ont pas bénéficié d'un emploi réservé ou d'une admission spéciale. Les mesures plus radicales proposées par Walzer impliqueraient une véritable redistribution des richesses nationales vers les grandes villes et les ghettos les plus pauvres. Elles seraient coûteuses, mais plus conformes à l'idéal d'un multiculturalisme républicain, égalitaire et ouvert au mérite de chacun. La création d'emplois dans les ghettos et l'amélioration du système scolaire permettraient aux plus démunis de disposer d'un « capital social » suffisant pour affirmer leur talent et réussir selon leur mérite. Il n'y aurait plus, dans cette hypothèse, de « victimes innocentes » de l'*affirmative action*.

C'est dire que le traitement préférentiel, tel qu'il existe aujourd'hui, ne résout pas les problèmes les plus pressants de la société américaine. Il ne porte pas atteinte aux intérêts de ceux qui s'opposent à toute réforme sociale et ne réalise pas, selon Walzer, la prophétie biblique selon laquelle les derniers seront les premiers. Il assure, au mieux, que les

---

1. En Californie, malgré un effort réel d'égalisation des ressources scolaires à l'échelle de l'État, les autorités publiques dépensaient en moyenne 8 000 dollars par élève dans les districts des banlieues riches et 3 000 dollars par élève dans les districts moins bien situés. Voir Harvey Kantor et Barbara Brenzel, « Urban Education and the "Truly Disadvantaged" », *in* M. B. Katz (éd.), *The « Underclass » Debate, op. cit.*, p. 387.

« derniers seront les avant-derniers ». Quant aux « victimes » des mesures préférentielles, elles risquent d'être à leur tour oubliées, car elles appartiennent elles aussi à des groupes faibles ou défavorisés : des « petits Blancs », ou des immigrés récents qui n'ont pas la chance d'être recensés sous l'étiquette de « Latinos »[1].

C'est pourtant au nom de ces « victimes » que le gouverneur de Californie incita en 1995 les régents des huit campus de l'université de Californie à mettre fin aux programmes d'*affirmative action*. Son objectif était d'abord politique : ce coup d'éclat accompagnait sa candidature (éphémère) à la présidence des États-Unis (voir chapitre 5). Mais il correspondait aussi à un fort courant d'opinion, défavorable depuis toujours aux politiques de traitement préférentiel. Les effets de la décision de l'université de Californie sont encore mal connus, mais les experts anticipent une diminution du nombre des admis noirs et hispaniques, une augmentation des admis d'origine asiatique et un nombre légèrement inférieur d'étudiants blancs d'origine européenne[2]. On sait déjà que le mérite ne sera pas, comme par le passé, le seul critère d'admission. La recherche de la « diversité », légitimée par la Cour suprême depuis l'arrêt *Bakke*, restera décisive pour l'admission d'au moins un quart des futurs étudiants[3].

L'adoption par référendum du *California Civil Rights Initiative*, en novembre 1996, entraînera-t-elle la suppres-

---

1. Michael Walzer, *Spheres of Justice*, New York, Basic Books, 1983, p. 154. D'où le ressentiment des « perdants » au jeu de la préférence raciale, bien décrit par A. Hacker dans *Two Nations*, *op. cit.*, p. 131.

2. La décision d'abolir l'*affirmative action* a été prise par le *Board of Regents* de l'université de Californie, le 20 juillet 1995, par un vote de 14 voix pour et 10 contre. A ce jour, 3,9 % des 162 300 étudiants des huit campus de l'université de Californie sont noirs, 24,8 % asiatiques et 11,8 % hispaniques. L'abolition de l'*affirmative action* réduirait le nombre des étudiants noirs de 40 à 50 %, et celui des Hispaniques de 5 à 15 %. Voir Kit Lively, « A Jolt from Sacramento. Governor Wilson asks the state's colleges to end affirmative action », *Chronicle of Higher Education*, 9 juin 1995, p. A28 ; Peter Schrag, « Regents' Exam », *New Republic*, 14 août 1995, pp. 11-12.

3. La « diversité » redéfinie par les autorités de l'université de Californie est désormais purgée de toute référence à « la race, au sexe et à l'ethnicité ». Mais elle

sion de tous les programmes d'*affirmative action*[1] ? Rien n'est moins sûr. L'habitude du traitement préférentiel est tellement générale, tellement ancrée dans les mœurs qu'elle est aujourd'hui défendue par de grandes entreprises privées comme Bechtel ou Levi-Strauss. Toute suppression intempestive des acquis sociaux créés par l'*affirmative action* susciterait l'accusation difficilement soutenable de la « reségrégation forcée ». Ce qui est plus probable, dans un avenir proche, c'est un aménagement des politiques de traitement préférentiel, mieux délimitées quant à leur objet et au nombre de leurs bénéficiaires, grâce à l'adoption de procédures rigoureuses, imposées par le législateur ou, à défaut, des juges fédéraux[2]. Reste à résoudre certains effets pervers dont le plus grave est la surenchère ethnique, c'est-à-dire l'allon-

---

doit « refléter la diversité de la population de la Californie » et tenir compte de facteurs favorables à l'admission tels que des origines sociales modestes ou des « désavantages de nature économique, familiale ou sociale ». La classe sociale et le dysfonctionnement familial servent donc de substituts à la « race ». Voir « Diversity at UCLA », *Alum News*, t. VIII, n° 2, 1995, art. non signé. À Stanford, les procédures d'admission sont moins transparentes, mais certains groupes « minoritaires » noirs, amérindiens et mexicains-américains bénéficient d'une « certaine préférence par rapport aux candidats blancs » grâce à l'utilisation d'une définition « large » du mérite, qui ne repose pas exclusivement sur les scores standardisés de tests comme le SAT. En 1996, 7,8 % des admis en première année (sur un total de 1 610) étaient des Noirs, 9,1 % des Hispaniques, 1,5 % des Amérindiens et 22,9 % des Asiatiques. L'université Stanford est privée ; ses administrateurs n'ont donc pas l'obligation de respecter les décisions de l'État de Californie et le président Casper entend bien maintenir les programmes d'*affirmative action* conformément à la jurisprudence de l'arrêt *Bakke*. Voir B. Cohn, « Who Gets In ? », art. cité, pp. 65-66.

1. Le référendum (*Proposition 209*) a été adopté en novembre 1996 par 54 % de oui contre 46 % de non. Il interdit à l'État de Californie de « discriminer ou encore d'accorder un traitement préférentiel à un individu ou à un groupe, à partir des critères de la race, du sexe, de la couleur, de l'ethnicité ou de la nation d'origine ». Voir Sam Verhovek, « Vote in California is Motivating Foes of Anti-Bias Plans », *New York Times*, 10 novembre 1996.

2. Comme l'écrit l'auteur de la décision majoritaire dans l'arrêt *Adarand*, le juge O'Connor, les catégorisations raciales utilisées pour justifier le traitement préférentiel doivent être soumises à la plus « stricte évaluation » des tribunaux. Parce qu'elles violent le principe de l'égalité des citoyens, elles ne peuvent être utilisées qu'à bon escient, dans des circonstances exceptionnelles et s'il y a « un intérêt irrésistible de l'État ». Par ailleurs, les mesures préférentielles doivent être « étroitement adaptées » à leur objet. Tout le raisonnement du juge est fondé sur ce constat capital : « [L]a fâcheuse persistance de la pratique et des effets prolongés de la discrimination raciale sur les groupes minoritaires de ce pays est une réalité déplaisante, et rien

gement discutable et désordonné de la liste des victimes présumées de discriminations passées[1].

◆

Les défenseurs de l'*affirmative action*, on l'a vu, confondent l'« égalité des chances » avec l'« égalité des résultats », les performances des groupes avec celles des individus. Plus grave, en prônant la nécessité de « compenser » les discriminations, ils accordent des droits spéciaux ou des passe-droits à certaines catégories de citoyens. Ils violent donc les principes fondamentaux d'un État théoriquement aveugle aux différences de couleur, et le texte d'une loi qui excluait spécifiquement la préférence raciale (le *Civil Rights Act* de 1964)[2]. Ils portent ainsi atteinte à l'un des éléments clés du rêve américain : le recrutement et l'avancement au mérite dans les universités, les administrations publiques et les entreprises. Ils créent, par ailleurs, une nouvelle classe de victimes, celles qui, à mérite égal (et bien souvent à mérite supérieur), ne bénéficient pas du traitement préférentiel

n'interdit à l'État [*government*] d'intervenir pour y remédier » (*Adarand v. Pena, United States Law Week*, t. LXIII, n° 47, 13 juin 1995, p. 4533).

1. Faut-il qu'un étudiant nommé Garcia, de père espagnol, né à Madrid, et de mère WASP, née aux États-Unis, bénéficie, selon sa propre admission, du traitement préférentiel à l'université publique de son État de résidence ? (Entretien personnel avec l'auteur, Breckenridge, Colorado, décembre 1993). Faudra-t-il préférer, s'interroge Peter Schrag, le fils d'un riche médecin noir, le fils d'un couple mixte hispano-juif, ou le fils d'un immigrant argentin au fils d'un ouvrier mineur né dans une famille blanche pauvre des Appalaches ? Est-il logique, enfin, que 75 % des immigrants admis aux États-Unis depuis 1965 bénéficient du même traitement préférentiel que des Noirs qui ont subi des siècles d'esclavage et de discrimination ? (Peter Schrag, « So You Want to be Color-Blind », *American Prospect*, été 1995, p. 41).

2. La sous-section 703(j) du « Titre VII » du *Civil Rights Act* précise ainsi que : « Nothing contained in this title shall be interpreted to require any employer [...] to grant preferential treatment to any individual or group on account of an imbalance which may exist with respect to the total number or percentage of persons of any race [...] employed by any employer [...] in comparison with the total number or percentage of persons of such race [...] in any community [...] or in the available workforce in any communaity » (cité dans J. Skrentny, *The Ironies of Affirmative Action, op. cit.*, p. 121).

parce qu'elles n'appartiennent pas à la « bonne race » : certains Blancs et surtout de nombreux Asiatiques, victimes de quotas restrictifs explicites ou implicites, exactement comme les étudiants juifs des années 1920-1960. Pourquoi devrait-on limiter le nombre des étudiants asiatiques à 20 ou à 25 % du corps étudiant des meilleures universités s'ils sont deux fois plus nombreux à mériter l'admission ? Le talent, comme l'expliquait Frederick Douglass au lendemain de la guerre de Sécession, ne se mesure pas en seuils de population arbitrairement définis.

Faut-il pour autant exclure tout traitement préférentiel ? Je ne le crois pas davantage. Le problème noir aux États-Unis est trop ancien et trop douloureux pour que rien ne soit fait en faveur d'une collectivité que la majorité des Américains traita trop longtemps en esclaves, puis en citoyens de deuxième classe. La conception républicaine du multiculturalisme est suffisamment flexible pour permettre une exception à la règle de l'égalité civile et au principe de méritocratie[1]. Mais à condition que cette exception soit clairement conçue comme telle et ne vise que la communauté qui cumula pendant trois siècles tous les désavantages : les Africains-Américains.

Qui dit « exception » ne dit pas suppression des frontières entre ce qui est tolérable et ce qui ne l'est pas, mais déplacement provisoire d'une ligne de démarcation. Ce qui n'est pas tolérable, dans un régime de tolérance religieuse et d'égalité républicaine, c'est la multiplication incontrôlée des exceptions et son principal effet pervers, la surenchère ethnique. Qui bénéficie ainsi des politiques de traitement préférentiel ? D'abord les Noirs, puis les Chicanos, puis les

---

1. Ce ne serait d'ailleurs pas la première ni la seule exception. Les anciens combattants, depuis la guerre de Sécession, ont toujours bénéficié de préférences à l'emploi, de retraites exceptionnelles et, depuis 1945, d'un accès privilégié aux universités. Mais c'est le type même de l'exception temporaire, bien définie et justifiée par des considérations de morale républicaine. Voir J. Skrentny, *ibid.*, pp. 36-63, et, plus généralement, Theda Skocpol, *Protecting Soldiers and Mothers*, Cambridge (Mass.), Harvard University Press, 1992.

Philippins, puis les nouveaux immigrés hispaniques (qui n'ont jamais subi de discrimination durable aux États-Unis), puis les Vietnamiens... Mais pas les Américains d'origine japonaise (pourtant dépossédés de leurs biens et parqués dans des camps de prisonniers lors de la Seconde Guerre mondiale), ni les Coréens, ni les Bengalis, pourtant eux aussi victimes de la pauvreté du tiers-monde, au même titre qu'un immigrant salvadorien, haïtien ou mexicain.

À vouloir généraliser les exceptions au gré des circonstances, des modes et des pressions politiques, les partisans d'un multiculturalisme sans frontières affaiblissent la cause même qu'ils défendent. Ils « essentialisent » les races et les ethnies et font ainsi durer indéfiniment ce qu'ils souhaitent, par ailleurs, faire disparaître. Admettons, comme je le propose, qu'une exception soit faite pour les Africains-Américains. Cette exception n'est justifiable que si elle est délimitée dans le temps, l'espace de deux générations, peut-être, et à condition de ne favoriser que ceux qui ont besoin d'une aide : des Noirs qui ne sont pas issus des nouvelles classes moyennes et qui ne sont pas préférés pour la seule couleur de leur peau, c'est-à-dire des individus qui ont déjà fait preuve d'un certain talent (peu importe si celui-ci est d'abord artistique, social, sportif ou intellectuel). La mesure du talent ne nécessite pas l'utilisation de tests standardisés dont les défauts ne sont plus à démontrer, mais elle présuppose un système d'enseignement primaire et secondaire qui fonctionne suffisamment bien pour révéler le talent ou le mérite potentiel. Ainsi conçue, l'*affirmative action* est inséparable d'une réforme du système d'enseignement public des quartiers les plus pauvres.

Penser l'exception, délimiter ses contours, préciser ses limites temporelles, telle est la tâche difficile des avocats d'un multiculturalisme maîtrisé et républicanisé. Ce qui revient à dire que la qualité d'un régime de tolérance se juge à ses limites. Comprendre la tolérance, c'est aussi comprendre ce qui ne peut pas être toléré et concevoir clairement ce qui n'est qu'exceptionnellement tolérable. C'est à ce prix que les deux grandes survivances de la « nation ethnique » américaine – l'arithmétique raciale et le traitement préférentiel – seront enfin subordonnées aux exigences d'une nation authentiquement civique.

Épilogue

L'histoire de l'identité américaine, telle que je l'ai retracée dans cet ouvrage, est l'histoire d'une tension continuelle entre les dimensions civiques et ethniques de la nation, entre un contractualisme politique hérité des Lumières et la recherche, en partie mythique, d'une communauté organique dont l'âme serait « anglo-saxonne ». Dans ce contexte, la nation américaine ne peut pas être définie comme une nation civique « à la française ». Ce n'est pas non plus une nation ethnique « à l'allemande », fondée sur la conjonction naturelle d'une race, d'une culture et d'une langue, pour reprendre les termes d'un vieux débat franco-allemand[1]. C'est plutôt une nation « ethno-civique » dont les élites politiques privilégièrent tantôt l'uniformité culturelle sur un modèle anglo-saxon, tantôt le pluralisme culturel à partir d'un modèle de « société plurielle » ébauché dès le XVIIᵉ siècle par les défenseurs de la tolérance religieuse. C'est aussi, et cela est souvent mal compris en France, une nation qui tolère la double allégeance. Un Américain est rarement un Américain tout court : c'est un Irlandais, un Italien, un Juif, un Polonais... qui reste attaché à son groupe ethnique et le

---

1. Fustel de Coulanges, « L'Alsace est-elle allemande ou française ? Réponse à M. Mommsen » [1870], *in* François Hartog, *Le XIXᵉ siècle et l'histoire. Le cas Fustel de Coulanges*, Paris, PUF, 1988, pp. 376-382.

proclame bien haut, sans pour autant remettre en cause son allégeance politique à la nation américaine.

La double allégeance est donc pleinement compatible avec le civisme, même si elle crée des dissonances et mobilise parfois trop bruyamment les voix des lobbies ethniques. Mais l'histoire des États-Unis nous enseigne que cette double allégeance n'est pas toujours bien acceptée : certaines élites anglo-saxonnes souhaitèrent faire disparaître le fameux trait d'union des *Hyphenated-Americans* (Américains à trait d'union), dans l'espoir de créer un peuple homogène, une nouvelle « race » d'Américains. D'autres élites, au contraire, défendirent des positions séparatistes : les mormons, les partisans noirs de Marcus Garvey, les adhérents du Black Panther Party... refusèrent, du moins pour un temps, de reconnaître la légitimité d'une nation qui n'était pas « la leur ».

Or, cette nation ne fut pas toujours inclusive. Les privilèges de la citoyenneté ne furent accordés aux Noirs qu'à la fin des années 1860 et les « nouveaux immigrants » furent souvent privés des droits fondamentaux dont bénéficiaient les Américains de souche. La nation américaine, j'en faisais l'hypothèse dès le début du livre, était civique par inclusion et ethnique par exclusion. Elle était civique lorsqu'elle accordait aux étrangers les mêmes droits politiques qu'aux Américains de souche. Elle était ethnique lorsqu'elle traitait certaines communautés d'immigrés comme des groupes à part, auxquels elle refusait bien souvent la citoyenneté sous le prétexte qu'ils étaient « inassimilables ». Cependant, à l'échelle de trois ou quatre siècles, l'histoire de l'immigration américaine est une histoire optimiste : tôt ou tard, les plus inassimilables des étrangers – les Allemands de Pennsylvanie, les catholiques irlandais, les Chinois de la côte Ouest, les Juifs et les « Slavo-Latins » – finirent par s'intégrer dans la nation citoyenne, malgré les pressions xénophobes des nativistes...

Mais il y a une ombre à ce tableau : les « immigrés involontaires » d'origine africaine eurent le plus grand mal à rejoindre le cercle enchanté du « nous » fondateur affirmé dès le préambule de la Constitution fédérale de 1787[1]. Ils ne commencèrent à disposer des droits les plus essentiels – droit de vote, déségrégation des écoles et des lieux publics, accès à l'emploi sans discrimination – qu'à la fin des années 1960. Ils n'étaient donc pas des Américains comme les autres, et c'est bien cette différence radicale entre les Noirs et les autres immigrés qui justifia le déploiement des politiques de traitement préférentiel.

De tous les présidents américains, Abraham Lincoln est sans doute le premier qui lia le sort des immigrés européens à celui des Noirs, en invoquant l'universalité du principe d'égalité énoncé dès 1776 par la Déclaration d'indépendance. Fallait-il, se demandait Lincoln, élargir le cercle du « nous » en y intégrant ces nouveaux Irlandais que les nativistes avaient cherché à exclure parce qu'ils ne partageaient pas les idées religieuses de la majorité des Américains de souche ? Oui, sans aucun doute, répondait-il dans une lettre à son ami Joshua Speed, car comment serait-il possible de « détester l'oppression des Noirs » tout en approuvant le « mauvais traitement d'une classe de la population blanche » ? L'Amérique, ajoutait Lincoln, serait à désespérer s'il fallait exclure de la citoyenneté les Noirs, puis les Irlandais, puis les nouveaux étrangers... Il ne resterait plus, dans ces conditions, qu'à émigrer en Russie « où le despotisme existe sous sa forme la plus pure » et où personne ne prétend aimer la liberté. Là, au moins, il serait possible de vivre sans hypocrisie. Exclure l'étranger sous prétexte qu'il est inassimilable, comme le prétendaient les *Know-nothing*

---

1. « Nous, Peuple des États-Unis [*We the People of the United States*], en vue de former une Union plus parfaite, d'établir la Justice, de faire régner la Paix intérieure, de pourvoir à la Défense commune, de développer le Bien-être général et d'assurer les bienfaits de la liberté à nous-mêmes et à notre postérité, nous décrétons et établissons cette Constitution pour les États-Unis d'Amérique. »

du début du siècle, ce serait, concluait Lincoln, trahir l'idéal fondateur de la nation et s'engager sur la voie de la « dégénérescence [1] ».

Lincoln était manifestement en avance sur son époque, car ni les Noirs « libérés », ni les nouveaux immigrants débarqués au lendemain de la guerre de Sécession ne furent particulièrement bien traités ou accueillis. D'abord, parce que les sudistes réussirent à déposséder les nouveaux citoyens noirs de leurs droits les plus élémentaires. Ensuite, parce qu'une nouvelle génération de nativistes inspirés par la science de l'époque réussit à imposer de nouveaux critères de classification raciale. Les innombrables brimades visant les Asiatiques, l'examen de lecture imposé aux nouveaux immigrants, les tests d'intelligence biaisés en faveur des Américains de souche, les lois d'immigration restrictionnistes des années 1920... : tout était fait pour préserver l'avantage démographique de la composante anglo-saxonne du peuple américain. Le souci d'homogénéité ethnoraciale primait sur les droits des individus et la promesse d'une plus grande diversité culturelle. Le melting-pot, dans cette perspective, perdait le sens que lui avait donné Zangwill ; il n'était plus destiné qu'à mélanger des Nordiques avec d'autres Nordiques pour la plus grande gloire des créateurs de l'« anglo-saxonnie ».

Il faudra attendre la Seconde Guerre mondiale, et surtout le vote de la loi d'immigration de 1965 et des lois sur les droits civiques de 1964 et de 1965, pour que la promesse égalitaire énoncée dans la Déclaration d'indépendance l'emporte enfin sur les conceptions ethnoraciales de la nation et de l'immigration. Désormais, tous les citoyens étaient égaux devant la loi, chaque peuple étranger avait droit au même quota d'entrée et chaque individu pouvait prétendre à l'impartialité de l'État. La loi était, une fois pour toutes,

---

1. A. Lincoln, lettre à Joshua Speed, 24 août 1855, cité dans Tyler Anbinder, *Nativism and Slavery*, New York, Oxford University Press, 1992, p. 300.

color-blind, aveugle aux questions de couleur. Mais la pression des communautés ethniques, à commencer par les militants du *black power*, introduisit une nouvelle conception raciale de la nation. Il fallait compter les races pour mesurer leur influence et apprécier la nature des discriminations passées. L'ethnique l'emportait à nouveau sur le politique avec, il est vrai, les meilleures intentions du monde. La « nation régénérée » exigeait la réhabilitation des catégories raciales que le mouvement des droits civiques avait voulu faire disparaître. À l'individualisme libéral des Fondateurs succédait l'illibéralisme des partisans d'un multiculturalisme intégral ; aux partisans du melting-pot succédaient les avocats du pluralisme culturel ; aux champions d'une méritocratie fondée sur l'égalité des chances succédaient les défenseurs du traitement préférentiel et de l'égalité des résultats.

La tolérance religieuse dont j'ai tracé l'évolution du XVIIᵉ siècle à nos jours donnait une solution politique à la fragmentation ethnique d'une Amérique peuplée de colons anglais, irlandais, hollandais, allemands et français. Elle fondait le principe d'« État impartial » en postulant la séparation de l'Église et de l'État, en facilitant la multiplication des sectes et des Églises et en refusant le financement public des écoles libres. La « tolérance différentialiste » défendue depuis les années 1980 par les partisans d'une Amérique multiculturelle n'a rien de commun, malgré son nom, avec le régime de tolérance patiemment élaboré par les élites politiques du pays, car elle viole sciemment les principes d'égalité civile et d'impartialité de l'État. Il ne s'agit plus, en l'occurrence, de donner des droits égaux à chaque individu ou à chaque groupe reconnu, mais au contraire d'institutionnaliser l'inégalité entre groupes dans l'espoir de susciter, à terme, une égalité réelle entre une majorité « privilégiée » et des minorités « défavorisées ». Il faut, dit-on, *préférer* certaines « races » à d'autres pour effacer les stigmates du passé ; il faut, en particulier, avantager les

Noirs et les Hispaniques pour leur permettre d'atteindre le niveau des Blancs à l'université et dans les entreprises...

L'instauration d'un système de « préférence multiculturelle » est donc incompatible avec le principe de tolérance et son corollaire politique, l'égalité des citoyens dans un État de droit qui serait, de surcroît, aveugle aux questions de couleur (*color-blind*). Mais on peut concevoir cette préférence comme une exception au principe de tolérance, ainsi que je l'ai proposé dans le dernier chapitre de cet ouvrage. Une telle exception est légitime, car la frontière entre le tolérable et l'intolérable, le négociable et le non-négociable n'est jamais complètement close pour peu que l'exception à la règle (de l'égalité civile, par exemple) soit précisément définie et justifiée, et à condition, surtout, qu'elle n'échappe pas au débat public et à la délibération des élus. Or, ce débat et cette délibération font aujourd'hui défaut aux États-Unis, à tel point que les politiques de traitement préférentiel – si en vogue dans les années 1980 et si contestées aujourd'hui – se sont développées sans jamais avoir reçu l'assentiment du Congrès. Les grandes décisions concernant l'élaboration des politiques d'*affirmative action* étaient prises par des bureaucrates ou des juges nommés par les autorités fédérales, en lieu et place d'un Parlement incapable de résoudre les grandes controverses de la cité.

Partant de ces décisions et des controverses juridiques évoquées dans le dernier chapitre, on peut relever trois conceptions distinctes du civisme américain : une conception « classique », une conception « multiculturelle » et une conception « pluraliste ». La première est vigoureusement défendue par une minorité des juges de la Cour suprême. Elle insiste sur les droits individuels, l'égalité civile, la croyance aux vertus du « rêve américain », accessible à chacun selon son mérite et ses capacités. Elle n'exclut pas la double allégeance, mais elle postule l'existence d'une identité nationale forte, le succès du melting-pot et l'indifférence du pouvoir politique à la « couleur » des citoyens. Parce qu'elle décrète le primat du civisme républicain sur la diversité ethnique, et parce qu'elle exclut les débats ethniques de la sphère de la vie publique, elle rappelle, sans lui être identique, la conception classique d'une nation civique « à la française ».

La deuxième conception est celle d'un civisme multiculturel qui pose la primauté de l'ethnique sur le civique et privilégie les droits des groupes par rapport à ceux des individus. La société, suivant cette conception, est divisée en classes inégales dont l'une, la « classe des Africains-Américains », ne serait en fait que la survivance d'une caste d'anciens esclaves, théoriquement libérés au lendemain de la guerre de Sécession, mais rapidement dépossédés de leurs droits civiques et sociaux. D'où la nécessité d'une justice réparatrice et distributive, même s'il faut bien admettre que l'*affirmative action* est toujours injuste à l'égard des exclus du système de la préférence raciale, ceux qu'on qualifie pudiquement de « victimes innocentes ». Mais le traitement préférentiel est incontournable : c'est le seul moyen de réduire l'écart entre les descendants des anciens maîtres et ceux des anciens esclaves, entre les *Anglos* et les Hispaniques et tous les groupes qui furent injustement colonisés ou exploités. Sans mesures correctives, la fonction publique, les professions libérales, les entreprises, les campus universitaires redeviendraient des espaces de ségrégation et les communautés noires et hispaniques seraient réduites à la position peu enviable de minorités invisibles, parquées dans les sites destructeurs des *inner-city ghettos*. Plus généralement, les partisans d'un multiculturalisme radical défendent avec vigueur le droit à la différence de toutes les minorités ethniques, sexuelles, linguistiques, handicapées... au nom d'une conception éclatée de la nation qui ne constituerait plus qu'un agrégat de solidarités particularisantes. La politique se réduirait donc à des revendications de groupes, et la recherche du bien commun ne serait qu'un mythe oppressif inventé par des éducateurs et des dirigeants politiques en quête d'homogénéité sociale. La survie du groupe, dans cette perspective, peut légitimer des revendications séparatistes [1].

La troisième conception, celle d'un multiculturalisme modéré, est l'héritière de la tradition pluraliste inaugurée par Horace Kallen dans les années 1920. Elle implique l'existence d'un principe de diversité, reflétant l'image même d'une Amérique « dissonante », parce que divisée dès l'origine selon des clivages religieux, ethniques et culturels. Ici, la représentation politique des citoyens ne peut être fondée sur le seul principe d'égalité. L'égalité formelle des citoyens, légitimée par le 14e amendement, cache une réalité moins noble : des inégalités raciales, anciennes et persistantes, qu'il convient de corriger dans un souci d'équité. Mais il y a des limites à la diversité légitime, comme il y a des limites au principe de tolérance. La catégorisation ethnique est nécessaire pour mesurer le poids des discriminations passées, mais elle n'est pas suffisante pour justifier le traitement préférentiel : il faut que la discrimination soit patente et que le remède soit précisément défini pour une période limitée. En matière d'accès à l'université, la catégorisation ethnique n'est jamais suffisante en soi. Elle ne constitue, au mieux, que *l'un* des éléments d'une recherche de la diversité, au même titre que l'origine sociale, l'origine géographique ou la manifestation d'un talent exceptionnel dans certains domaines extrascolaires. La « diversité » exclut donc le séparatisme ou l'ethnicisation intégrale des rapports sociaux.

Le maintien officiel d'une « arithmétique raciale », la surenchère ethnique, le relativisme culturel, la multiplication désordonnée des exceptions, tels sont les principaux

---

1. Ce point de vue est particulièrement bien illustré et défendu par I. M. Young, *Justice and the Politics of Difference*, Princeton, Princeton University Press, 1990, pp. 179-180. Voir aussi Charles Taylor, *Multiculturalism* [1992] (édité et introduit par Amy Gutmann avec les commentaires de K. Anthony Appiah, Jürgen Habermas, Steven C. Rockefeller, Michael Walzer et Susan Wolf), 2e éd. refondue, Princeton, Princeton University Press, 1994.

obstacles au bon fonctionnement d'un régime de tolérance et de son corollaire politique, l'égalité civile. Ces obstacles ne sont pas surmontés aujourd'hui. Ils touchent à la nature même de la société américaine, au contenu du melting-pot, au désir sans cesse réaffirmé, mais toujours contesté, d'intégrer d'autres races, d'autres ethnies et d'autres étrangers... Les États-Unis incarnent donc bien une nation d'un genre nouveau : un *E pluribus unum*, une « nation plurielle », ni complètement civique ni complètement ethnique, mais les deux à la fois. C'est bien ce qui constitue la singularité et l'apparente faiblesse de ce pays. Côté ethnique, les politiques d'*affirmative action* sont là pour rappeler que l'individu abstrait inventé par les Pères fondateurs peut encore garder les stigmates d'une vieille infériorité raciale. Côté civique, le « citoyen », la plus glorieuse manifestation de l'individu abstrait pensé et voulu par les Fondateurs, garde toujours une place de choix dans le système politique américain. Son importance est attestée par la mise en place, à partir de 1915, d'un imposant cérémonial de naturalisation – la cérémonie publique du serment – destiné à marquer, de la façon la plus solennelle possible, l'entrée des étrangers dans la sphère de la citoyenneté.

Une fuite en avant : l'Amérique « post-ethnique »

Face à ces conceptions concurrentes de la nation, on comprend que des historiens et des philosophes aient voulu penser l'au-delà de la nation en appelant de leurs vœux la réalisation d'une Amérique « post-ethnique », dans l'espoir sans doute de conjurer les effets pervers des politiques de la diversité, et l'irrésistible racialisation des rapports humains [1].

1. David A. Hollinger est le meilleur représentant de cette école de pensée. Voir son *Postethnic America. Beyond Multiculturalism*, New York, Basic Books, 1995, pp. 116-129.

L'Amérique « post-ethnique », telle que la conçoivent ses défenseurs, n'ignore pas les revendications exprimées par certains groupes minoritaires, mais elle prône la « mise en sourdine » des faits ethniques et la « désescalade » des politiques de préférence raciale. Ainsi, on ne saurait prétendre que toutes les cultures sont égales et contribuent de la même façon à la construction de la nation. Il y a des limites à ne pas franchir dans la reconstruction multiculturelle de l'identité du pays : la Confédération des Iroquois, comme l'ont noté plusieurs historiens américains, fut sans nul doute une merveilleuse invention politique, mais il est absurde d'affirmer, comme le revendiquent certains partisans du multiculturalisme intégral, que les Iroquois sont les vrais inventeurs du fédéralisme américain. Le fédéralisme, tel que l'ont pensé les fondateurs de la République américaine, était une construction originale dont la seule source d'inspiration était les modèles de confédérations européennes et une abondante littérature classique gréco-romaine, enrichie par l'apport de penseurs « modernes » comme Milton, Harrington et Montesquieu. Le danger, lorsque l'histoire est ainsi réécrite, n'est pas la référence à un passé ethnique, mais l'hyper-ethnicité, une tendance fâcheuse à confondre la recherche de la vérité avec des mesures symboliques destinées à redorer le blason ou l'amour-propre des communautés d'appartenance.

La conception post-ethnique de la nation ne tue pas l'ethnique, elle le tempère en traitant les faits ethniques comme des faits religieux : des objets de foi et de passion relevant de la seule sphère privée des citoyens. L'État post-ethnique se construirait donc sur la privatisation des cultures ethniques et la réhabilitation d'une culture publique nationale qui serait, une fois pour toutes, purgée du préjugé racial et des survivances du darwinisme social.

Mais en cherchant à dissocier radicalement les dimensions civiques et ethniques de l'identité américaine, les penseurs de l'Amérique post-ethnique commettent une erreur historique. Ils oublient que le citoyen américain n'aspire pas en général, à moins d'y être forcé, à devenir un Américain « à cent pour cent ». Il reste un « ethnique », c'est-à-dire qu'il a souvent conscience de ses origines nationales, religieuses ou culturelles. Ou plutôt, il dispose d'un choix : il peut affirmer une ou plusieurs identités ethniques ; il peut changer d'identité (il est très facile de changer son nom aux États-Unis) ; il peut aussi quitter son groupe d'appartenance, effacer le trait d'union qui faisait de lui un Italo-Américain ou un Juif-Américain et devenir un Américain tout court. La tolérance interdit l'enfermement ethnoculturel.

Une singularité américaine : la double allégeance

Le fait est que les solidarités particularisantes des ethnies pèsent aux États-Unis et qu'elles servent, bien souvent, de support à la citoyenneté. C'est pourquoi la tradition civique américaine n'est jamais complètement désincarnée. Sa grande originalité est son syncrétisme : une extraordinaire capacité à réconcilier l'universalisme abstrait de la règle de droit avec des manifestations vigoureuses et souvent provocantes des appartenances ethniques. L'assimilation, quand elle n'est pas forcée comme dans les années 1920, n'exclut jamais la célébration ethnique et cette dernière a souvent des formes typiquement américaines défiant les traditions les mieux ancrées des « vieux pays » d'origine. Dans quel autre pays au monde, en effet, se risquerait-on à faire ce que font chaque année les édiles de Chicago le jour de la Saint-Patrick : colorer en vert les eaux boueuses de la rivière de la ville pour honorer la « mère patrie » de la plus influente des communautés ethniques de la ville ?

Les commémorations ethniques sont nombreuses et variées. Elles ont lieu dans les écoles, sur les terrains de football (américain) le jour de la fête de l'Indépendance nationale, le 4 juillet, mais aussi le jour du *Chinese New*

Year pour les Asiatiques, le *Cinco de Mayo* pour les Mexicains-Américains[1], *Columbus Day* pour les Italo-Américains, *Martin Luther King Day* pour les Noirs, etc. Les États-Unis, en dehors des périodes de guerre, sont le pays de l'exubérance ethnique : on y affiche son origine par fierté, par défiance aussi, comme pour dire : « Je ne suis pas seulement un Américain... J'ai des racines et je veux qu'on le sache. » C'est aussi le pays par excellence des lobbies et du vote ethniques, à tel point que l'un des meilleurs connaisseurs de la ville de New York prétendait récemment n'avoir besoin que de six mots pour expliquer l'évolution de la vie politique municipale : « catholiques ou Irlandais », « Italiens », « Juifs », « Noirs » et « Portoricains[2] ».

L'expression d'une double allégeance, politique ou culturelle, est fréquente aux États-Unis. Elle ne traduit pas une faute de goût ni un manque de loyauté à l'égard du pays d'accueil, mais plutôt une bonne compréhension du « principe de tolérance » déjà analysé dans cet ouvrage. J'en donnerai trois exemples, empruntés aux immigrés d'origine allemande, irlandaise et italienne. Chacun de ces groupes a su réinterpréter sa culture d'origine pour justifier, à sa manière, *sa différence,* tout en la rendant compatible avec la culture dominante du pays.

Carl Schurz – le grand pionnier allemand débarqué aux États-Unis en 1848, héros de la guerre de Sécession, ancien ambassadeur et ancien ministre du président Rutherford B. Hayes – exprima sans honte ni gêne sa conception particulière de la double allégeance dans un discours solennellement prononcé en allemand à la Foire internationale de Chicago en 1893 : « L'Allemand-Américain, déclara-t-il, pourra faire de grandes choses pour contribuer au dévelop-

---

1. Le *Cinco de Mayo* est le jour anniversaire de la bataille de Puebla, la première grande victoire militaire du Mexique indépendant sur le corps expéditionnaire français, le 5 mai 1862.
2. John Hull Mollenkopf, *A Phoenix in the Ashes. The Rise and Fall of the Koch Coalition in New York City Politics*, Princeton, Princeton University Press, 1992, p. 81.

pement de la grande nation hybride du Nouveau Monde, s'il apprend à mettre ses paroles en actes et à mêler ce qu'il y a de meilleur dans le caractère allemand avec ce qu'il y a de meilleur dans [le caractère] américain [1]. » Le Germano-Américain était donc un hyper-Américain, le nouvel homme qui devait surpasser tous les Américains de souche grâce au maintien d'une authentique germanité enrichie par l'apport de vertus yankees.

La double allégeance imaginée par les immigrés irlandais était d'une autre nature. Il leur fallait en effet contrer les préjugés des vieux Américains qui, on l'a vu, avaient peu de sympathie pour ces paysans pauvres, mal éduqués et, de surcroît, catholiques, c'est-à-dire soumis à l'autorité d'un pape acquis à la cause infamante de la contre-révolution. Les Irlandais utilisèrent donc, à bon escient, le seul thème qui pouvait les rapprocher des élites anglo-saxonnes : la haine de l'Angleterre et, surtout, un amour immodéré du républicanisme. En s'affichant plus républicains encore que les vrais patriotes américains, les Irlandais pouvaient défendre deux loyautés : l'une à l'égard de la cause de l'indépendance irlandaise, l'autre vis-à-vis des États-Unis dont l'histoire politique était un exemple à imiter. Le nationalisme irlandais était donc pleinement compatible avec le patriotisme yankee. Un tel syncrétisme, une telle confusion des genres entre le patriotisme américain et le nationalisme irlandais existe encore aujourd'hui lorsque, le jour même de la Saint-Patrick, des sénateurs d'origine irlandaise, comme Edward Kennedy et Daniel Patrick Moynihan, prennent publiquement position sur la situation de l'Irlande du Nord et dénoncent en des termes peu diplomatiques l'intransigeance du gouvernement britannique [2]...

1. Cité dans Arthur Mann, *The One and the Many. Reflections on the American Identity*, Chicago, Chicago University Press, 1979, p. 136.
2. Kathleen Neils Conzen, David A. Gerber, Ewa Morawska, George Pozzetta et Rudolph Vecoli, « The Invention of Ethnicity : A Perspective from the U.S.A. », *Journal of American Ethnic History*, n° 1, 1992, pp. 20-21. ; Adrian Guelke, « The

Cinq millions d'Italiens émigrèrent aux États-Unis entre 1876 et 1930. Ils surent se réapproprier une icône, Christophe Colomb, qui avait d'abord servi à célébrer le patriotisme yankee. Colomb féminisé (Columbia) incarnait en effet la Liberté et servait de contrepoint utile à l'image féminine de l'ennemi héréditaire, Britannia. Un nouveau genre littéraire d'inspiration romantique, la « colombiade », servait à décrire l'avenir d'un monde transformé par les libertés américaines. Des hymnes à Colomb étaient popularisés dès la fin du XVIIIᵉ siècle. Comme les Irlandais arrivés une ou deux générations avant eux, les immigrés italiens étaient en butte aux vexations des vieux Américains de souche : ils étaient latins et catholiques, et, de surcroît, leur pays d'origine venait d'être unifié en 1861 par un monarque, Victor-Emmanuel II. Il leur fallait donc un héros américain, acceptable aux yeux des élites politiques du pays. Christophe Colomb fit l'affaire : il était le nouvel Hercule américain, le meilleur symbole du lien entre l'Ancien et le Nouveau Monde, l'équivalent catholique d'un père fondateur, le génial explorateur et même un grand savant qui avait su démontrer, empiriquement, que la Terre était ronde. L'habitude fut donc prise, dans les villes de forte immigration italienne, d'organiser de grandes parades urbaines, le « jour de Colomb », le 12 (ou le 21) octobre... En honorant ainsi leur compatriote, les Italiens se dotaient d'une religion civile avec son jour faste, ses icônes, ses hymnes et son culte d'un « saint ethnique », qui ne fut, hélas, jamais béatifié malgré d'innombrables requêtes adressées au Vatican. Le syncrétisme italo-américain atteignit son apogée avec la commémoration du quatre centième anniversaire de la découverte de l'Amérique par Christophe Colomb, le 21 octobre 1892. Ce jour-là, pour la première fois dans l'histoire des États-Unis, douze millions d'écoliers améri-

United States, Irish Americans and the Northern Ireland Peace Process », *International Affairs*, n° 3, 1996, pp. 529-530.

cains récitèrent le serment au drapeau (*pledge of allegiance*), rédigé pour cette occasion par Francis Bellamy, le rédacteur d'un journal de la jeunesse, le *Youth's Companion*, et l'un des défenseurs de l'école publique obligatoire. Un an plus tard, Colomb était célébré de façon plus fastueuse encore avec l'Exposition internationale de Chicago, dédiée au grand navigateur. Un monument dominait l'exposition : un quadrige représentant le « triomphe de Colomb » surmontait le péristyle d'un immense arc de triomphe. Une gigantesque statue de Columbia, la déesse de la Liberté, se dressait au sommet d'un antique navire, entourée de quatre rameurs symbolisant l'Art, la Science, l'Industrie et l'Agriculture[1]. Colomb était désormais beaucoup plus qu'un saint ethnique ; il était l'objet d'une passion nationale, intimement associé au civisme républicain d'un État laïque...

Que reste-t-il aujourd'hui de ce syncrétisme ethno-civique ? Samuel Huntington, dans un ouvrage provocateur consacré au « choc des civilisations », s'est ému de l'incivisme affiché par les soixante-dix mille manifestants qui défilèrent à Los Angeles en octobre 1994 pour dénoncer un projet de référendum populaire destiné à « punir » les illégaux en leur interdisant l'accès à la plupart des services sociaux de l'État. Les manifestants « marchaient sous un océan de drapeaux mexicains » et, quelques jours plus tard, ajoutait Huntington, de nouveaux manifestants eurent même l'audace de déployer un drapeau américain renversé... Face à un tel manquement aux règles du civisme, fort choquant pour la population locale, on peut comprendre pourquoi la grande majorité des électeurs de Californie se prononça en faveur du référendum[2]. Et pourtant, cette manifestation, la plus importante dans l'histoire de la ville,

1. Thomas J. Schlereth, « Columbia, Columbus, and Columbianism », *Journal of American History*, n° 3, 1992, pp. 937-968 ; Claudia L. Bushman, *America Discovers Columbus. How an Italian Explorer Became an American Hero*, Hanover, University Press of New England, pp. 158-174.
2. Samuel P. Huntington, *The Clash of Civilizations and the Remaking of World Order*, New York, Simon and Schuster, 1996, pp. 19-20.

n'était-elle pas, en fait, la démonstration d'un civisme en formation ? Il est vrai que le référendum ne sanctionnait que les sans-papiers. Mais n'était-il pas une première étape vers une remise en cause des droits de tous les immigrés, légaux comme illégaux ? Les manifestants étaient dans leur grande majorité des résidents légaux, c'est-à-dire de futurs citoyens qui se réunissaient sur la place publique pour exprimer une inquiétude et un mécontentement justifiés.

La suite des événements a montré que Huntington s'était trompé au sujet des Latinos de Los Angeles, comme Benjamin Franklin s'était trompé à propos des Allemands de Pennsylvanie. Les uns comme les autres n'avaient qu'un seul désir : intégrer leur nouveau pays d'accueil, mais sans abandonner les traditions de leur pays d'origine. Ce qui manquait aux manifestants de Los Angeles, c'étaient des drapeaux américains, et surtout un grand drapeau qui serait déployé dans le bon sens... Or, ces drapeaux, apparemment si mal traités, sont ceux que brandissent aujourd'hui des dizaines de milliers d'immigrants mexicains. En effet, les résultats du référendum californien, les projets de loi présentés au Congrès et visant à restreindre l'immigration légale, puis la campagne xénophobe de Pat Buchanan inquiétèrent fortement ces Latinos, réputés apathiques, qui vivaient légalement en Californie depuis cinq, dix ou quinze ans et qui n'avaient pas cru nécessaire de faire acte de citoyenneté (voir chapitre 5). La procédure était pourtant simple : il suffisait d'avoir séjourné cinq ans aux États-Unis en tant que résident légal, de parler anglais, de suivre un cours de culture civique consacré aux grands principes politiques de la nation américaine, de passer un examen (le taux de succès est de 97 %) et de prêter serment de citoyenneté devant un juge fédéral. C'est finalement ce que firent les quelque trente mille Hispaniques qui s'inscrivirent en 1995 aux cours de citoyenneté offerts par les écoles publiques de Los Angeles. Jamais autant de demandes de naturalisation n'avaient été présentées en aussi peu de temps. En agissant ainsi, les Mexicains du sud de la Californie répétaient l'expérience des immigrés italiens, russes ou polonais du début du siècle : ils devenaient citoyens pour participer aux élections et pour défendre leurs droits de « nouveaux immigrants » contre les restrictions que cherchaient à leur imposer les partisans de la fermeture des frontières. Et ils ne se privèrent pas, lors des élections présidentielles de 1996, de voter contre un parti républicain dont l'aile droite avait trop bien défendu la cause des nativistes : 70 % d'entre eux se prononcèrent pour Bill Clinton et 22 % pour Bob Dole. Leur appui décisif contribua à la victoire du président sortant dans trois bastions républicains : la Californie, l'Arizona et la Floride... Leur taux de participation électorale avait augmenté de façon spectaculaire, de 60 % en Californie, de 40 % au Texas et de 30 % à l'échelle nationale. Ils démontraient ainsi magistralement que le citoyen actif est bien celui qui a intérêt à la chose publique[1].

◆

Faut-il conclure à la nouveauté de la crise de l'identité américaine ? C'est ce que prétendent les prophètes de malheur qui s'imaginent l'Amérique « blanche » bientôt conquise par des peuples de couleur, porteurs de civilisations hostiles aux valeurs de l'Occident. Or, la seule immigration d'envergure aux États-Unis est l'immigration hispanique, c'est aussi celle dont les valeurs religieuses et familiales sont les plus proches de ces immigrés « latins » qui débarquèrent par millions au tournant du siècle. On peut certes déclarer, comme nous y incite Peter Brimelow : attention, danger, les « Blancs » seront minoritaires peu après l'an 2050 ; la marche de la « grande révolution ethni-

---

1. Gregory Rodriguez, « The Browning of California », *New Republic*, 2 septembre 1996, pp. 18-19 ; Paul Gigot, « Anti-Immigrant Reckoning Comes ahead of Schedule », *Wall Street Journal*, 25 novembre 1996.

que » est pour bientôt [1]. Mais quelle est la nature du danger ?
Les Hispaniques ne sont-ils pas des « Blancs » ? Et la majorité « blanche » n'est-elle pas elle-même fort hétérogène ?
Les nativistes des années 1910 ne s'étaient-ils pas déjà émus
de la disparition prochaine de la majorité des Américains
d'origine anglaise, écossaise et galloise ? Cette majorité a
disparu en effet, mais nul ne peut dire quand et aucun
historien n'a daigné se pencher sur cette question. Et pour
cause : elle a peu d'intérêt. Il suffit de savoir que la majorité
des Américains est aujourd'hui composée d'immigrés d'origine européenne [2]. Mais qu'en sera-t-il dans cinquante ans ?
Il est, là aussi, inutile de spéculer : le melting-pot n'a pas
cessé de fonctionner et le nombre croissant de mariages
mixtes entre Américains d'origine européenne et Hispaniques ou Asiatiques rendra bientôt caduque la question faus-
sement savante : « les Blancs seront-ils minoritaires ? »

Il y a bien une crise de l'identité américaine mais elle
n'est pas nouvelle. Elle est de fondation : les États-Unis, à
l'époque de l'indépendance, n'avaient pas d'identité bien
affirmée. Les Américains, selon la remarque de James Madison, manquaient d'affection pour l'État fédéral. Ni la langue
ni la religion n'unifiaient le nouvel État : l'anglais était alors
concurrencé par l'allemand et le hollandais, et la prolifération des sectes et des Églises interdisait tout nationalisme
religieux. Seules les institutions politiques fédérales créaient
un semblant d'unité, bien vite fragilisée par les débats sur
l'esclavage. L'identité du pays était pourtant inscrite dans
la devise nationale : *E pluribus unum*. C'était une identité
instable, oscillant entre un pôle unitaire – la nation une et

---

1. Peter Brimelow, *Alien Nation. Common Sense about America's Immigration Disaster*, New York, Random House, 1995, pp. 58-73. Je présente une critique des thèses de Brimelow dans le chapitre 8.

2. Nathan Glazer, « Immigration and the American Future », *Public Interest*, n° 118, hiver 1995, pp. 46-47. D'après les chiffres du Bureau of the Census, les Américains d'origine européenne représentaient environ 80 % de la population totale des États-Unis en 1985 et 75 % en 1990. Pour plus de détails, voir chapitre 1, pp. 24-25.

indivisible enfin réalisée après la guerre de Sécession – et un pôle pluraliste – des États, des peuples, des communautés ethnoculturelles.

La double allégeance apportait une réponse au dilemme américain : elle légitimait une forme particulière de bilinguisme. Chaque individu, en effet, pouvait pratiquer le « langage de la citoyenneté », en exerçant son droit de vote et en participant aux affaires de la cité. Mais il gardait le droit de converser, tout en même temps, dans la langue de sa tradition, de sa culture ou de sa communauté d'origine. L'un n'excluait pas l'autre, et j'en donnerai un dernier exemple, emprunté à la petite ville de Monterey Park, au sud de Los Angeles [1]. Cette ville est un melting-pot vivant où cohabitent des *Anglos*, des Latinos et des Chinois. Ces derniers sont les plus récents des immigrants. Leur succès économique est indéniable, mais leur intégration civique est encore incomplète. Peu d'entre eux sont naturalisés et leur pouvoir économique ne s'est pas encore traduit en domination politique. Les conflits inter-ethniques sont fréquents, mais non insolubles. L'un de ces conflits, hautement symbolique, touche aux activités de la fête nationale du 4 juillet. La tradition locale, imposée par les vieux Anglo-Saxons, voulait qu'on serve ce jour-là des hot-dogs sur la voie publique. En 1989, conscients de leur influence grandissante, les Américains d'origine chinoise firent objection : ils préféraient manger des *egg rolls*. Quant aux Hispaniques, leur préférence allait aux *tacos* et aux pains de maïs. Les discussions furent longues et délicates, car il fallait trouver un financement privé pour accommoder des traditions culinaires rivales. Un compromis fut finalement trouvé : on servirait des hot-dogs, des *egg rolls*, un pain mexicain et un petit gâteau orné d'un drapeau américain. Ces aliments furent mis en vente par les élèves du lycée local, des *Chinese*

---

1. Voir John Horton, *The Politics of Diversity. Immigration, Resistance, and Change in Monterey Park, California*, Philadelphie, Temple University Press, 1995, p. 221.

Americans pour la plupart. Un sociologue décrit ainsi les festivités du 4 Juillet 1989 : « Une jeune Chinoise s'écrie : "Venez manger mes hot-dogs, ils sont si américains !" Ce à quoi répond son voisin : "Non, les hot-dogs, c'est d'une telle banalité ! Élargissez votre horizon culturel ! Mangez un *egg roll* !" » Sur ces entrefaites, ajoute un autre observateur, « un jeune prodige chinois vêtu de blanc monte sur une estrade et s'installe devant un piano à queue pour y jouer un nocturne de Chopin ». Le public est comblé. Mais, précise l'observateur, il se fait tard, et la foule bigarrée, composée d'*Anglos*, de Latinos et de Chinois s'écarte du podium pour aller danser au son d'une *hot salsa*...

On l'a compris, le melting-pot a beau être en crise, il n'a pas épuisé pour autant ses ressources. Ces nouveaux immigrants démontrent, une fois de plus, qu'il est toujours possible aux États-Unis de célébrer son identité d'Américain sans abandonner d'autres attaches. Il leur faut, bien sûr, apprécier l'histoire de leur pays d'adoption, mais on n'attend plus d'eux une apologie servile : cette histoire est moins heureuse qu'on l'a souvent dit, et l'avenir moins sombre assurément que ne le laissent entendre les prophètes de malheur ou les partisans d'une Amérique repliée sur elle-même.

BIBLIOGRAPHIE

ABELMANN, Nancy et LIE, John, *Blue Dreams. Korean Americans and the Los Angeles Riots*, Cambridge, Harvard University Press, 1995.

ADAMS, Arlin M. et EMMERICH, Charles J. (dir.), *A Nation Dedicated to Religious Liberty*, Philadelphie, University of Pennsylvania Press, 1990.

ADDAMS, Jane, *Twenty Years at Hull-House* [1910], Urbana, University of Illinois Press, 1990.

AHLSTROM, Sydney E., *A Religious History of the American People*, New York, Doubleday, 1975, 2 vol.

ALBA, Richard D. (dir.), *Ethnicity and Race in the U.S.A. Toward the Twenty-First Century*, New York, Routledge, 1988.

– *Ethnic Identity. The Transformation of White America*, New Haven, Yale University Press, 1990.

ALCOZE, Thom, BRADLEY, Claudette, HERNANDEZ, Julia, KASHIMA, Tetsuyo, KANE, Iris *et al.*, *Multiculturalism in Mathematics, Science, and Technology : Readings and Activities*, Menlo Park, Addison-Wesley, 1993.

ANBINDER, Tyler, *Nativism and Slavery. The Northern Know Nothings and the Politics of the 1850s*, New York, Oxford University Press, 1992.

APPIAH, K. Anthony et GUTMANN, Amy, *Color Conscious. The Political Morality of Race*, Princeton, Princeton University Press, 1996.

– et GATES, Henry Louis Jr., *The Dictionary of Global Culture*, New York, Knopf, 1997.

APPLEBY, Joyce, « Recovering America's Historic Diversity : Beyond Exceptionalism », *Journal of American History*, n° 2, 1992, pp. 419-431.

–, HUNT, Lynn et JACOB, Margaret, *Telling the Truth about History*, New York, Norton, 1994.

ARCHDEACON, Thomas J., *Becoming American. An Ethnic History*, New York, Free Press, 1983.

ASANTE, Molefi Kete, *The Afrocentric Idea*, Philadelphie, Temple University Press, 1987.

- « Multiculturalism : An Exchange », *American Scholar*, n° 59, 1990, pp. 267-276.
- « Afrocentric Curriculum », *Educational Leadership*, décembre 1991-janvier 1992, pp. 28-31.
- *Malcolm X as Cultural Hero and Other Afrocentric Essays*, Trenton, Africa World Press, 1993.

AVRICH, Paul, *The Haymarket Tragedy*, Princeton, Princeton University Press, 1984.

BADIE, Bertrand et WIHTOL DE WENDEN, Catherine (dir.), *Le Défi migratoire*, Paris, Presses de la Fondation nationale des sciences politiques, 1994.

BAILYN, Bernard *et al.*, *The Great Republic. A History of the American People*, Lexington, D.C. Heath and Company, 1985, 2 vol.
- *Voyagers to the West : A Passage in the Peopling of America on the Eve of the Revolution*, New York, Knopf, 1986.
- *The Peopling of British North America*, New York, Knopf, 1986.
- (éd.), *The Debate on the Constitution*, New York, Library of America, 1993, 2 vol.
- et MORGAN, Philip D. (dir.), *Strangers within the Realm. Cultural Margins of the First British Empire*, Chapel Hill, University of North Carolina Press, 1991.

BANCROFT, George, *Histoire des États-Unis* [1834-1840], trad. fr. Paris, Firmin Didot, 1863, t. VI.

BANKS, James, *Multicultural Education : Theory and Practice*, Boston, Allyn and Bacon, 1981.

BARBER, Benjamin, *L'Excellence et l'égalité. De l'éducation en Amérique* [1992], trad. fr. Paris, Belin, 1993.

BARON, Dennis, *The English Only Question. An Official Language for Americans ?*, New Haven, Yale University Press, 1990.

BARREAU, Jean-Claude, *De l'immigration en général et de la nation française en particulier*, Paris, Le Pré aux Clercs, 1992.

BASTENIER, Albert et DASSETTO, Felice (dir.), *Immigration et espace public. La controverse de l'intégration*, Paris, L'Harmattan, 1993.

BAYART, Jean-François, *L'Illusion identitaire*, Paris, Fayard, 1996.

BEAN, Frank D. et TIENDA, Marta, *The Hispanic Population of the United States*, New York, Russell Sage Foundation, 1987.

BEEMAN, Richard, BOTEIN, Stephen et CARTER, Edward (dir.), *Beyond Confederation. Origins of the Constitution and American National Identity*, Chapel Hill, University of North Carolina Press, 1987.

BEER, Samuel H., *To Make a Nation. The Rediscovery of American Federalism*, Cambridge (Mass.), Harvard University Press, 1993.

BEINER, Ronald (dir.), *Theorizing Citizenship*, New York, State University of New York Press, 1995.

BELLAH, Robert N., *The Broken Covenant. American Civil Religion in Time of Trial*, 2ᵉ éd., Chicago, Chicago University Press, 1992.

BENSON, Lee, *The Concept of Jacksonian Democracy* [1961], Princeton, Princeton University Press, 1973.

BERGMANN, Barbara R., *In Defense of Affirmative Action*, New York, New Republic Book/Basic Books, 1996.

BERNAL, Martin, *Black Athena : les racines afro-asiatiques de la civilisation classique*, t. I : *L'Invention de la Grèce antique, 1785-1985*, trad. fr. Paris, PUF, 1996.

BERNSTEIN, Iver, *The New York City Draft Riots*, New York, Oxford University Press, 1990.

BERNSTEIN, Richard, *Dictatorship of Virtue. Multiculturalism and the Battle for America's Future*, New York, Knopf, 1994.

BILLINGTON, Ray Allen, *The Protestant Crusade, 1800-1860* [1938], Chicago, Quadrangle Paperbacks, 1964.

BIRNBAUM, Pierre, *Les Fous de la République. Histoire politique des Juifs d'État, de Gambetta à Vichy*, Paris, Fayard, 1992.

– *La France aux Français. Histoire des haines nationalistes*, Paris, Éd. du Seuil, 1993.

– « Du multiculturalisme au nationalisme », *La Pensée politique*, t. III, 1995, pp. 129-139.

BLOOM, Allan, *L'Âme désarmée. Essai sur le déclin de la culture générale* [1987], trad. fr. abrégée, Paris, Julliard, 1987.

BLUM, John M. et al., *The National Experience*, San Diego, Harcourt Brace Jovanovich, 7e éd., 1989, 2 vol.

BOAS, Franz, *Anthropology and Modern Life* [1928], rééd. avec une introduction de Ruth Bunzel, New York, Dover Publications, 1986.

BODNAR, John, *The Transplanted : A History of Immigrants in Urban America*, Bloomington, Indiana University Press, 1985.

– *Remaking America. Public Memory, Commemoration, and Patriotism in the Twentieth Century*, Princeton, Princeton University Press, 1992.

BODY-GENDROT, Sophie, *Les États-Unis et leurs immigrants*, Paris, La Documentation française, 1991.

– *Ville et violence. L'irruption de nouveaux acteurs*, Paris, PUF, 1993.

BOLICK, Clint, *The Affirmative Action Fraud*, Washington D. C., Cato Institute, 1996.

BONOMI, Patricia, *Under the Cope of Heaven. Religion, Society and Politics in Colonial America*, New York, Oxford University Press, 1986.

BOURNE, Randolph, « Trans-National America », *Atlantic Monthly*, n° 118, 1916, pp. 86-97.

– *The Radical Will. Selected Writings 1911-1918*, éd. Olaf Hansen avec une préface de Christopher Lasch, Berkeley, University of California Press, 1992.

BRÉGEARD, Olivier, *Les Français de New York au milieu du XIXe siècle : une communauté ?*, mémoire de maîtrise, Université des sciences humaines de Strasbourg, 1993-1994.

BRIMELOW, Peter, *Alien Nation. Common Sense about America's Immigration Disaster*, New York, Random House, 1995.

BROMWICH, David, *Politics by Other Means. Higher Education and Group Thinking*, New Haven, Yale University Press, 1992.

BRUBAKER, Rogers, *Citizenship and Nationhood in France and Germany*, Cambridge (Mass.), Harvard University Press, 1992.

BRUTUS [Samuel Morse], *Foreign Conspiracy against the Liberties of The United States*, New York, Leavitt, Lord and Co., 1835.

BURKE, Edmund, « Speech of Conciliation with the Colonies » [1775], *in* Ph. Kurland et R. Lerner, *The Founders' Constitution, op. cit.*, t. I, pp. 3-6.

BUSHMAN, Claudia L., *America Discovers Columbus. How an Italian Explorer Became an American Hero*, Hanover, University Press of New England, 1992.

BUSHMAN, Richard L. *et al.* (dir.), *Uprooted Americans. Essays to Honor Oscar Handlin*, Boston, Little Brown, 1979.

California State Board of Education, *History-Social Science Framework for California Public Schools : Kindergarten through Grade Twelve*, California Department of Education, 1987.

CARNOY, Martin et ROTHSTEIN, Richard, « Are Black Diplomas Worth Less ? », *American Prospect*, janvier 1997, pp. 42-46.

CARTER, Stephen L., *Reflections of an Affirmative Action Baby*, New York, Basic Books, 1991.

– *The Culture of Disbelief. How American Law and Politics Trivialize Religious Devotion*, New York, Basic Books, 1993.

CAZEMAJOU, Jean (dir.), *L'Immigration européenne aux États-Unis : 1880-1910*, Talence, Presses universitaires de Bordeaux, 1986.

CERVANTÈS, Miguel DE, *L'Ingénieux Hidalgo Don Quichotte de la Manche* [1605-1615], trad. fr. de César Oudin et François Rosset, revue par Jean Cassou, Paris, Gallimard, Bibl. de la Pléiade, 1934.

CHAN, Sucheng, « European and Asian Immigration into the United States », *in* V. Yans-McLaughlin (dir.), *Immigration Reconsidered, op. cit.*, pp. 37-75.

– *Asian Americans : An Interpretive History*, Boston, Twayne Publishers, 1991.

CHAVEZ, Linda, *Out of the Barrio. Toward a New Politics of Hispanic Assimilation*, New York, Basic Books, 1992.

CHEN, Hsiang-Shui, *Chinatown No More. Taiwan Immigrants in Contemporary New York*, Ithaca, Cornell University Press 1992.

CHERNOW, Ron, *The Warburgs*, New York, Random House, 1993.

Chronicle of Higher Education, 28 avril 1995. Numéro spécial sur l'*affirmative action*, pp. A12-A24.

CITRIN, Jack, HAAS, Ernst B., MUSTE, Christopher et REINGOLD, Beth, « Is American Nationalism Changing ? Implications for Foreign Policy », *International Studies Quarterly*, n° 1, 1994, pp. 1-31.

CLARK, J. C. D., *The Language of Liberty, 1660-1832. Political Discourse and Social Dynamics in the Anglo-American World*, Cambridge, Cambridge University Press, 1994.

CLARK, Dennis, *Erin's Heirs. Irish Bonds of Community*, Lexington, University Press of Kentucky, 1991.

CLERMONT-TONNERRE, « Discours contre la discrimination à l'égard des bourreaux, des comédiens, des protestants et des juifs », *in* F. Furet et R. Halévi (éd.), *Orateurs de la Révolution française*, *op. cit.*, pp. 242-249.

COHEN-TANUGI, Laurent, *Le Droit sans l'État*, Paris, PUF, 1985.

COLLEY, Linda, *Britons. Forging the Nation 1707-1837*, New Haven, Yale University Press, 1992.

COLLOMP, Catherine, « Regard sur les politiques de l'immigration. Le marché du travail en France et aux États-Unis (1880-1930) », *Annales HSS*, n° 5, 1996, pp. 1107-1135.

– et MENÉNDEZ, Mario (dir.), *Amérique sans frontière*, Saint-Denis, Presses universitaires de Vincennes, 1995.

COMETTI, Jean-Pierre, « Le pragmatisme : de Peirce à Rorty », *in* Michel Meyer (dir.), *La Philosophie anglo-saxonne*, Paris, PUF, 1994.

CONNOR, Walker, *Ethnonationalism. The Quest for Understanding*, Princeton, Princeton University Press, 1994.

Constitutions des treize États-Unis de l'Amérique, Philadelphie, 1783, trad. fr. de La Rochefoucauld d'Enville, extraits rééd. *in* Stéphane Rials, *La Déclaration des droits de l'homme et du citoyen*, Hachette, coll. « Pluriel », 1988, pp. 495-517.

CONZEN, Kathleen Neils, « Germans », *in* St. Thernstrom (éd.), *Harvard Encyclopedia of American Ethnic Groups*, *op. cit.*, pp. 405-425.

–, GERBER, David A., MORAWSKA, Ewa, POZZETTA, George E. et VECOLI, Rudolph J., « The Invention of Ethnicity : A Perspective from the U.S.A. », *Journal of American Ethnic History* », n° 1, 1992, pp. 3-41.

COOK, Adrian, *The Armies of the Streets : The New York City Draft Riots of 1863*, Lexington, University of Kentucky Press, 1974.

CORNELIUS, Wayne A., MARTIN, Philip L. et HOLLIFIELD, James F. (dir.), *Controlling Immigration*, Stanford, Stanford University Press, 1994.

CQ Researcher, n° 5, 1995. Numéro spécial sur « Cracking down on Immigration », pp. 98-119.

CRABB, Cecil V. Jr., *The Doctrines of American Foreign Policy*, Baton Rouge, Louisiana State University Press, 1982.

[CRÈVECŒUR], J. Hector St. John de Crèvecœur, *Letters from an American Farmer and Sketches of Eighteenth-Century America* [1782], rééd. avec une introduction de Albert A. Stone, Harmondsworth, Penguin Books, 1986.

– *Lettres d'un cultivateur américain, écrites à W.S. Ecuyer, depuis l'année 1770, jusqu'à 1781, traduites de l'anglois par **** [1785], rééd. avec une préface de G. Bertier de Sauvigny, Genève, Slatkine reprints, 1979, 2 vol.

– *More Letters from the American Farmer. An Edition of the Essays in English Left Unpublished by Crèvecœur*, éd. Dennis D. Moore Athens, University of Georgia Press, 1995.

D'SOUZA, Dinesh, *L'Éducation contre les libertés* [1991], trad. fr. Paris, Gallimard, 1992.

– *The End of Racism*, New York, Free Press, 1995.

DANIEL, Dominique, *Immigration aux États-Unis, 1965-1995. Le poids de la réunification familiale*, Paris, L'Harmattan, 1996.

DANIELS, Roger, *Asian America. Chinese and Japanese in the United States since 1850* [1988], Seattle, University of Washington Press, 1995.

– « United States Policy towards Asian Immigrants : Contemporary Development in Historical Perspective », *International Journal*, n° 2, 1993, pp. 310-334.

DAVIDMAN, Leonard, *Teaching with a Multicultural Perspective : A Practical Guide*, White Plains, Longman, 1994.

DAVIS, David Brion, *Revolutions. Reflections on American Equality and Foreign Liberations*, Cambridge (Mass.), Harvard University Press, 1990.

– « The Other Zion : American Jews and the Meritocratic Experiment », *New Republic*, 12 avril 1993, pp. 29-36.

DEBOUZY, Marianne (dir.), *À l'ombre de la statue de la Liberté*, Saint Denis, Presses universitaires de Vincennes, 1988.

DEBRAY, Régis, *Contretemps. Éloges des idéaux perdus*, Paris, Gallimard, coll. « Folio actuel », 1992.

DECONDE, Alexander, *Ethnicity, Race and American Foreign Policy*, Boston, Northeastern University Press, 1992.

DELANNOI, Gil et TAGUIEFF, Pierre-André (dir.), *Théories du nationalisme*, Paris, Éd. Kimé, 1991.

DELANOË, Nelcya, *L'Entaille rouge. Des terres indiennes à la démocratie américaine, 1776-1996*, Paris, Albin Michel, 2ᵉ éd., 1996.

DELLINGER, Walter, NEUMAN, Gerald et SCHUCK, Peter, « Statements Before the House Committee on the Judiciary, Subcommittee on Immigration and Claims, and Subcommittee on the Constitution, Concerning Proposed Legislation to Deny Citizenship at Birth to Certain Children Born in the United States », U.S. House of Representative, 13 décembre 1995.

DÉSIR, Harlem, *SOS Désirs*, Paris, Calmann-Lévy, 1987.

DIECKHOFF, Alain, *L'Invention d'une nation. Israël et la modernité politique*, Paris, Gallimard, 1993.

– « La déconstruction d'une illusion », *L'Année sociologique*, n° 1, 1996, pp. 43-55.

DINNERSTEIN, Leonard et REIMERS, David M., *Ethnic Americans. A History of Immigration*, New York, Harper Collins, 1988.

–, NICHOLS, Roger L. et REIMERS, David M., *Natives and Strangers. Blacks, Indians, and Immigrants in America*, New York, Oxford University Press, 2ᵉ éd., 1990.

DONEGANI, Jean-Marie et SADOUN, Marc, *La Démocratie imparfaite*, Paris, Gallimard, Folio/Essais, 1994.

DUHAMEL, Georges, *Scènes de la vie future* [1930], Paris, Albert Guillot, 1953.

DUNN, John, *La Pensée politique de John Locke* [1969], trad. fr. Paris, PUF, 1991.

DYER, Thomas G., *Theodore Roosevelt and the Idea of Race*, Baton Rouge, Louisiana State University Press, 1980.

EASTLAND, Terry, *Ending Affirmative Action. The Case for Colorblind Justice*, New York, Basic Books, 1996.

EDMONSTON, Barry et PASSEL, Jeffrey S. (dir.), *Immigration and Ethnicity. The Integration of America's Newest Arrivals*, Washington D.C., Urban Institute Press, 1994.

ELKINS, Stanley et MCKITRICK, Eric, *The Age of Federalism. The Early American Republic, 1788-1800*, New York, Oxford University Press, 1995.

ERIE, Steven, *Rainbow's End. Irish Americans and the Dilemma of Urban Machine Politics, 1840-1985*, Berkeley, University of California Press, 1988.

ERNST, Robert, *Immigrant Life in New York City 1825-1863* [1949], Syracuse, Syracuse University Press, 1994.

ESPIRITU, Yen Le, *Asian American Panethnicity. Bridging Institutions and Identities*, Philadelphie, Temple University Press, 1992.

Esprit, n° 212, 1995. Numéro spécial sur « Le Spectre du multiculturalisme américain », avec des articles de Olivier Mongin, Tzvetan Todorov, Michael Walzer, Michel Feher, Benjamin Barber et Joël Roman.

FABER, Eli, *The Jewish People in America*, t. I : *A Time for Planting. The First Migration, 1654-1820*, Baltimore, Johns Hopkins University Press, 1992.

FARRAND, Max (éd.), *The Records of the Federal Convention of 1787* [1911], New Haven, Yale University Press, 1966, 4 vol.

FASSIN, Éric, « Pouvoirs sexuels. Le juge Thomas, la Cour suprême et la société américaine », *Esprit*, n° 177, 1991, pp. 102-130.

– « La Chaire et le canon. Les intellectuels, la politique et l'université aux États-Unis », *Annales ESC*, n° 2, 1993, pp. 265-301.

– « "Political Correctness" en version originale et en version française. Un malentendu révélateur », *Vingtième Siècle*, n° 43, 1994, pp. 30-42.

– « Permanence de la question raciale », *Esprit*, n° 219, 1996, pp. 19-50.

FELDBERG, Michael, *The Philadelphia Riots of 1844 : A Study in Ethnic Conflict*, Wesport, Greenwood Press, 1975.

FISHMAN, Joshua *et al.*, *Language Loyalty in the United States*, La Haye, Mouton, 1966.

FLIEGELMAN, Jay, *Declaring Independence. Jefferson, Natural Language and the Culture of Performance*, Stanford, Stanford University Press, 1993.

FONER, Eric, *Reconstruction. America's Unfinished Revolution, 1863-1877*, New York, Harper & Row, 1988.

– « Who is an American ? », *Culturefront*, hiver 1995-1996, pp. 5-12.

FONER, Nancy (dir.), *New Immigrants in New York*, New York, Columbia University Press, 1987.

FONG, Timothy P., *The First Suburban Chinatown. The Remaking of Monterey Park, California*, Philadelphie, Temple University Press, 1994.

FOO, Lora Jo, « The Vulnerable and Exploitable Immigrant Workforce and the Need for Strengthening Worker Protective Legislation », *Yale Law Journal*, n° 8, 1994, pp. 2179-2212.

FOUCRIER, Annick, *La France, les Français et la Californie avant la ruée vers l'or (1786-1848)*, thèse de doctorat, Paris, EHESS, 1991, 3 vol.

– « Immigration et tensions raciales aux États-Unis : la Californie, un laboratoire », *in* C. Collomp et M. Menéndez (dir.), *Amérique sans frontière, op. cit.*, pp. 153-156.

FRANKLIN, Benjamin, *The Autobiography and Other Writings*, rééd. avec une introduction et des notes de Kenneth Silverman, Harmondsworth, Penguin Books, 1986.

[FRANKLIN, Benjamin], *The Papers of Benjamin Franklin*, éd. Leonard W. Labaree *et al.*, New Haven, Yale University Press, 1957-, 30 vol., t. IV et V.

FREDRICKSON, George M., *White Supremacy. A Comparative Study in American and South African History*, New York, Oxford University Press, 1982.

FREIRE, Paulo, *Pedagogy of the Oppressed*, New York, Continuum, 1970.

[French Gentleman], *Confessions of a Catholic Priest to which are added Warnings to the People of the United States by the Same Author*, éd. avec une préface de Samuel Morse, New York, John Taylor, 1837.

FUCHS, Lawrence, *The American Kaleidoscope. Race, Ethnicity and the Civic Culture*, Hanover, Wesleyan University Press, 1990.

FUKUYAMA, Francis, « Immigrants and Family Values », *Commentary*, n° 5, 1993, pp. 24-32.

– *Trust. The Social Virtues and the Creation of Prosperity*, New York, Free Press, 1995.

FURET, François, « L'Utopie démocratique à l'américaine » (entretien), *Le Débat*, n° 69, 1992, pp. 80-91.

– et HALÉVI, Ran (éd.), *Orateurs de la Révolution française*, t. I : *Les Constituants*, Paris, Gallimard, Bibl. de la Pléiade, 1989.

– et OZOUF, Mona (dir.), *La Gironde et les Girondins*, Paris, Payot, 1991.

FUSTEL DE COULANGES, « L'Alsace est-elle allemande ou française ? Réponse à M. Mommsen » [1870], rééd. *in* Fr. Hartog, *Le XIXᵉ siècle et l'histoire, op. cit.*, pp. 376-382.

GALSTON, William A., *Liberal Purposes. Goods, Virtues, and Diversity in the Liberal State*, New York, Cambridge University Press, 1992.

GANS, Herbert J., « Symbolic Ethnicity : The Future of Ethnic Groups and Cultures in America », *Ethnic and Racial Studies*, n° 1, 1979, pp. 1-20.

GATES, Henry Louis Jr. et WEST, Cornel, *The Future of the Race*, New York, Knopf, 1996. Voir aussi APPIAH.

GHORRA-GOBIN, Cynthia, *Les États-Unis : espace, environnement, société, ville*, Paris, Nathan, 1993.

GIRARDET, Raoul (éd.), *Le Nationalisme français. Anthologie 1871-1914* [1966], Paris, Éd. du Seuil, coll. « Points-Histoire », 1983.

– *Nationalismes et nation*, Bruxelles, Éd. Complexe, 1996.

GITLIN, Todd, *The Twilight of Common Dreams. Why America is Wracked by Culture Wars*, New York, Henry Holt, 1995.

GLAZER, Nathan, *Affirmative Discrimination. Ethnic Inequality and Public Policy* [1975], 2ᵉ éd., New York, Basic Books, 1978.

– *Ethnic Dilemmas, 1964-1982*, Cambridge (Mass.), Harvard University Press, 1983.

– « Is Assimilation Dead ? », *Annals A.A.P.S.S.*, n° 530, 1993, pp. 122-136.

– « Immigration and the American Future », *Public Interest*, n° 118, 1995, pp. 46-47.

– et MOYNIHAN, Daniel Patrick, *Beyond the Melting Pot. The Negroes, Puerto Ricans, Jews, Italians and Irish of New York City* [1963], 2ᵉ éd., Cambridge (Mass.), MIT Press, 1989.

GLEASON, Philip, *Speaking of Diversity. Language and Ethnicity in Twentieth-Century America*, Baltimore, Johns Hopkins University Press, 1992.

GOODFRIEND, Joyce, *Before the Melting Pot. Society and Culture in Colonial New York City, 1664-1730*, Princeton, Princeton University Press, 1992.

GORDON, Milton, *Assimilation in American Life*, New York, Oxford University Press, 1964.

GOSNELL, Harold F., *Machine Politics. Chicago Model* [1938], Chicago, University of Chicago Press, 1968.

GOULD, Stephen Jay, *La Malmesure de l'homme* [1981], trad. fr. Paris, Le Livre de poche, 1986.

GRANJON, Marie-Christine, « Le regard en biais. Attitudes françaises et multi-culturalisme américain (1990-1993) », *Vingtième Siècle*, n° 43, 1994, pp. 18-29.

GREEN, Nancy, « L'immigration en France et aux États-Unis. Historiographie comparée », *Vingtième Siècle*, n° 29, 1991, pp. 67-83.

– *Et ils peuplèrent l'Amérique. L'odyssée des émigrants*, Paris, Gallimard, coll. « Découvertes », 1994.

– *La Mode en production. Immigrés et confection*, Paris, Éd. du Seuil, 1997 (à paraître).

GREENE, Jack P., *Pursuits of Happiness. The Social Development of Early Modern British Colonies and the Formation of American Culture*, Chapel Hill, University of North Carolina Press, 1988.

GREENFELD, Liah, *Nationalism. Five Roads to Modernity*, Cambridge (Mass.), Harvard University Press, 1992.

GUERLAIN, Pierre, *Miroirs transatlantiques*, Paris, L'Harmattan, 1996.

GUTIÉRREZ, David G., *Walls and Mirrors. Mexican Americans, Mexican Immigrants, and the Politics of Ethnicity*, Berkeley, University of California Press, 1995.

HACKER, Andrew, *Two Nations. Black and White, Separate, Hostile, Unequal*, New York, Charles Scribner's Sons, 1992.

HALÉVI, Ran, voir FURET.

HANDLIN, Oscar, *Boston's Immigrants. A Study in Acculturation* [1941], Cambridge (Mass.), Cambridge University Press, 1979.

– *The Uprooted. The Epic Story of the Great Migrations that Made the American People* [1951], 2ᵉ éd., Boston, Little Brown, 1973.

HARTFIELD, Anne, « Profile of a Pluralistic Parish : Saint Peter's Roman Catholic Church, New York City, 1785-1815 », *Journal of American Ethnic History*, n° 3, 1993, pp. 30-59.

HARTMANN, Edward George, *The Movement to Americanize the Immigrant* [1948], rééd. New York, AMS Press, 1967.

HARTOG, François, *Le XIXe siècle et l'histoire. Le cas Fustel de Coulanges*, Paris, PUF, 1988.

– *Mémoire d'Ulysse. Récits sur la frontière en Grèce intérieure*, Paris, Gallimard, 1996.

HASSNER, Pierre, « Vers un universalisme pluriel ? », *Esprit*, n° 187, 1992, pp. 102-113.

– *La Violence et la paix. De la bombe atomique au nettoyage ethnique*, Paris, Éd. Esprit, 1995.

HATAMIYA, Leslie T., *Righting a Wrong. Japanese Americans and the Passage of the Civil Liberties Act of 1988*, Stanford, Stanford University Press, 1993.

Haut Conseil à l'intégration, *L'Intégration à la française*, Paris, 10/18, 1993.

HEFFER, Jean et WEIL, François (dir.), *Chantiers d'histoire américaine*, Paris, Belin, 1994.

– *Les États-Unis et le Pacifique. Histoire d'une frontière*, Paris, Albin Michel, 1995.

HENNESSEY, James, « Roman Catholics and American Politics », *in* M. Noll (dir.), *Religion and American Politics, op. cit.*

HERBERG, Will, *Protestant-Catholic-Jew. An Essay in American Religious Sociology* [1955], Chicago, University of Chicago Press, 1983.

HERMET, Guy, *Histoire des nations et du nationalisme en Europe*, Paris, Éd. du Seuil, coll. « Points-Histoire », 1996.

HIGHAM, John, *Strangers in the Land. Patterns of American Nativism, 1860-1925* [1955], 2e éd., New Brunswick, Rutgers University Press, 1988.

– *Send These to Me. Immigrants in Urban America* [1975], 2e éd., Baltimore, Johns Hopkins University Press, 1990.

– « Multiculturalism and Universalism : A History and Critique », *American Quarterly*, n° 2, 1993, pp. 195-219.

HING, Bill Ong, « Beyond the Rhetoric of Assimilation and Cultural Pluralism : Addressing the Tension of Separatism and Conflict in an Immigration Driven Multiracial Society », *California Law Review*, n° 4, 1993, pp. 863-925.

– *Making and Remaking Asian America through Immigration Policy, 1850-1990*, Stanford, Stanford University Press, 1993.

HIRSCHMAN, Charles, « America's Melting Pot Reconsidered », *American Review of Sociology*, n° 9, 1983, pp. 397-423.

HOBSBAWM, Eric et RANGER, Terence (dir.), *The Invention of Tradition* [1983], Cambridge, Cambridge University Press, 1992.

HOCHSCHILD, Jennifer L., *Facing Up to the American Dream. Race, Class and the Soul of the Nation*, Princeton, Princeton University Press, 1995.

HOFSTADTER, Richard, *Social Darwinism in American Thought* [1944], 8e éd., Boston, Beacon Press, 1964.

– *The Paranoid Style in American Politics*, New York, Knopf, 1965.

HOLLINGER, David A., « How Wide the Circle of the "We" ? American Intellectuals and the Problem of the Ethnos since World War II », *American Historical Review*, n° 2, 1993, pp. 317-337.

– *Postethnic America. Beyond Multiculturalism*, New York, Basic Books, 1995.

HOLMES, Stephen, *The Anatomy of Antiliberalism*, Cambridge (Mass.), Harvard University Press, 1993, pp. 95-101.

HOROWITZ, Donald L. et NOIRIEL, Gérard (dir.), *Immigrants in Two Democracies : French and American Experience*, New York, New York University Press, 1992.

HORSMAN, Reginald, *Race and Manifest Destiny : The Origins of American Racial Anglo-Saxonism*, Cambridge (Mass.), Harvard University Press, 1981.

HORTON, John, *The Politics of Diversity. Immigration, Resistance, and Change in Monterey Park, California*, Philadelphia, Temple University Press, 1995.

HOSTETLER, John, *Amish Society* [1963], Baltimore, Johns Hopkins University Press, 1993.

HOWE, Irving, *Le Monde de nos pères. L'extraordinaire odyssée des Juifs d'Europe de l'Est en Amérique* [1976], Paris, Éd. Michalon, 1997.

HUNTINGTON, Samuel, « If not Civilizations, What ? », *Foreign Affairs*, n° 5, 1993, pp. 186-194.

– *The Clash of Civilizations and the Remaking of World Order*, New York, Simon and Schuster, 1996.

JACKSON, Byran O. et PRESTON, Michael B. (dir.), *Racial and Ethnic Politics in California*, Berkeley, IGS Press, 1991.

JAMES, William, « The One and the Many », in *Pragmatism and Other Essays* [1906-1907], 6ᵉ éd., New York, Washington Square Press, 1975, p. 72.

– *The Philosophy of William James. Selected from His Chief Works*, éd. avec une introduction de H. Kallen, New York, Modern Library, 1925.

JEFFERSON, Thomas, *Notes on the State of Virginia* [1785], rééd. New York, Harper and Row, 1964.

[JEFFERSON, Thomas], *The Papers of Thomas Jefferson*, éd. Julian Boyd *et al.*, Princeton, Princeton University Press, 1950-, 26 vol., t. I.

JIOBU, Robert M., *Ethnicity and Assimilation*, New York, State University of New York Press, 1988.

JOHNSON, Owen, *Stover at Yale* [1912], New York, Collier Books, 1968.

JONES, Maldwyn Allen, *American Immigration* [1960], Chicago, University of Chicago Press, 1992.

JUDIS, John B. et LIND, Michael, « For a New Nationalism », *New Republic*, 27 mars 1995, pp. 19-27.

KAHLENBERG, Richard D., *The Remedy. Class, Race and Affirmative Action*, New York, New Republic Book/Basic Books, 1996.

KALLEN, Horace M., « Democracy *versus* the Melting-Pot », *The Nation*, 18 et 25 février 1915.

– *Culture and Democracy in the United States. Studies in the Group Psychology of the American Peoples*, New York, Boni and Liveright, 1924.

– « Culture and the Ku Klux Klan », in *Culture and Democracy in the United States, op. cit.*, pp. 24-28.

– *Judaism at Bay. Essays toward the Adjustment of Judaism to Modernity* [1932], New York, Arno Press, 1972.

- *What I Believe and Why - Maybe. Essays for the Modern World*, éd., Alfred J. Marrow, New York, Horizon Press, 1971. Voir aussi JAMES.

KALMIJN, Matthijs, « Trends in Black/White Intermarriage », *Social Forces*, n° 1, 1993, pp. 119-146.

KASPI, André, *Les Américains*, Paris, Éd. du Seuil, 1986, 2 vol.

KASTORYANO, Riva, *La France, l'Allemagne et leurs immigrés : négocier l'identité*, Paris, Armand Colin, 1996.

KATZ, Michael B. (dir.), *The « Underclass » Debate*, Princeton, Princeton University Press, 1993.

KAUTZ, Steven, *Liberalism and Community*, Ithaca, Cornell University Press, 1995.

KELLOR, Frances A., « What is Americanization ? », *Yale Review*, n° 2, 1919, pp. 282-299.

KENNEDY, Paul, *Naissance et déclin des grandes puissances* [1987], trad. fr. Paris, Payot, 1989.

KEPEL, Gilles, *Les Banlieues de l'islam. Naissance d'une religion en France*, Paris, Éd. du Seuil, 1987.

- *À l'ouest d'Allah*, Paris, Éd. du Seuil, 1994.

KESSLER, David, « Laïcité : du combat au droit », entretien, *Le Débat*, n° 77, 1993, pp. 95-101.

KIRP, David L., « Textbooks and Tribalism in California », *Public Interest*, n° 104, 1991, pp. 20-36.

KITANO, Harry H. L. et DANIELS, R., *Asian Americans. Emerging Minorities*, 2ᵉ éd., Englewood Cliffs, Prentice Hall, 1995.

KOHN, Hans, *Nationalism : Its Meaning and History*, Malabar, Robert E. Krieger, 1982.

KRAMNICK, Isaac et MOORE, R. Laurence, *The Godless Constitution. The Case against Religious Correctness*, New York, Norton, 1996.

KRIEGEL, Blandine, *Propos sur la démocratie*, Paris, Descartes & Cie, 1994.

KUISEL, Richard F., *Le Miroir américain. 50 ans de regard français sur l'Amérique* [1993], trad. fr. Paris, Lattès, 1996.

KURLAND, Philip B. et LERNER, Ralph (éd.), *The Founders' Constitution*, Chicago, University of Chicago Press, 1987, 5 vol.

KYMLICKA, Will, *Liberalism, Community and Culture*, Oxford, Clarendon, 1992.

- *Multicultural Citizenship*, New York, Oxford University Press, 1995.

LACORNE, Denis, « Aux origines du fédéralisme américain : l'impossibilité de l'État », *in* M.-F. Toinet (dir.), *L'État en Amérique, op. cit.*, pp. 38-53.

- *L'Invention de la République. Le modèle américain*, Paris, Hachette, coll. « Pluriel », 1991.

- « Mémoire et amnésie : les fondateurs de la république américaine, Montesquieu et le modèle politique romain », *Revue française de science politique*, n° 3, 1992, pp. 363-374.

- « Essai sur le commerce atlantique des idées républicaines », *in* Y. Mény (dir.), *Les Politiques du mimétisme institutionnel, op. cit.*, pp. 39-60.

- « Des pères fondateurs à l'Holocauste. Deux siècles de commémorations américaines », *Le Débat*, n° 78, 1994, pp. 71-81.
- « La Philosophie de la Constitution américaine », *Philosophie Politique*, n° 7, 1995, pp. 25-42. Voir aussi *Revue Tocqueville*.

LAMPHERE, Louise, *Structuring Diversity. Ethnographic Perspectives on the New Immigration*, Chicago, University of Chicago Press, 1992.

LANIEL, Bertlinde, *Le Mot « democracy » et son histoire aux États-Unis, de 1780 à 1856*, Saint-Étienne, Publications de l'université de Saint-Étienne, 1995.

LE PEN, Jean-Marie, *Pour la France. Programme du Front national*, Paris, Albatros, 1985.

LECA, Jean, « La démocratie à l'épreuve des pluralismes », *Revue française de science politique*, n° 2, 1996, pp. 225-279.

LECLER, Joseph, *Histoire de la tolérance au siècle de la Réforme* [1955], Paris, Albin Michel, 1994.

LEFKOWITZ, Mary, *Not Out of Africa. How Afrocentrism Became an Excuse to Teach Myth as History*, New York, New Republic Books/Basic Books, 1996.

LEVER, Janet et SCHWARTZ, Pepper, *Women at Yale. Liberating a College Campus*, Indianapolis, Bobbs-Merrill, 1971.

LEVILLAIN, Philippe (éd.), *Dictionnaire historique de la papauté*, Paris, Fayard, 1994.

LEVINE, Molly Myerowitz, « The Use and Abuse of *Black Athena* », *American Historical Review*, n° 2, 1992, pp. 440-464.

LEVINSON, Sanford, *Constitutional Faith*, Princeton, Princeton University Press, 1988.

LEWIS, Bernard, « Muslims, Christians, and Jews : The Dream of Coexistence », *New York Review of Books*, 26 mars 1992, pp. 46-50.

LIEBERSON, Stanley et WATERS, Mary C., *From Many Strands : Ethnic and Racial Groups in Contemporary America*, New York, Russell Sage Foundation, 1988.

LIGHT, Ivan H., *Ethnic Enterprise in America*, Berkeley, University of California Press, 1973.

- et BONACICH, Edna, *Immigrant Entrepreneurs. Koreans in Los Angeles, 1965-1982*, Berkeley, University of California Press, 1991.

LIND, Michael, *The Next American Nation. The New Nationalism and the Fourth American Revolution*, New York, Free Press, 1995.

LIPSET, Seymour Martin, *Continental Divide. The Values and Institutions of the United States and Canada*, New York, Routledge, 1991.

- *American Exceptionalism*, New York, Norton 1996.

LOCKE, John, *Lettre sur la tolérance* [1686], précédé de *Essai sur la tolérance* [1667] et de *Sur la différence entre pouvoir ecclésiastique et pouvoir civil* [1674], trad. fr. avec une introduction, des notes et une bibliographie de Jean-Fabien Spitz, Paris, Flammarion, 1992.

LONG, Marceau (éd.), *Être Français aujourd'hui et demain. Rapport de la Commission de la nationalité présenté par M. Marceau Long au Premier ministre*, Paris, 10/18, 1988, 2 vol.

LOURY, Glenn C., *One by One from the Inside Out*, New York, Free Press, 1995.

MACLEAN, Nancy, *Behind the Mask of Chivalry. The Making of the Second Ku Klux Klan*, New York, Oxford University Press, 1994.

MADISON, James, *Memorial and Remonstrance against Religious Assessments* [1785], *in* A. Adams et Ch. Emmerich (dir.), *A Nation Dedicated to Religious Liberty*, op. cit., pp. 186-187.

–, HAMILTON, Alexander et JAY, John, *The Federalist Papers* [1787], rééd. avec une préface et des notes de Isaac Kramnick, Harmondsworth, Penguin Books, 1987.

MAGIDA, Arthur J., *Prophet of Rage. A Life of Louis Farrakhan and his Nation*, New York, Basic Books, 1996.

MANENT, Pierre, *La Cité de l'homme*, Paris, Fayard, 1994.

– « Note sur l'individualisme moderne », *Commentaire*, n° 70, 1995, pp. 261-266.

– « La démocratie sans la nation ? », *Commentaire*, n° 75, 1996, pp. 569-575.

MANIN, Bernard, « Montesquieu et la politique moderne », *Cahiers de philosophie politique*, n°s 2-3, 1985, pp. 158-229.

– *Principes du gouvernement représentatif*, Paris, Flammarion, 1996.

MANN, Arthur, *The One and the Many. Reflections on the American Identity*, Chicago, Chicago University Press, 1979.

MANN, Horace, *The Republic and the School* [1837-1848], éd. Lawrence A. Cremin, New York, Teachers College Press, 1957.

MANSFIELD, Harvey C. Jr., *America's Constitutional Soul*, Baltimore, Johns Hopkins University Press, 1991.

MARIENSTRAS, Élise, *Les Mythes fondateurs de la nation américaine* [1976], Bruxelles, Éd. Complexe, 1992.

– *Nous, le peuple. Les origines du nationalisme américain*, Paris, Gallimard, 1988.

– et ROSSIGNOL, Marie-Jeanne (dir.), *Mémoire privée, mémoire collective dans l'Amérique pré-industrielle*, Paris, Berg International, 1994.

MARINBACH, Bernard, *Galveston : Ellis Island of the West*, Albany, State University of New York Press, 1983.

MARSHALL, John, *John Locke. Resistance, Religion and Responsibility*, Cambridge, Cambridge University Press, 1994.

MARTIN, Denis-Constant (dir.), *Cartes d'identité. Comment dit-on « nous » en politique ?*, Paris, Presses de la Fondation nationale des sciences politiques, 1994.

MARTIN, Jean-Pierre, *La Vertu par la loi. La prohibition aux États-Unis : 1920-1933*, Dijon, Éd. universitaires de Dijon, 1993.

MASSEY, Douglas S. et DENTON, Nancy A., *American Apartheid. Segregation and the Making of the Underclass*, Cambridge (Mass.), Harvard University Press, 1993.

McCONNELL, Michael W., « The Origins and Historical Understanding of Free Exercise of Religion », *Harvard Law Review*, n° 7, 1990, pp. 1410-1517.

McPHERSON, James M., *La Guerre de Sécession, 1861-1865* [1988], trad. fr. avec une préface de Philippe Raynaud, Paris, Robert Laffont, coll. « Bouquins », 1991.

MENDUS, Susan (dir.), *Justifying Toleration. Conceptual and Historical Perspectives*, Cambridge, Cambridge University Press, 1988.

MÉNY, Yves (dir.), *Les Politiques du mimétisme institutionnel. La greffe et le rejet*, Paris, L'Harmattan, 1993.

MILES, Jack, « Blacks *vs.* Browns », *The Atlantic Monthly*, octobre 1992, pp. 41-68.

MILLER, David, *On Nationality*, Oxford, Clarendon Press, 1995.

MILLER, Kerby, « Class, Culture and Immigrant Group Identity in the United States : The Case of Irish-American Ethnicity », *in* V. Yans-McLaughlin (dir.), *Immigration Reconsidered, op. cit.*, pp. 96-129.

MILLS, Nicolaus (dir.), *Arguing Immigration*, New York, Simon and Schuster, 1994.

MOLLENKOPF, John Hull, *A Phoenix in the Ashes. The Rise and Fall of the Koch Coalition in New York City Politics*, Princeton, Princeton University Press, 1992.

MONK, Maria, *Awful Disclosures of the Hotel Dieu Nunnery of Montreal*, New York, Hoisington and Trow, 1836.

MONTESQUIEU, *Considérations sur les causes de la grandeur des Romains et de leur décadence*, in *Œuvres complètes*, éd. Roger Caillois, Paris, Gallimard, Bibl. de la Pléiade, 1951, t. II.

MOORE, Joan et PINDERHUGHES, Raquel (dir.), *In the Barrios. Latinos and the Underclass Debate*, New York, Russel Sage Foundation, 1993.

MORAWSKA, Ewa, « The Sociology and Historiography of Immigration », *in* V. Yans-Mclaughlin, *Immigration Reconsidered, op. cit.*, pp. 187-238.

MORGAN, Edmund, « Second Thoughts : More Letters from the American Farmer... », *New Republic*, 10 juillet 1995, pp. 36-39.

MORSE, Samuel, *Imminent Dangers to the Free Institutions of the United States through Foreign Immigration, and the Present State of the Naturalization Laws*, New York, John F. Trow, 1854. Voir aussi BRUTUS.

MOYNIHAN, Daniel Patrick, *Pandaemonium*, New York, Oxford University Press, 1994.

MULLER, Thomas, *Immigrants and the American City*, New York, New York University Press, 1993.

NASH, Gary, *Red, White and Black : The Peoples of Early America* [1974], Englewood Cliffs, Prentice Hall, 1991.

– *Forging Freedom : The Formation of Philadelphia's Black Community, 1720-1840*, Cambridge (Mass.), Harvard University Press, 1988.

– « The Great Multicultural Debate », *Contention*, n° 3, 1992, pp. 1-28.

NEUMAN, Gerald, « "We Are the People" : Alien Suffrage in German and American Perspective », *Michigan Journal of International Law*, n° 2, hiver 1992, pp. 259-355.

– « The Lost Century of American Immigration Law (1776-1865) », *Columbia Law Review*, n° 8, 1993, pp. 1833-1901. Voir aussi DELLINGER.

NOBLET, Pascal, *L'Amérique des minorités. Les politiques d'intégration*, Paris, L'Harmattan, 1993.

NOIRIEL, Gérard, *Le Creuset français. Histoire de l'immigration XIXe-XXe siècles*, Paris, Éd. du Seuil, 1988. Voir aussi HOROWITZ.

NOLL, Mark E. (dir.), *Religion and American Politics*, New York, Oxford University Press, 1990.

NOVAK, Michael, *The Rise of the Unmeltable Ethnics*, New York, Macmillan, 1977.

OKIHIRO, Gary Y., HUNE, Shirley, HANSEN, Arthur A. et LIU, John M. (dir.), *Reflections on Shattered Windows*, Pullman, Washington State University Press, 1988.

OMI, Michael et WINANT, Howard, *Racial Formation in the United States from the 1960s to the 1990s*, New York, Routledge, 1994.

ONUF, Peter, « Territories and Statehood », *in* Jack P. Greene (éd.), *Encyclopedia of American Political History*, New York, Scribner's, 1984, t. III, pp. 1283-1304.

– (dir.), *Jeffersonian Legacies*, Charlottesville, University of Virginia Press, 1993.

OREN, Dan A., *Joining the Club. A History of Jews at Yale*, New Haven, Yale University Press, 1985.

ORSI, Robert Anthony, *The Madonna of 115th Street. Faith and Community in Italian Harlem, 1880-1950*, New Haven, Yale University Press, 1985.

OSTROGORSKI, Moisei, *La Démocratie et les partis* [1902], rééd. avec une préface de Pierre Avril, Paris, Fayard, 1993.

OZOUF, Mona, *Les Mots des femmes. Essai sur la singularité française*, Paris, Fayard, 1995.

PASQUET, Désiré, *Histoire politique et sociale du peuple américain*, Paris, Picard, 1924, 3 vol.

PEREC, Georges, *Ellis Island*, Paris, POL, 1995.

PETTEGREW, John, « "The Soldier's Faith" : Turn-of-the-century Memory of the Civil War and the Emergence of Modern American Nationalism », *Journal of Contemporary History*, n° 1, 1996, pp. 49-74.

PORTER, Bruce D., « Can American Democracy Survive ? », *Commentary*, n° 5, 1993, pp. 37-40.

PORTES, Alejandro et RUMBAUT, Rubén G., *Immigrant America*, 2e éd., Berkeley, University of California Press, 1996.

– et STEPICK, Alex, *City on the Edge. The Transformation of Miami*, Berkeley, University of California Press, 1993.

– et ZHOU, Min, « The New Second Generation : Segmented Assimilation and its Variants », *Annals A.A.P.S.S.*, n° 530, 1993, pp. 74-96.

– et ZHOU, Min, « Should Immigrants Assimilate ? », *Public Interest*, n° 116, 1994, pp. 18-33.

PORTES, Jacques, *Une fascination réticente. Les États-Unis dans l'opinion française, 1870-1914*, Nancy, Presses universitaires de Nancy, 1990.

– (dir.), *L'Amérique comme modèle, l'Amérique sans modèle*, Lille, Presses universitaires de Lille, 1993.

POUZOULET, Catherine, *New York, New York. Espace, pouvoir, citoyenneté dans la ville*, Paris, Belin, 1997 (à paraître).

PUTNAM, Robert D., « The Strange Disappearance of Civic America », *American Prospect*, n° 24, 1996, pp. 34-48.

RAVITCH, Diane, « Multiculturalism. E Pluribus Plures », *The American Scholar*, n° 59, 1990, pp. 337-354.

– « In the Multicultural Trenches », *Contention*, n° 3, 1992, pp. 29-34.

– *National Standards in American Education. A Citizen's Guide*, Washington D.C., Brookings Institution, 1995.

RAWLS, John, *Justice et démocratie* [1978-1989], trad. fr. Paris, Éd. du Seuil, 1993.

– *Libéralisme politique* [1993], trad. fr. Paris, PUF, 1995.

RAYNAL, Guillaume Thomas (abbé), *Histoire Philosophique et Politique des Etablissemens et du commerce des Européens dans les deux Indes* [1770], Genève, 1781, 3ᵉ éd., 11 vol.

RAYNAUD, Philippe, « De la liberté au pouvoir. Réflexions sur le patriotisme américain », *La Pensée politique*, t. III, 1995, pp. 71-84.

RAZ, Joseph, « Multiculturalism : A Liberal Perspective », *Dissent*, hiver 1994, pp. 67-79.

REICHLEY, A. James, *Religion in American Public Life*, Washington D.C., Brookings Institution, 1985.

RÉMOND, René, *Les États-Unis devant l'opinion française, 1815-1852*, Paris, Armand Colin, 1962, 2 vol.

RENAN, Ernest, *Qu'est-ce qu'une Nation ? et autres essais politiques*, textes choisis et présentés par Joël Roman, Paris, Presses Pocket, 1992.

Revue Tocqueville, t. XIV, n° 1, 1993, pp. 4-163. Numéro spécial : « Les droits de l'homme : une expérience franco-américaine », éd. D. Lacorne, avec des contributions de Louis Favoreu, Ruth Bader Ginsburg, Lucien Jaume, Tony Judt, Henry Monaghan, Marie-France Toinet, Georges Vedel et Gordon Wood.

RICARD, Serge, *Theodore Roosevelt et la justification de l'impérialisme*, Aix-en-Provence, Université de Provence, 1986.

RICHARD-AMATO, Patricia A. et SNOW, Marguerite Ann (éd.), *The Multicultural Classroom : Readings for Content-Area Teachers*, White Plains, Longman, 1992.

RICŒUR, Paul, *Le Juste*, Paris, Éd. Esprit, 1995.

RODRIGUEZ, Gregory, « The Browning of California », *New Republic*, 2 septembre 1996, pp. 18-19.

ROEBER, A. G., « The Origin of Whatever Is Not English among Us », *in* B. Bailyn et Ph. Morgan, *Strangers within the Realm, op. cit.*, pp. 237-383.

ROOSEVELT, Theodore, « True Americanism », *American Ideals and Others Essays, Social and Political*, New York, G.P. Putnam's Sons, 1897.

[ROOSEVELT, Theodore], *The Letters of Theodore Roosevelt*, éd. Elting E. Morison *et al.*, Cambridge (Mass.), Harvard University Press, 1952.

RORTY, Richard, *Contingency, Irony, and Solidarity*, Cambridge, Cambridge University Press, 1989.

ROSEN, Jeffrey, « Affirmative Action : A Solution », *New Republic*, 8 mai, 1995, pp. 20-25.

– « The Color-Blind Court », *New Republic*, 31 juillet, 1995, pp. 19-25.

– « The Day the Quotas Died », *New Republic*, 22 avril, 1996, pp. 21-27.

ROSENFELD, Michel, *Affirmative Action and Justice. A Philosophical and Constitutional Inquiry*, New Haven, Yale University Press, 1991.

ROSS, Dorothy, *The Origins of American Social Science*, New York, Cambridge University Press, 1992.

ROSSIGNOL, Marie-Jeanne, *Le Ferment nationaliste. Aux origines de la politique extérieure des États-Unis : 1782-1812*, Paris, Belin, 1994. Voir aussi MARIEN-STRAS.

ROUGÉ, Robert (dir.), *Les Immigrations européennes aux États-Unis, 1880-1910*, Paris, Presses de l'université de Paris-Sorbonne, 1987.

RUBIN, Barry, *Assimilation and its Discontents*, New York, Random House, 1995.

SACHAR, Howard M., *A History of the Jews in America*, New York, Knopf, 1992.

SADOUN, Marc, voir DONEGANI.

SALYER, Lucy E., *Laws Harsh as Tigers : Chinese Immigrants and the Shaping of Modern Immigration Law*, Chapel Hill, University of North Carolina Press, 1995.

SALZMAN, Jack (dir.), *Bridges and Boundaries. African Americans and American Jews*, New York, George Braziller, 1992.

SÁNCHEZ, George J., *Becoming Mexican American. Ethnicity, Culture and Identity in Chicano Los Angeles, 1900-1945*, Berkeley, University of California Press, 1993.

SANDEL, Michael J., *Liberalism and the Limits of Justice* [1982], Cambridge, Cambridge University Press, 1995.

– *Democracy's Discontent. America in Search of a Public Philosophy*, Cambridge (Mass.), Cambridge University Press, 1996.

SAXTON, Alexander, *The Indispensable Enemy : Labor and the Anti-Chinese Movement in California*, Berkeley, University of California Press, 1971.

SCALIA, Antonin, « The Disease as Cure : "In order to get beyond racism, we must first take account of race" », *Washington University Law Quarterly*, n° 1, 1979, pp. 147-157.

SCHLERETH, Thomas J., « Columbia, Columbus, and Columbianism », *Journal of American History*, n° 3, 1992, pp. 937-968.

SCHLESINGER, Arthur M. Jr., *La Désunion de l'Amérique* [1991], trad. fr. Paris, Liana Levi, 1993.

SCHNAPPER, Dominique, *La France de l'intégration. Sociologie de la nation en 1990*, Paris, Gallimard, 1991.

– *La Communauté des citoyens. Sur l'idée moderne de nation*, Paris, Gallimard, 1994.

SCHUCK, Peter H. et SMITH, Rogers, *Citizenship without Consent. Illegal Aliens in the American Polity*, New Haven, Yale University Press, 1985.

– « The Politics of Rapid Legal Change : Immigration Policy in the 1980s », *Studies in American Political Development*, n° 1, 1992, pp. 37-92.
– « The Message of 187 », *American Prospect*, n° 21, 1995, pp. 85-92.
SELIGMAN, Adam, *The Idea of Civil Society*, New York, Free Press, 1992.
SHEA, Christopher, « Under UCLA's Elaborate System, Race Makes a Big Difference », *Chronicle of Higher Education*, 28 avril 1995, pp. A12-A14.
SHKLAR, Judith, *American Citizenship*, Cambridge, Harvard University Press, 1991.
SHORRIS, Earl, *Latinos. A Biography of the People*, New York, Norton, 1992.
SHUSTA, Robert M., LEVINE, Deena R., HARRIS, Philip R. et WONG, Herbert Z., *Multicultural Law Enforcement. Strategies for Peacekeeping in a Diverse Society*, Englewood Cliffs, Prentice Hall, 1995.
SIEGFRIED, André, *Les États-Unis d'aujourd'hui* [1927], Paris, Armand Colin, 1931.
SKERRY, Peter, *Mexican Americans. The Ambivalent Minority*, New York, Free Press, 1993.
SKOCPOL, Theda, *Protecting Soldiers and Mothers*, Cambridge (Mass.), Harvard University Press, 1992.
SKOWRONEK, Stephen, *The Politics Presidents Make*, Cambridge (Mass.), Harvard University Press, 1993.
SKRENTNY, John David, *The Ironies of Affirmative Action. Politics, Culture and Justice in America*, Chicago, University of Chicago Press, 1996.
SLAMA, Alain-Gérard, *La Régression démocratique*, Paris, Fayard, 1995.
SLEETER, Christine E. et GRANT, Carl A., *Making Choices for Multicultural Education. Five Approaches to Race, Class, and Gender* [1988], Englewood Cliffs, Prentice Hall, 1994, 2ᵉ éd.
– et MCLAREN, Peter (dir.), *Multicultural Education, Critical Pedagogy, and the Politics of Difference*, New York, State University of New York Press, 1995.
SMITH, Dennis, *The Chicago School. A Liberal Critique of Capitalism*, New York, St. Martin's Press, 1988.
SMITH, Rogers M., « The "American Creed" and American Identity : The Limits of Liberal Citizenship in the United States », *Western Political Quarterly*, n° 2, 1988, pp. 225-251.
– « Beyond Tocqueville, Myrdal and Hartz : The Multiple Traditions in America », *American Political Science Review*, n° 3, 1993, pp. 549-565. Voir aussi SCHUCK.
SNIDERMAN, Paul M. et PIAZZA, Thomas, *The Scar of Race*, Cambridge (Mass.), Harvard University Press, 1993.
SOLLORS, Werner, *Beyond Ethnicity. Consent and Descent in American Culture*, New York, Oxford University Press, 1986.
– (dir.), *The Invention of Ethnicity*, New York, Oxford University Press, 1989.
SORIN, Gerald, *The Jewish People in America*, t. III : *A Time for Building. The Third Migration, 1880-1920*, Baltimore, Johns Hopkins University Press, 1992.
SOWELL, Thomas, *Inside American Education*, New York, Free Press, 1993.

SOYSAL, Yasemin Nuhoglu, *Limits of Citizenship. Migrants and Postnational Membership in Europe*, Chicago, University of Chicago Press, 1994.

SPINNER, Jeff, *The Boundaries of Citizenship. Race, Ethnicity, and Nationality in the Liberal State*, Baltimore, Johns Hopkins University Press, 1994.

SPITZ, Jean-Fabien, voir LOCKE.

SPRING, Joel, *American Education*, 6ᵉ éd., New York, McGraw-Hill, 1994.

STAVANS, Ilan, « Hispanic USA : The Search for Identity », *American Prospect*, automne 1993.

STEELE, Shelby, *The Content of our Character*, New York, Harper Perennial, 1991.

STEINBERG, Stephen, *The Ethnic Myth. Race, Ethnicity and Class in America* [1981], Boston, Beacon Press, 1989.

STEPHANSON, Anders, *Manifest Destiny. American Expansion and the Empire of Right*, New York, Hill and Wang, 1995.

SUBILEAU, Françoise et TOINET, Marie-France, *Les Chemins de l'abstention. Une comparaison franco-américaine*, Paris, La Découverte, 1993.

TAGUIEFF, Pierre-André, *La Force du préjugé. Essai sur le racisme et ses doubles*, Paris, La Découverte, 1987.

TAKAGI, Dana Y., *The Retreat from Race. Asian-American Admissions and Racial Politics*, New Brunswick, Rutgers University Press, 1992.

TAKAKI, Ronald, *Strangers from a Different Shore. A History of Asian Americans*, Harmondsworth, Penguin Books, 1990.

– *A Different Mirror. A History of Multicultural America*, Boston, Little Brown, 1993.

TAMIR, Yael, *Liberal Nationalism*, Princeton, Princeton University Press, 1993.

TAYLOR, Charles, *Sources of the Self. The Making of the Modern Identity*, Cambridge, Cambridge University Press, 1989.

– *Multiculturalism* [1992] (édité et introduit par Amy Gutmann avec les commentaires de K. Anthony Appiah, Jürgen Habermas, Steven C. Rockefeller, Michael Walzer et Susan Wolf), Princeton, Princeton University Press, 2ᵉ éd. refondue, 1994.

THERNSTROM, Stephan, *The Other Bostonians. Poverty and Progress in the American Metropolis, 1880-1970*, Cambridge (Mass.), Harvard University Press, 1973.

–, ORLOV, Ann et HANDLIN, Oscar (éd.), *Harvard Encyclopedia of American Ethnic Groups*, Cambridge (Mass.), Harvard University Press, 1980.

TOCQUEVILLE, Alexis DE, *De la démocratie en Amérique*, avec une préface de François Furet, Paris, Garnier-Flammarion, 1981, 2 vol.

– « Lettre à T. Sedgwick », *Œuvres complètes*, Paris, Gallimard, t. VII, p. 159.

TODD, Emmanuel, *Le Destin des immigrés. Assimilation et ségrégation dans les démocraties occidentales*, Paris, Éd. du Seuil, 1994.

TODOROV, Tzvetan, *Nous et les autres. La réflexion française sur la diversité humaine*, Paris, Éd. du Seuil, 1989.

TOINET, Marie-France (dir.), *L'État en Amérique*, Paris, Presses de la Fondation nationale des sciences politiques, 1989.

– *Le Système politique des États-Unis*, 2ᵉ éd., Paris, PUF, coll. « Thémis », 1990.

– *La Présidence américaine*, 2ᵉ éd., revue et actualisée par Hubert Kempf, Paris, Montchrestien, coll. « Clefs-Politique », 1996. Voir aussi SUBILEAU.

TOURAINE, Alain, *Critique de la modernité*, Paris, Fayard, 1992.

TOZER, Steven, VIOLAS, Paul et SENESE, Guy, *School and Society. Educational Practice as Social Expression*, New York, McGraw-Hill, 1993.

TRACHTENBERG, Alan, *The Incorporation of America. Culture and Society in the Gilded Age* [1982], New York, Hill and Wang, 1992.

TRIBALAT, Michèle, *Faire France. Une enquête sur les immigrés et leurs enfants*, Paris, La Découverte-Essais, 1995.

TROCMÉ, Hélène, *La Côte atlantique*, Nancy, Presses universitaires de Nancy, 1994.

TROMMLER, Frank et MCVEIGH, Joseph (éd.), *America and the Germans : An Assessment of a Three Hundred Year History*, Philadelphie, University of Pennsylvania Press, 1985, 2 vol.

ULLMO, Sylvia (dir.), *L'Immigration américaine, exemple ou contre-exemple pour la France ?*, Paris, L'Harmattan, 1994.

VAN DEN BERGHE, Pierre L., *Race and Racism. A Comparative Perspective*, New York, John Wiley, 1967.

VAN RUYMBEKE, Bertrand, *L'Émigration huguenote en Caroline du Sud sous le régime des Seigneurs propriétaires : étude d'une communauté du refuge dans une province britannique d'Amérique du Nord, 1680-1720*, thèse de doctorat, université de Paris-III, 1995, 2 vol.

VAN SERTIMA, Ivan, *They Came before Columbus*, New York, Random House, 1976.

VAUGHAN, Leslie J., « Cosmopolitanism, Ethnicity and American Identity : Randolph Bourne's "Trans-National America" », *Journal of American Studies*, nº 3, 1991, pp. 443-459.

VECOLI, Rudolph J., « European Americans : From Immigrants to Ethnics », *in* William H. Cartwright et Richard L. Watson (dir.), *The Reinterpretation of American History and Culture*, Washington D.C., National Council for the Social Studies, 1973.

– et SINKE, Suzanne (dir.), *A Century of European Migrations, 1830-1930*, Urbana, University of Illinois Press, 1991.

[VIRGILE], « Moretum », *Aeneid. The Minor Poems*, Cambridge (Mass.), Harvard University Press, coll. « Loeb Classical Library », 1986, t. II, pp. 452-461 (texte latin avec une traduction de H. R. Fairclough).

VOLTAIRE, « Quatrième lettre "Sur les Quakers" », *Lettres philosophiques* [1734], rééd. Paris, Garnier-Flammarion, 1964, p. 38.

– « Tolérance », *Dictionnaire philosophique* [1764], rééd. Paris, Garnier-Flammarion, 1964, p. 367.

WACQUANT, Loïc et WILSON, William Julius, « The Cost of Racial and Class Exclusion in the Inner City », *Annals A.A.P.S.S.*, nº 501, 1989, pp. 8-25.

WALZER, Michael, *Spheres of Justice*, New York, Basic Books, 1983.

– *What it Means to be an American*, New York, Marsilio, 1992.

WATERS, Mary C., *Ethnic Options. Choosing Identities in America*, Berkeley, University of California Press, 1990. Voir aussi LIEBERSON.

WEIL, François, *Les Franco-Américains, 1860-1980*, Paris, Belin, 1989.

– *Naissance de l'Amérique urbaine, 1820-1920*, Paris, SEDES, 1992.

WEIL, Patrick, *La France et ses étrangers*, Paris, Gallimard, coll. « Folio-Actuel », 1995.

– « Politiques d'immigration de la France et des États-Unis à la veille de la Seconde Guerre mondiale », *Cahiers de la Shoa*, n° 2, 1994-1995, pp. 51-84.

– « Pour une nouvelle politique d'immigration », *Esprit*, n° 220, 1996, pp. 136-154.

WERNER, Michael, « La Germanie de Tacite », *Le Débat*, n° 78, 1994, pp. 42-61.

WEST, Cornel, *Race Matters*, Boston, Beacon Press, 1993.

WIEVIORKA, Michel (dir.), *Une société fragmentée ? Le multiculturalisme en débat*, Paris, La Découverte, 1996.

WIHTOL DE WENDEN, Catherine, *Les Immigrés et la politique*, Paris, Presses de la Fondation nationale des sciences politiques, 1988. Voir aussi BADIE.

WILLAIME, Jean-Paul, *La Précarité protestante. Sociologie du protestantisme contemporain*, Genève, Éd. Labor et Fides, 1992.

WILLIAMS, Roger, *The Bloudy Tenent of Persecution for Cause of Conscience Discussed in a Conference between Truth and Peace* [1644], *in* Ph. Kurland et Ralph Lerner (éd.), *The Founders' Constitution*, *op. cit.*, t. V, pp. 48-49 (extraits).

WILSON, William Julius, *The Declining Significance of Race* [1978], 2ᵉ éd., Chicago, University of Chicago Press, 1980.

– *The Truly Disadvantaged : The Inner City, the Underclass and Public Policy*, Chicago, University of Chicago Press, 1988.

– *When Work Disappears. The World of the New Urban Poor*, New York, Knopf, 1996.

WINANT, Howard, *Racial Conditions. Politics, Theory, Comparisons*, Minneapolis, University of Minnesota Press, 1994.

WOLF, Stephanie Grauman, *Urban Village. Population, Community and Family Structure in Germantown, Pennsylvania, 1683-1800*, Princeton, Princeton University Press, 1976.

WOOD, Gordon, *La Création de la République américaine, 1776-1787* [1969], trad. fr. Paris, Belin, 1991.

WULF, Naomi, *L'Idée de démocratie aux États-Unis de 1828 à 1844, à travers les écrits d'Orestes A. Brownson*, thèse de doctorat, université de Paris-VII, 1995, 2 vol.

YANS-MCLAUGHLIN, Virginia (dir.), *Immigration Reconsidered*, New York, Oxford University Press, 1990.

YETMAN, Norman R. (dir.), *Majority and Minority. The Dynamics of Race and Ethnicity in American Life*, 5ᵉ éd., Boston, Allyn and Bacon, 1991.

YONNET, Paul, *Voyage au centre du malaise français*, Paris, Gallimard, 1993.

YOUNG, I. M., *Justice and the Politics of Difference*, Princeton, Princeton University Press, 1990.

ZANGWILL, Israel, *Tragédies du ghetto* [1893], rééd. fr. Paris, 10/18, 1984.
- *Le Roi des Schnorrers* [1894], rééd. fr. Paris, Éd. Autrement, 1994.
- *Comédies du ghetto* [1907], rééd. fr. avec une postface de Marie-Brunette Spire, Paris, Éd. Autrement, 1997.
- *The Melting-Pot. Drama in Four Acts* [1909], rééd. de la 2ᵉ éd. révisée avec une postface de l'auteur [1914], New York, Arno Press, 1975.
- *The Principle of Nationalities*, New York, Macmillan, 1917.
- *The Voice of Jerusalem*, Londres, Heineman, 1920.
- *Speeches, Articles and Letters*, éd. Maurice Simon, Londres, Soncino Press, 1937.
ZUNZ, Olivier, *Naissance de l'Amérique industrielle : Detroit 1880-1920*, Paris, Aubier, 1983.
- « American History and the Changing Meaning of Assimilation » (article suivi d'un débat avec la réponse de l'auteur), *Journal of American Ethnic History*, n° 2, 1985, pp. 53-84.
- « Genèse du pluralisme américain », *Annales ESC*, n° 2, 1987, pp. 429-444.

INDEX

TABLE DES MATIÈRES

Impression réalisée sur CAMERON par
BRODARD ET TAUPIN
La Flèche

pour le compte des Éditions Fayard
en mars 1997

Imprimé en France
Dépôt légal : avril 1997
N° d'édition : 1320 – N° d'impression : 6585R-5
ISBN : 2-213-59870-3
35-14-0070-01/9